«Ein unendlich wichtiges Buch. Bisweilen hat man beim Lesen das Gefühl, es würden sich neue Synapsen im Gehirn ausbilden, die einen veränderten Blick auf die Welt eröffnen.» *Zeit Online*

«Ein wichtiges Buch. (...) Reflektiert, mit viel Authentizität und einer ehrlichen Stimme, in passenden Momenten gespickt mit Humor.» *Frankfurter Rundschau*

«Dieses Buch sollten möglichst viele Mädchen und junge Frauen lesen, und Jungs und junge Männer natürlich auch.» *Die Welt*

«Dieses Buch ist anders. Es packt selbst solche, die sich mit diesen Themen schon lange beschäftigen.» *taz*

MARGARETE STOKOWSKI, geboren 1986 in Polen, lebt seit 1988 in Berlin und studierte Philosophie und Sozialwissenschaften an der Humboldt-Universität zu Berlin. Als freie Autorin schreibt sie unter anderem für die *taz* und *Die Zeit*. Seit 2015 erscheint ihre wöchentliche Kolumne «Oben und unten» bei *Spiegel Online*.

MARGARETE STOKOWSKI

UNTENRUM FREI

Rowohlt Taschenbuch Verlag

20. Auflage November 2021
Veröffentlicht im Rowohlt Taschenbuch Verlag,
Reinbek bei Hamburg, Mai 2018
Copyright © 2016 by Rowohlt Verlag GmbH,
Reinbek bei Hamburg
Copyright © 2016 by Margarete Stokowski
Umschlaggestaltung ZERO Media GmbH, München,
nach einem Entwurf von Anzinger und Rasp, München
Satz aus der Mercury, InDesign,
bei Dörlemann Satz, Lemförde
Druck und Bindung CPI books GmbH, Leck, Germany
ISBN 978-3-499-63186-3

INHALT

Die Schauspielerin Maggie Gyllenhaal wurde für eine Hollywoodrolle abgelehnt, als sie 37 Jahre alt war. Es ging darum, das «love interest» eines 55-jährigen Mannes zu spielen. Gyllenhaal wurde nicht genommen – weil sie zu alt war. «Das hat mich überrascht», sagte sie in einem Interview. «Erst fühlte ich mich schlecht deswegen. Dann hat es mich wütend gemacht, und dann musste ich lachen.»[1]

Dieses Buch ist so ähnlich entstanden: Erst waren die Dinge komisch. Unangenehm. Verletzend. Dann kam die Wut. Heftige Wut auf die Ungerechtigkeit. Und dann das Lachen: Es müsste doch alles nicht so sein. Der ganze alte Scheiß ist längst am Einstürzen.

Wir können untenrum nicht frei sein, wenn wir obenrum nicht frei sind. Und andersrum. Das ist die zentrale These dieses Buches. Es geht um die kleinen, schmutzigen Dinge, über die man lieber nicht redet, weil sie peinlich werden könnten, und um die großen Machtfragen, über die man lieber auch nicht redet, weil vieles so unveränderlich scheint. Es geht darum, wie die Freiheit im Kleinen mit der Freiheit im Großen zusammenhängt, und am Ende wird sich zeigen: Es ist dieselbe.

Und es geht außerdem darum, dass Freiheit für eine kleine, unter sich gleichberechtigte Avantgarde nichts wert ist, wenn es die Freiheit einiger weniger ist, die an Deck Gin Tonic trinken, während die Massen im Maschinenraum schuften.

Freiheit ist ein großes Wort. Das ist okay, denn es geht um viel. Zum Beispiel darum, allen Menschen zuzugestehen, dass sie Subjekte sind und Objekte sein können, wenn sie wollen. Das klingt abstrakt und wird am Ende doch mit Grapefruits auf Penissen und Socken in BHs zu tun haben.

Es geht um Freiheit, und trotzdem möchte dieses Buch niemanden befreien. Aus zwei Gründen: Erstens wollen einige Leute gar nicht befreit werden, und zweitens müssen alle, die frei sein möchten, sich letztlich selbst befreien. Natürlich gibt es Frauen, die gern unterwürfig sind und traditionelle Rollen mögen, und es gibt Männer, die sich wirklich, wirklich überhaupt nicht anders denken lassen denn als im Stehen pinkelnde Grillexperten. Aber: Alles ist schöner, wenn es freiwillig ist und bewusst selbst gewählt, und dazu muss man die Alternativen zumindest kennen.

Aber warum überhaupt «befreien»: Wovon denn?

Eine Frau zu sein oder ein Mann zu sein bedeutet Arbeit. Jemand zu sein, der dazwischen oder jenseits davon liegt oder von einem zum anderen wechselt, bedeutet noch mehr Arbeit. Wir stecken viel Energie in die Rollen, die wir spielen, weil wir glauben, dass alles eine Ordnung haben muss und *so* viel anders auch gar nicht geht. Wir geben uns Mühe, die wir oft kaum bemerken, weil sie so alltäglich geworden ist. Und auch, weil es leichter ist, sich an vorhandene Muster zu halten.

Vorgegebene Rollen vereinfachen vieles. Aber sie beschränken eben auch. Wie Leitplanken. Es ist leichter, auf der Autobahn zu bleiben, wenn links und rechts stählerne Schutzplanken stehen und dahinter sowieso nur Gras wächst. Was soll man im Gras? Man kommt da schlechter voran. Aber vielleicht wäre es schön dort. Vor allem, wenn wir lebendig ankommen und nicht durch die Leitplanke durchmüssen. Und nein, keine Angst, der Feminismus wird niemandem die Autobahnen wegnehmen.

Wir sind – und das ist eine weitere These dieses Buches – scheinbar von unglaublich viel Sex umgeben, von Nacktheit und Brüsten und Pornos und Plakaten mit Sexspielzeug: Aber das ist kein Sex. Es ist ein diffuses Versprechen einer Möglichkeit, die mit tatsächlichem Sex nur sehr wenig gemeinsam hat. Dem steht eine immer noch große Unsicherheit gegenüber, mit der siebzehnjährige Jungs in Internetforen schreiben: «Beim ersten Mal habe ich die Befürchtung nicht das richtige Loch zu finden. Wie kann ich das am besten erkennen, wohin mit dem Penis?»

Ja, wohin mit dem Penis? Diese Frage werde ich nicht beantworten, aber vielleicht ein paar andere.

Dieses Buch ist kein Manifest, weil es einen ganzen Haufen Fragen und Meinungen enthält, die als Anfang, aber nicht als Ende einer Diskussion dienen können. Es ist keine Autobiographie, weil ich mich nicht ausziehen will, oder eher: weil ich mich zwar gern ausziehe, aber darüber brauche ich kein Buch zu schreiben. Aus diesem Buch wird man nicht erfahren, ob oder wie ich als Feministin im 21. Jahrhundert Teile meines Körpers enthaare; man wird nur erfahren, dass mir egal ist, wer es bei sich tut. Wir müssen über Schönheitsnormen reden, weil sie uns einengen. Wir dürfen uns aber nicht so weit von ihnen ablenken lassen, dass wir aus den Augen verlieren, worum es im Feminismus eigentlich geht: um Macht und Autonomie.

Man wird aus diesem Buch auch nicht erfahren, ob ich mich beim Sex lieber im Bett oder auf dem Küchentisch befinde, aber man wird erfahren, dass ich weder das eine noch das andere für emanzipiert oder langweilig halte, sondern denke, dass die Qualität des Liebemachens auch davon abhängt, wer den Küchentisch am nächsten Morgen decken wird und wer die Bettwäsche wechselt.

Ich werde also eine Geschichte erzählen. Dabei werde ich mein eigenes Versuchskaninchen sein. Denn ich glaube, dass Sex und Macht so grundlegende Themen sind, dass wir viel über sie erfahren können, wenn wir unser eigenes Leben betrachten.

Ich werde Dinge erlebt haben, und ich werde mir Dinge ausgedacht haben, und es ist schwer zu sagen, was davon persönlicher ist. Alle Geschichten in diesem Buch sind passiert, aber Umstände, Namen und persönliche Informationen sind geändert, um die Anonymität und Würde von Beteiligten zu wahren.

Marcel Proust hat geschrieben:

> «Toren bilden sich ein, die großen Dimensionen sozialer Erscheinungen seien eine ausgezeichnete Gelegenheit, tiefer in die menschliche Seele einzudringen; sie sollten einsehen, dass sie vielmehr durch Eindringen in eine Individualität die Möglichkeit bekommen, solche Erscheinungen zu verstehen.»[2]

Genau das werden wir tun: in die Individualität eindringen und gucken, was wir da finden. Und dann damit wieder hochsehen, in die «großen Dimensionen sozialer Erscheinungen».

Es wird um Sex gehen und um Macht, aber auch um Angst, Scham und Gewohnheit, um Spaß und Tabus. Und natürlich auch um Liebe. Und um Arbeit und Arbeit aus Liebe.

Die einzelnen Kapitel in diesem Buch sind in sich geschlossene Essays, man sollte sie einzeln lesen können, aber hintereinandergereiht ergeben sie eine Geschichte.

Das erste Kapitel zeigt, wie sich schon in unserer Kindheit Muster einschleichen können, die uns einschränken und die wir wieder loswerden müssen, sobald wir eingesehen haben, dass das Leben kein Disneyfilm ist.

Das zweite Kapitel handelt von Schönheit und von Arbeit am Körper und auch vom Rubbeln daran.

Im dritten Kapitel geht es um Sex und das Wissen davon, was guter Sex wäre, und um Zeitschriften, die uns der Sache nicht näher bringen.

Was es mit der sexuellen Revolution auf sich hat, ist die Frage des vierten Kapitels. Sind wir so frei und locker, wie wir denken?[*]

Im fünften Kapitel wird gefragt, ob feministische Weltherrschaft eine Option ist, und die Antwort ist: natürlich nicht, weil Weltherrschaft generell keine Option ist. Es geht um Gender Studies und fair bezahlte Arbeit und die Verbindung von Feminismus und Anarchismus mit einem gemeinsamen Ziel: Abschaffung von Herrschaft.

Das sechste Kapitel empfiehlt, eine eigene Poesie des «Fuck you» zu entwickeln, um sich seltener verarschen zu lassen; sei es bei Mythen über Sex oder bei der Frage nach «korrekter» Sprache.

Im letzten Kapitel geht es um die Liebe und was die eigentlich mit alldem zu tun hat: viel. Denn letztlich machen wir in politischen Bewegungen dasselbe wie in Beziehungen und beim Kinderkriegen: Wir schließen uns zusammen und werden dadurch mehr.

Wir müssten das alles nicht «Feminismus» nennen. Wir könnten auch sagen, es geht eben irgendwie um Sex und

[*] Im dritten und vierten Kapitel werden Vorfälle sexualisierter Gewalt beschrieben (S. 107–112 und 154–157), im dritten außerdem Essstörungen und selbstverletzendes Verhalten (S. 100–104 und 112–114). Wer ahnt, dass das Lesen dieser Seiten schwierig werden könnte, sollte sie eventuell auslassen oder nicht allein lesen.

Macht und das ganze Drumherum. «Jenseits von Graben-
kämpfen», wie es so schön heißt. Und es müsste gar nicht
schlecht sein, das Wort «Feminismus» da rauszulassen. Als
Simone de Beauvoir *Das andere Geschlecht* schrieb, hat sie
sich auch noch nicht «Feministin» genannt. («In der Debatte
über den Feminismus ist genug Tinte geflossen», so stand es
auf der ersten Seite, 1949 – tja nun.) Man kann Frauen – und
dem Feminismus – unglaubliche Dienste erweisen, ohne sich
Feministin zu nennen. Man kann ihnen auch sehr schaden,
obwohl man sich so nennt. Es ist kompliziert.

Der Begriff «Feminismus» schreckt heute immer noch viele
Leute ab. Sie denken an hysterische Hexen, die alle Männer kastrieren wollen, oder lieber gleich töten, um dann an-
schließend hämisch lachend ums Lagerfeuer zu tanzen und
BH für BH hineinzuwerfen. Oder sie denken an gestörte
Ziegen, die von ihren Vätern, Brüdern oder Lovern verletzt
und versetzt wurden und sich jetzt an ihnen rächen wollen, indem sie eine hinterhältige Ideologie verbreiten, in der
Frauen die besseren Menschen sind, kein Mädchen mehr
mit Barbies spielen darf und Nagellack verboten ist. Oder
an gierige, faule Gören, die Fördergelder und Vorstandsposten kriegen wollen, obwohl sie ihr Sozialpädagogikstudium
abgebrochen haben, weil sie lieber Plüschmuschis stricken
wollten, und jetzt nicht wissen, von was sie die Miete zahlen
sollen.

Wenn Sie von diesem Buch nur das Vorwort lesen und es danach weglegen, nehmen Sie wenigstens das mit: Alle diese
Vorstellungen sind falsch. Ich schwöre bei all den Vorstandsposten, die ich nie haben wollte, und meinen BHs, die ich
nicht missen möchte.

Trotzdem lege ich persönlich wenig Wert darauf, dass irgendjemand sich zum *Wort* Feminismus bekennt. Am Ende
geht es darum, wie wir handeln und miteinander umgehen,

und nicht darum, welches Etikett wir uns geben. Es mag sein, dass Leute mit anderen, die sich als feministisch bezeichnen, unangenehme Dinge erlebt haben. Nicht alles, was *im Namen* des Feminismus geschieht, ist gut: Es gibt Frauen, die sich Feministinnen nennen und im selben Atemzug muslimischen Frauen die Fähigkeit absprechen, für sich selbst zu entscheiden. Eine politische Einstellung, die andere Menschen bevormundet, ausgrenzt oder beleidigt, hat mit dem, was ich unter Feminismus verstehe, nichts zu tun – dasselbe gilt für die Frage, ob Frauen sich so kleiden dürfen, dass sie Männern gefallen. Natürlich dürfen sie das, denn so ziemlich alle Sätze, die mit «Im Feminismus dürfen Frauen nicht ...» anfangen, sind falsch.

Für mich bedeutet Feminismus, dass alle Menschen unabhängig von ihrem Geschlecht, ihrer Sexualität und ihrem Körper dieselben Rechte und Freiheiten haben sollen. Natürlich ist das keine Frage, die man nur anhand von Kriterien wie Weiblichkeit, Männlichkeit, Hetero-, Homo- oder Bisexualität diskutieren kann. Einschränkungen von Rechten und Freiheiten haben und hatten immer schon auch mit Herkunft zu tun: im ethnischen Sinne wie auch als Klassenfrage. Eine verheiratete deutsche Managerin, die einen Vorstandsposten in einem DAX-Unternehmen will, hat andere Probleme als eine türkische Bäckerin, die nebenbei putzen gehen muss. Deswegen ist Feminismus kein Projekt, das man unabhängig von anderen Entwicklungen für sich genommen durchziehen kann: Rassismus, Klassenunterdrückung, alles gehört zusammen – und zusammen weg.

Ein Teil dieses Buches handelt davon, dass ich es mir nicht besonders leichtgemacht habe damit, mich als Feministin zu bezeichnen. In den allermeisten Fällen gruselt es mich, mich einer Gruppe anzuschließen, und wenn ich eine ideale Gesellschaft zeichnen müsste, wäre das vor allem eine, in der ich meine Ruhe habe. Bis ich Anfang zwanzig war, waren mir fast alle Menschen, die sich politisch für etwas engagierten, das nichts mit Tieren oder Kindern zu tun hatte, ziemlich suspekt, weil ich dachte: Man weiß ja gar nicht, mit wem man sich da gemein macht, Menschen können so scheiße sein. Einzige Ausnahme waren die, die gegen Nazis kämpften, bei denen schien mir der Fall klar. Alles andere fand ich vor allem: kompliziert. Ich dachte, ich müsste Tonnen von Informationen haben, bevor ich mich auf irgendeine Seite stelle, und das schreckte mich ab.

Heute gibt es für mich gute Gründe, beim Wort «Feminismus» zu bleiben, hier seien nur drei genannt:

Erstens: Labelfindung ist ein anstrengendes und mit Pech ein endloses Unterfangen. Was am Ende rauskommen soll, muss kurz und prägnant sein, eindeutig und leicht zu merken. «Bewegung für Freiheit und Selbstbestimmung bezüglich aller Fragen, die im Zusammenhang mit Geschlecht, Körper und sexueller Orientierung stehen» würde es besser treffen, ist aber zu lang. Leider. Und egal, wie lange man sucht, man wird es nie allen recht machen mit dem richtigen Label. Wenn «-ismus» am Ende steht, wird immer jemand kommen, der sagt, «Jeder Ismus ist eine Ideologie!», und dann können wir über Journalismus, Organismus, Syllogismus und Zynismus reden, aber dann schweifen wir ab.

Zweitens: Warum sollte man sich von all denen abgrenzen, die unsere Kämpfe begonnen haben und die dafür gesorgt haben, dass wir heute wählen können, Geld verdienen und ein Bankkonto eröffnen? Sie haben unglaublich viel erreicht, und es ist nicht irgendwie blöd und unangenehm, sich mit ihnen in eine Reihe zu stellen, sondern eine Ehre und eine Würdigung ihrer Mühen.

Und drittens: Labelfindung lenkt ab. Wir haben besseres zu tun. Feminismus ist nichts, was durch eine bessere PR ein attraktiveres Produkt wird und dann von allen einfach lässig nebenbei geschluckt wird. Es ist ein Kampf um fundamentale Gerechtigkeit. Es ist ein Kampf, der weh tun wird, weil wir einsehen müssen, an wie viel Scheiße wir uns gewöhnt haben. Wie viel Gewohnheiten wir ändern müssen, wenn wir alte Rollen zurücklassen. Es ist damit letztlich auch ein Experiment, von dem wir gar nicht genau wissen, was es am Ende mit uns machen wird. Weil wir mehr können werden. Mehr dürfen. Und mehr wollen.

Manchmal müssen wir uns daran erinnern, was wir einmal wollten und was wir verlernt haben zu wollen.

Meine Familie erzählt oft die Geschichte, als ich vier war und meine Großmutter sagte, ich soll eine Strumpfhose anziehen, damit mir nicht kalt wird. Ich wollte nicht. Ich wollte ein Kleid tragen ohne Strumpfhose drunter, ich fand es warm genug, also sagte ich «Nein, Oma» und dann einen Satz, der auf Polnisch lautet: *Każdy sobą rządzi*. Auf Deutsch: «Jeder bestimmt über sich selbst» oder: «Jeder regiert sich selbst», denn «rządzić» heißt auch, in politscher Hinsicht das Sagen zu haben. Manchmal wünsche ich mir, ich hätte mich seit damals politisch nicht mehr so sehr entwickelt – denn genau das ist heute wieder meine Haltung. Zwischendurch hatte ich sie leider vergessen.

Um Selbstbestimmung wird es viel gehen. Denn Feminismus ist keine Bewegung, die alte Zwänge durch neue Zwänge ersetzen will oder alte Tabus durch neue. Es ist ein Kampf gegen Zwänge und für mehr freie, eigene Entscheidungen. Und zwar nicht die Entscheidung «vor oder zurück», sondern die Entscheidung: Was für ein Mensch willst du sein? Das klingt nach viel, und ja, verdammt, es ist viel.

Well, I try my best
To be just like I am
But everybody wants you
To be just like them

BOB DYLAN

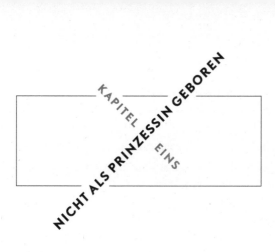

Am Anfang ist alles ein Spiel.

Ich bin vier, und das neue Fahrrad ist der Knaller. Ich liebe es. Es ist rosa-weiß und hat pinke Stützräder. Gehabt. Die ersten Male durfte ich noch mit ihnen fahren, immer hinter meinem Bruder her, das ging ganz leicht. Dann nimmt mein Vater die Stützräder an einem zunächst schönen Samstagvormittag ab und sagt: Das kannst du jetzt auch so. Also los auf den Spielplatz, auf dem abends die coolen Kinder mit ihren BMX-Rädern wilde Sachen machen. Los und rollen, fahren, nein, nicht mit den Füßen abstützen, fahren, fahren, fahren ... Vater schiebt ein Stück, lässt los. Oooh, es geht gut, hui, guck, wie gut es geht, und – voll auf die Fresse.

Hingefallen.

Bei diesem Sturz passieren zwei Dinge. Erstens: Ich falle so blöd, wie es nur irgendwie möglich ist, mit den Händen in Glasscherben. Scheiße genug. Es ist Berlin-Neukölln und 1990; Flaschen auf dem Boden gehören zum Ambiente. Eine Scherbe bohrt sich in meine rechte Hand, die Stelle am Handballen sieht noch Wochen später aus wie ein Stück Schinken, nackt und rosa. Zweitens: Der Lenker rammt sich mir zwischen die Beine. Aua. Die erste Sache ist auffällig und blutet, die zweite Sache ist unauffällig, und ich sage kein einziges Wort. Wie denn auch? Wie soll ich sagen, dass ich mir an meiner ... Dings weh getan habe? Dings. Wie heißt das? Mumu. Muschi. Unten. Untenrum. Aua. Soll man nicht drüber reden. Aua! Dann bin ich halt jetzt kaputt, denke ich. Besser als was sagen zu müssen. Was sagen wär peinlich.

Warum eigentlich «untenrum»? Unten sind die Füße, Mann! Das weiß ich – eigentlich.

Zu Hause verarztet meine Mutter mir die blutende Hand, und zum Trost kriege ich eine Capri-Sonne. Es tut auch bald kaum noch weh.

Warum habe ich nichts gesagt? Und warum schäme ich mich?

Gute Frage. Lange Antwort.

Das Wort «Scham» kann verschiedene Bedeutungen haben. Einerseits steht es für ein Gefühl von Verlegenheit oder Blöße: etwas Unangenehmes. Und andererseits steht es «in der gehobenen Umgangssprache [für] die äußeren Geschlechtsorgane des Menschen, insbesondere beim weiblichen Geschlecht die Vulva» – so ist es in der Wikipedia formuliert. Wir sprechen von Schamlippen und Schamhaaren, als würde sich dahinter etwas Verbotenes verbergen. Aber ist das so? Ist «die Scham» etwas, wofür sich irgendwer schämen müsste? Und müssten sich Jungs dann nicht eigentlich mehr schämen als Mädchen, weil bei den Jungs alles raushängt und bei den Mädchen alles halbwegs ordentlich drinnen liegt?

Simone de Beauvoir verwendet in ihrem Buch *Das andere Geschlecht* nicht wenige Seiten darauf, zu erklären, was unsere Vorstellungen von Weiblichkeit und Männlichkeit damit zu tun haben, dass Jungs häufig mit ihren Pimmeln spielen und Mädchen selten mit ihrer Vagina, weil sie innen liegt. Sie beschreibt das Gefühl, das daraus erwächst, dass Mädchen ihre Geschlechtsteile nicht auf die Art «in die Hand nehmen können» wie Jungs. Es ist nicht unbedingt Neid, wie Sigmund Freud behauptet, aber doch die Feststellung, dass so ein kleines, baumelndes Ding interessant sein kann: Mit einem Penis kann man seinen eigenen Namen in den Schnee pinkeln. Also, sobald man schreiben kann. Aber dann. Und das ist sehr viel.

Wenn Beauvoir über den Penis schreibt, dann klingt das bisweilen belustigend philosophisch: «Später», schreibt sie, «wird der Knabe seine Transzendenz und seine hochmütige Unübertrefflichkeit in dem Geschlechtsorgan verkörpern.»[3] Man könnte sagen: Ähm, ja. Bisschen übertrieben, Transzendenz und Penis, was soll das? Aber tatsächlich war sich selbst Georg Wilhelm Friedrich Hegel, einer der einflussreichsten deutschen Philosophen, nicht zu fein, in seinem Hauptwerk auch übers Pullern zu schreiben. Ein Meilenstein des Idealismus. In der *Phänomenologie des Geistes* von 1807 schreibt Hegel im Abschnitt über die beobachtende Vernunft:

> «Das *Tiefe*, das der Geist von innen heraus, aber nur bis in sein *vorstellendes Bewusstsein* treibt und es in diesem stehen lässt, – und die *Unwissenheit* dieses Bewusstseins, was das ist, was es sagt, ist dieselbe Verknüpfung des Hohen und Niedrigen, welche an dem Lebendigen die Natur in der Verknüpfung des Organs seiner höchsten Vollendung, des Organs der Zeugung, – und des Organs des Pissens naiv ausdrückt. – Das unendliche Urteil als unendliches wäre die Vollendung des sich selbst erfassenden Lebens, das in der Vorstellung bleibende Bewusstsein desselben aber verhält sich als Pissen.»[4]

Sie müssen das nicht noch mal lesen. Hegel vergleicht den Geist und alles, was der Geist so kann, mit dem Penis und allem, was der Penis so kann. Natürlich meint Hegel mit Vollendung nur das männliche Geschlechtsorgan und nicht das weibliche – wie sollte er auch anders, wo er an anderer Stelle erklärt, der «Unterschied zwischen Mann und Frau ist der des Tieres und der Pflanze»[5].

Es muss einiges passiert sein, bis ein großer Philosoph an sich herunterguckt und «höchste Vollendung» sieht.

Ja, es muss einiges passiert sein – und doch ist Hegel nicht so besonders damit. Manchmal denke ich, wenn alle Männer, die stolz auf ihre Penisse sind, einander Huckepack nehmen würden, einer über den anderen, dann würden sie bis zum Mars reichen und wahrscheinlich würden sie selbst dort ein kleines grünes Männchen finden, das unglaublich froh über sein kleines grünes Pimmelchen wäre. «Quatsch», sagt dann mein Freund Todd, «Männer sind so unsicher, was ihren Schwanz betrifft! Zu klein, zu groß, zu schief…» – Gut, sage ich. Allerdings lässt mich die schiere Menge an «Dick Pics», also Fotos von Penissen, die in Chats versandt werden, daran glauben, dass die Reihe zum Mars sich problemlos vollkriegen ließe, selbst wenn eine große Anzahl Jungs und Männer dabei auf der Erde bleiben würde. Warum denken Männer, sie könnten mit einem Bild ihres Gemächts eine Konversation starten, wenn nicht aus dem Gefühl heraus, dass es ein geiles Gemächt ist?

Und ist das schlecht? Sind Feministinnen nicht immer dafür, den eigenen Körper zu akzeptieren und zu lieben und für Selbstbewusstsein und all das? Ja, sind sie. Und es ist auch gar nicht schlecht, wenn Männer ihre Penisse toll finden. Alle Menschen sollten alle ihre Körperteile toll finden können, egal ob hinterm Ohr oder zwischen den Beinen. Es kann sogar sehr lustig sein. Es gibt ein Blog, das heißt «Things My Dick Does», in dem ein Penis aus San Francisco der Protagonist ist. Er betrinkt sich, versucht sich im

Gewichtheben, wird geküsst und schläft selig.[6] Ein süßes Kerlchen.

Aber.

Es gibt ein kleines Ungleichgewicht. Die Penispräsenz ist sehr stark im Vergleich zur Vulvapräsenz: Wie weit muss man gehen, um die Geschlechtsorgane einer Frau zu sehen? Wie weit für die eines Mannes? In echt oder künstlich? Wenn Sie Glück haben, nur bis zum nächsten Park. Dann steht da ein Springbrunnen, wo irgendein kleiner dicker Engel Wasser strullt. Wenn Sie Pech haben, steht da ein Exhibitionist. Oder Sie gehen ins Einkaufszentrum: Da gibt es Pimmellutscher bei Nanu Nana, diesem Laden für billige Geschenke. Sie stehen neben den «Oscars» aus Plastik, wo «Bester Opa» draufsteht. Bei Amazon kann man eine Wärmflasche bestellen, die «Erotische Wärmflasche mit Pimmel» heißt. Das Pendant dazu – «Wird oft zusammen gekauft» – ist die «erotische Wärmflasche mit hübschen Brüsten». So seltsam es ist, sich eine Wärmflasche mit Plüschpimmel zu kaufen, so wenig sind Brüste das Pendant zum Penis.

Der Penis ist präsent. Die Vulva nicht. Stattdessen wird sie Vagina genannt, und viele wissen gar nicht, dass die Vagina nur innen ist, also das Loch – oder wie Wikipedia sagt: der Schlauch – und das ganze Ding drumrum Vulva heißt, also Venushügel, Schamlippen, Klitoris. Musste ich auch erst lernen. Klingt manchmal immer noch komisch für meine Ohren. Irgendwo zwischen Volvo und Pulpo.

Wenn man eine Frau beleidigen will, kann man sie «Fotze» nennen. Man beschimpft sie mit ihrem Geschlechtsorgan, so als wäre das etwas Schlechtes. Bei Männern funktioniert das nicht, zumindest nicht auf Deutsch. «Du Pimmel» – das sagt man nicht. Man kann einen Mann einen Schwanzlutscher, einen Wichser oder einen Schlappschwanz nennen, aber dann geht es eher um Dinge, die man mit einem Penis tun kann oder eben nicht, aber nicht um den Penis selbst. Der Penis scheint nicht nur präsenter, sondern auch positiver «besetzt» zu sein als die Vulva.*

So weit, so nicht so schön. Aber was heißt das? Was hat das mit der Geschichte von mir als Vierjähriger zu tun? Soll eine solche Anekdote als Ursprung oder das Symptom von irgendwas herhalten? Warum erinnere ich mich überhaupt daran? Und wieso schweife ich dann so weit ab, bis es um Wärmflaschen geht, die sowieso niemand kauft, außer vielleicht als Witz?

Wenn wir über Macht und Freiheit sprechen wollen, müssen wir erstens früh und zweitens im Kleinen anfangen. Früh heißt, wir müssen uns ansehen, ab wann das losgeht, dass wir uns Handlungen oder Worte entweder selbst verbieten oder sie uns von außen verwehrt werden. Und im Kleinen heißt, es kann nicht nur darum gehen, wer sich traut, Bundeskanzlerin zu werden. Auch die scheinbaren Nebensächlichkeiten zählen: Wo entscheiden wir uns, uns zu beschränken? Wo werden wir beschränkt? Wo könnten wir freier sein, als wir es heute sind? Denn Macht ist etwas, das im Kleinen und im Großen wirken kann. Wie Ibuprofen.

Macht regelt, welche Jobs wir annehmen, aber auch, welche Unterhosen wir tragen. Und überhaupt, Unterhosen: Wenn wir davon ausgehen, dass Geschlecht und Macht zusammenhängen, dann müssen wir auch über die Dinge reden, die uns banal oder peinlich vorkommen. Wir müssen verstehen, wo und warum uns als Frau oder als Mann nur bestimmte Möglichkeiten gegeben sind und andere nicht. Dabei wird es um die kleinen, nervigen Dinge gehen, aber auch um Leben und Tod.

---

* Im Englischen geht es: Ein «dick» kann ein Penis oder eine Beleidigung sein, ähnlich im Polnischen: «chuj».

Was heißt es denn, *als Frau* zu leben?

In dem bereits erwähnten Buch *Das andere Geschlecht* von Beauvoir steht ein Satz, den heute so ziemlich alle kennen. Der Satz fängt an mit: «Man wird nicht als Frau geboren, ...» – und wie weiter? «... man wird es.» Das berühmteste Zitat aus Beauvoirs Buch ist ein Satz, der komisch klingt. «Man wird es», was soll das heißen? Und weil der Satz so merkwürdig klingt, wird er gern anders beendet: «... man wird dazu gemacht.» Im französischen Original geht der Satz so: «On ne naît pas femme: on le devient.» Das Verb *devenir (werden)* wird in der falschen Übersetzung von einem aktiven «werden» zu einem passiven «gemacht werden». Ein ziemlicher Unterschied.

Diese zwei Übersetzungen stehen für zwei grundverschiedene Sichtweisen davon, was es heißt, eine Frau zu werden. Wenn man sagt, man wird zur Frau *gemacht*, dann suggeriert das Passivität: die Frau als Opfer einer Gesamtsituation. Als würde jegliches Übel, das Mädchen und Frauen geschieht, von außen kommen, und als wäre alles besser, wenn die armen Dinger sich nur irgendwie wehren könnten. Und vor allem: als wären sie an nichts selbst schuld. Es ist dann eine Anklage an die Welt. Wenn man aber sagt, man *wird* zur Frau, dann ist das eine Entwicklung, an der man aktiv mitwirkt. Nicht ohne Grund stellt Beauvoir dem zweiten Band ihres Buches ein Zitat von Jean-Paul Sartre voran: «Halb Opfer, halb Mitschuldige, wie wir alle.» Wenn Beauvoir die Frau dann als unterdrückt beschreibt, ist diese Unterdrückung eine Ambivalenz, die nicht nur eine Befreiung vom Unterdrücker erfordert, sondern auch eine Trennung von der eigenen, erlernten Passivität und Fügsamkeit.

Die Geschichte des Frauwerdens ist komplex – und die des Mannwerdens natürlich auch, so wie überhaupt alle Geschichten vom Heranwachsen und Sich-in-der-Welt-

Zurechtfinden, sonst würde es nicht so viele Coming-of-Age-Romane und -Filme geben. Und so merkwürdig die Formulierung «ich als Frau» immer wirkt, kann doch *ich als Frau* nur meine eigene Geschichte aus nächster Nähe erzählen.

Wenn Susan Sontag schreibt: «Wir müssen lernen, mehr zu sehen, mehr zu hören und mehr zu fühlen» – dann bezieht sie das auf die Interpretation von Kunst.[7] Ich glaube aber, es gilt auch für den ganzen Rest: Wenn wir lernen wollen, wie Gesellschaft funktioniert und wie wir in ihr zu denen werden, die wir sind, können wir das auf viele Arten tun. Wir können andere Gesellschaften an anderen Orten und zu anderen Zeiten mit unserer vergleichen, wir können Umfragen machen oder Studien – oder wir können versuchen, uns selbst zu fragen, unsere Erinnerungen und Erfahrungen zu durchforsten und auf diese Weise zu verstehen, warum die Dinge so laufen, wie sie laufen, und nicht anders. Dazu müssen wir, wie Sontag schreibt, «unsere Sinne wiedererlangen», und das ist nicht esoterisch gemeint, sondern soll heißen, dass wir all das wahrnehmen müssen, was uns zwischendurch so selbstverständlich geworden ist. *Dass* es uns selbstverständlich geworden ist, hat gute Gründe, denn man will nicht den ganzen Tag staunend durch die Welt laufen, man will auch in ihr klarkommen. Wenn wir es aber schaffen, die alltäglichen Dinge, die uns so glatt und logisch erscheinen, ein Stück weit aufzubrechen, dann kann uns das helfen, unseren eigenen Standpunkt deutlicher zu sehen: Wo stehen wir? Und: Wollen wir da stehen?

Das klingt sehr abstrakt. Wir wollten nicht nur über Macht reden, sondern auch über Sex, Geschlechterrollen und all das. Wo sollen wir da anfangen, wenn nicht in der Kindheit? Beim 18. Geburtstag? Zu spät.

Also weiter.

In der Vorschule bin ich beim «Vater-Mutter-Kind»-Spielen

ziemlich oft der Hund. Weil ich noch nicht besonders gut deutsch kann und überhaupt auch nicht gern rede. Verstehen kann ich ganz okay, reden geht so. Also bin ich der Hund, gelegentlich das Pony.

Ich bin neu in der Gruppe, und die eine Erzieherin, die mich noch nicht kennt, steht mit einer anderen Erzieherin am Fenster und nickt in meine Richtung. «Junge oder Mädchen?», fragt sie die andere. «Mädchen», sagt die, «Margarete, aus Polen.»

Zack. Junge oder Mädchen. Ich habe das gehört, verdammt.

Ich trage die Klamotten von meinem Bruder, weil das praktisch ist, und einen Topfhaarschnitt, weil meine Mutter will, dass ich aussehe wie Mireille Mathieu, die Sängerin. Das klappt so mittelmäßig. Ich sehe offenbar eher aus wie ein Beatle mit Bärchenpulli.

«Junge oder Mädchen» – hallo? Mädchen!

Am Wochenende darauf fährt meine Familie in den Britzer Garten. Der Britzer Garten ist wie Disneyland ohne Disney. Da war mal Bundesgartenschau, 1985, und jetzt ist da, na ja, Landschaft. Mit Wegen und Spielplätzen.

Ich renne rum und klettere auf alles, was geht. Ich liebe Klettern. Ich bin stolz, wenn ich höher komme als mein älterer Bruder, und stelle mir vor, ich könnte wie ein kleiner Affe im Baum schlafen.

Aber mit einer Sache gebe ich mir an diesem Tag ganz besonders Mühe: Ich versuche, möglichst hoch zu sprechen. Ich piepe, damit man merkt, dass ich ein Mädchen bin; das habe ich mir überlegt, als Trick, damit die Leute das checken. Ich kann mir als Fünfjährige nicht einfach neue Klamotten kaufen oder mir über Nacht lange Haare wachsen lassen, also halte ich das mit der Stimme für eine sinnvolle Notlösung. Ich piepe wie eine Prinzessin, also so, wie ich denke, dass Prinzessinnen piepen. Irgendwelche Zeichentrickfilme müssen mich inspiriert haben. In echt klinge ich vermutlich wie ein Hamster, um den man langsam die Faust schließt.

Das ist albern.

Warum mache ich das? Warum gebe ich mir solche Mühe, ein ganz bestimmtes Bild zu erfüllen? Warum will ich auf gar, gar keinen Fall als Junge gesehen werden?

Ich würde mein fünfjähriges Ich heute gern fragen können, aber wahrscheinlich würde da gar nicht so viel mehr rauskommen als: «weil ich halt ein Mädchen bin», und dann würde dieses Ich wieder wegrennen und auf den nächsten Baum klettern.

Meine Mutter sagt heute, sie ist immer noch stolz darauf, wie süß ich war und wie gut sie meinen Haarschnitt hingekriegt hat: «Du sahst noch viel schöner aus als Mireille Mathieu.» Aber ich wollte nicht wie Mireille Mathieu sein, ich wollte sein wie eine verfickte Disneyprinzessin. Und ich gab mir dabei alle Mühe. Vielleicht war das der erste Moment in meinem Leben, in dem ich merkte: So eine Geschlechterrolle wird sich nicht von selbst spielen. Mädchensein erfüllt sich nicht von allein, es ist ein Tun – das ist es, was die Formulierung «doing gender» meint: Wir müssen es *tun*, und zwar ständig. Und das kann Arbeit sein.

Natürlich *dachte* ich das nicht als Kind. Das Wort «gender» hörte ich erst viele Jahre später. Aber offenbar hatte ich eine Ahnung, dass es Muster gibt, in die man passen kann – oder eben nicht. Meine Empörung darüber, wie man denn bitte nicht sehen kann, dass ich ein Mädchen bin, zeigt auch: Ich hätte mir selbst eine Abweichung nicht erlaubt.

Man kann zwar untersuchen, ab wann Kinder sich zum ersten Mal einem Geschlecht zugehörig fühlen, aber es wäre naiv zu denken, das sei der Zeitpunkt, ab dem das Geschlecht für sie relevant ist. Die Kategorien «Mädchen» oder «Junge» sind von Anfang an da. Es gibt nicht den einen Moment, in dem man im großen Theater der Geschlechterrollen auf die Bühne geschickt wird. Wenn es diesen Moment gäbe, in dem man die Bühne betritt (auch wenn man noch keinen Text zu sprechen hat), so ist es der Tag, an dem die Mutter bei der Ultraschalluntersuchung den Satz hört: «Es wird ein Mädchen», oder: «Es wird ein Junge.» Obwohl viele Eltern heute von sich behaupten würden, dass sie ihr Kind nicht nach Stereotypen erziehen wollen, sondern ihm alle Freiheiten der Welt lassen möchten, und obwohl sie das wirklich meinen, wird die Mutter die Tritte des Kindes in ihrem Bauch schon anders interpretieren, wenn sie das Geschlecht des Ungeborenen kennt. Ein Mädchen wird sie als «ziemlich aktiv» wahrnehmen, einen Jungen wird sie «energisch» oder «kräftig» finden.[8]

Und wenn andere Menschen erfahren, dass sie schwanger ist, dann fragen sie: «Was wird es denn?» Kaum jemand formuliert es so: «Welches Geschlecht wird es denn haben?» Mit der Frage «Was wird es denn?» ist jedem klar, was gemeint ist, weil Geschlecht so eine grundlegende Kategorie ist. Allenfalls fragt man noch: «Junge oder Mädchen?» Aber was fängt man mit dieser Info an? Ah, es wird ein Junge! Dann wird es – ja was? Kranführer? Ah, es wird ein Mädchen! Sollte man es schon mal zum Frühballett anmelden? Vielleicht nicht. Aber einen hübschen Strampler und ein Spielzeug als Geschenk kann man schon mal besorgen. Die Information «Mädchen» oder «Junge» ist nicht nur deswegen interessant, weil man sich dann Gedanken über einen Namen für das Kind machen kann, sondern auch, weil wir damit bestimmte Vorstellungen verknüpfen, wie das Leben dieses Kindes aussehen wird und was die Eltern mit ihm anfangen können. Wie viele Väter nehmen sich vor, mit ihren Söhnen ins Fußballstadion zu gehen, während beim werdenden Sohn noch nicht mal die inneren Organe fertig sind?

Am Anfang ist alles ein Spiel. Aber ein Spiel, bei dem man nicht gefragt wird, ob man Lust hat mitzuspielen – und man spielt eben doch den ganzen Tag.

Ich spiele zum Beispiel mit meiner Freundin Lina, die zwei Häuser weiter wohnt. Lina hat einen Haufen Polly Pockets, um die ich sie furchtbar beneide. Polly Pockets sind Plastikmuscheln, etwa in der Größe einer Puderdose, in denen kleine Plastikfigürchen wohnen. Man klappt die Muschel auf, und dann ist da eine Wohnung oder ein Schloss mit Garten. Dazu gibt es ein Mädchen mit zwei Hunden, eine Babysitterin mit zwei Babys oder eine Prinzessin mit einem Prinzen. Und mit denen kann man spielen und sich Geschichten ausdenken. Es ist, mit anderen Worten, unglaublich toll.

Jedes Mal, wenn Lina und ich mit ihren Polly Pockets spielen, stelle ich mir vor, ich wäre auch so eine winzige Figur: ein Püppchen in einer Püppchenwelt, wo alles in Pastellfarben gehalten ist und ganz, ganz klein. Ich würde meine Plastikhunde ausführen oder mein Plastikbaby betrachten, wie es in der Wiege liegt und schlummert, denn Plastikbabys schreien nicht, sie sind einfach nur den ganzen Tag niedlich, und zwar ziemlich genau so niedlich, wie ich es gern wäre.

Lina ist dafür neidisch, dass wir zu Hause unheimlich viele Tierfiguren haben, haufenweise Dinosaurier und außerdem ganze Wäschekörbe voller Lego und Fischertechnik – aber das finde ich persönlich damals eher so mittelmäßig. Wozu einen Hubschrauber bauen, wenn ich ein Schloss haben kann? Reine Logik.

Ein Kinderfoto aus der Zeit sieht so aus: Ich bin vier oder fünf Jahre alt, stehe vor einem Spiegel und habe in jeder Hand einen Deoroller, einen in Grün und einen in Orange. Mit dem grünen rolle ich in meiner nackten Kinderachsel rum, weil ich Erwachsene spiele und es gut riecht.

Auf einem anderen Foto, ungefähr aus derselben Zeit, stehe

ich wieder vor einem Spiegel. Ich trage eine blaue Latzhose und einen gelben Pulli und bin dabei, mir eine Plastikblume in die Haare zu fummeln, und freue mich, wie cool das aussieht.

Ich will schön sein – ist das schlimm? Es ist nicht schlimm. Überhaupt nicht. Ich bin einfach ein Kind, das sich freut, wenn etwas hübsch aussieht oder gut riecht.

Am Anfang ist es noch keine Arbeit und auch kein Wettbewerb. Ich will kein Ideal erreichen oder schöner sein als meine Schwester oder Lina oder sonst jemand. Wenn ich mir die Blume ins Haar gesteckt habe, bin ich schön. Fertig. Egal, dass die Blume nachher beim Spielen wieder rausfällt.

Später, in der Grundschule, will ich, dass meine Schrift schön ist. Alles an mir soll schön sein.

Ich kann zwar schon Großbuchstaben schreiben, aber die Kleinbuchstaben ordentlich zu schreiben finde ich furchtbar schwierig. Das kleine «m» macht mich fertig. Ich kriege es nicht richtig hin. Es ist umso schlimmer, weil ich eigentlich dachte, ich könnte schon schreiben – und ich war so stolz darauf. Und jetzt sehe ich, dass mein «m» aussieht wie ein bekacktes Kamel. Immer, wenn wir einen neuen Buchstaben gelernt haben, bekommen wir ein Arbeitsblatt mit, das eigentlich nur aus fast leeren Zeilen besteht, und vorne auf der Zeile ist immer der Buchstabe, den man dahinter ganz oft schreiben soll. Das ging bei allen Buchstaben bis jetzt gut, aber am «m» scheitere ich. Die Bögen sind nicht gleich genug. Sie sollen rund und schön sein, aber es funktioniert nicht. Wie soll ich jemals «Lilo malt Oma» schreiben können? Oder noch schlimmer: «Timo, komm mit»? Ich heule und will ein neues Arbeitsblatt. Aber es gibt kein neues. Meine Oma gibt mir Schmierpapier zum Üben, aber ich werde immer verzweifelter und wütender und die «m»s immer hässlicher. Am nächsten Tag zeige ich ein halb zerknittertes Arbeitsblatt vor, auf dem man die getrockneten Tränen noch erkennen kann. Ich schäme mich.

Warum weiß ich das heute noch? Wie tief sitzt das, bitte? Bin ich total gestört? Kann ich nicht inzwischen ein ganz okayes kleines «m»? Ja, tatsächlich. Natürlich konnte ich das «m» schon bald.

Es heißt eigentlich nur: Offenbar war Schönheit mir furchtbar wichtig. So wichtig, dass ich deswegen nie ein Pferdemädchen sein wollte.

In meiner Grundschulklasse sind die coolen Mädchen alle Pferdemädchen. Nach der Schule fahren sie zum Stall und striegeln ein Pferd, und manchmal dürfen sie auch reiten. Ich will das nicht, obwohl direkt hinter dem Hochhaus, in dem meine Großeltern wohnen, ein Pferdehof liegt. Aber: kein Bock. Denn irgendjemand hat mir erzählt, dass man vom Reiten einen dicken Arsch bekommt, ich weiß nicht mal mehr, wer, ich weiß nur noch: Fettarsch. Und tatsächlich, drei von vier Pferdemädchen aus meiner Klasse finde ich zu dick. These bestätigt, fertig. Sie sind cool, okay, aber ihre Ärsche sind dick, und ich will nicht so einen Arsch.

Überhaupt bin ich damals ein sehr strenges Kind. Ich bin streng mit mir selbst und meinem kleinen «m», ich bin streng mit den Ärschen der anderen, und ich bin streng, was Geschlechterrollen betrifft.

Meine Freundin Lina, mit der ich noch kurz zuvor Polly Pockets gespielt habe, interessiert sich nun, ein paar Jahre später, hauptsächlich für die Turtles, eine Zeichentrickserie mit humanoiden Kampfschildkröten, und später für die Power Rangers. Ständig singt sie das Thema der Serie, «... go, go, Power Rangers!!», und einer ihrer größten Wünsche ist es, einen solchen Kampfanzug zu haben. Und ich denke: Nun ja, Lina will halt ein Junge sein, blöd gelaufen bei ihr. Die Option, dass sie ein Mädchen ist, das sich für Actionfiguren interessiert, gibt es in meinem Kinderkopf nicht. Ich habe eine sehr klare Vorstellung davon, was sich für ein Mädchen gehört und was sich für einen Jungen gehört. Wenn jemand aus diesen Rollen rausfällt, dann kommt es mir nicht in den Sinn zu sagen: Vielleicht kann man diese Rolle auch anders spielen. Sondern ich denke: Tja, verkackt.

Ich bin streng, aber auch stolz. Einmal ist meine Mutter krank und liegt auf dem Sofa im Wohnzimmer, dick eingepackt in Kissen und Decken. Ab und zu fragt sie meine Geschwister und mich nach einem Glas Wasser oder einer neuen Packung Taschentücher. Irgendwann will sie etwas essen und bittet mich, ihr aus der Küche eine Banane zu bringen. Ich gehe also in die Küche, schäle eine Banane, lege sie auf einen Teller und schneide sie in Stücke. Meine Mutter lächelt, als ich ihr den Teller bringe. «Das ist der Unterschied», sagt sie, «zwischen deinem Bruder und dir. Ich hab ihn vorhin auch nach einer Banane gefragt. Also hat er mir eine Banane aus der Küche geholt. Mit Schale, eine Banane halt. Er hält sie mir so hin, wie sie ist, und du schneidest sie mir klein – das ist der Unterschied.» – Klar ist das der Unterschied, denke ich. Jungs halt: so dämlich! Wissen nicht, wie man seiner kranken Mutter eine Banane serviert. Ich bin nicht wenig stolz. Dabei meinte meine Mutter natürlich nicht, dass mein Bruder es falsch oder schlechter gemacht hätte.

Ich denke damals: Ich weiß eben, was ich kann, und was ich kann, das mache ich auch. Wenn meine Mutter die Hausarbeit so verteilt, dass mein Bruder den Müll rausbringen und ich die Hemden von meinem Vater bügeln soll, dann mag das Bügeln zwar länger dauern, aber erstens weiß ich, dass ich diese Aufgabe bekomme, weil ich es besonders gut kann und so schön ordentlich bin, und zweitens kann man beim Bügeln fernsehen, also ist es sowieso gut.

Man könnte das alles auf der Ebene von Blumen im Haar,

servierten Bananen und gebügelten Hemden belassen. Tatsächlich aber habe ich zu diesem Zeitpunkt schon zwei sehr grundlegende Anforderungen internalisiert, die oft mit Weiblichkeit verbunden werden: Ich will schön sein, und ich will mich um andere kümmern, für andere da sein. Das heißt auch: in der Beziehung zu ihnen aufgehen – und dafür geliebt werden.

In einem meiner damaligen Lieblingsfilme sind diese Erwartungen wunderbar verknüpft: Disneys *Arielle, die Meerjungfrau*. Arielle ist unzufrieden mit ihrem Leben im Meer und findet am Ende Erlösung durch einen Mann, der sie liebt.

Um ihren Wunsch nach Beinen erfüllt zu bekommen, geht Arielle einen Pakt mit der bösen (und – surprise! – übergewichtigen) Meerhexe Ursula ein: Arielle darf für drei Tage Mensch sein und an Land rumlaufen, muss in dieser Zeit aber den Prinzen rumkriegen, den sie vorher gerettet hat, nachdem sein Schiff in einen Sturm geraten ist. Sie muss von ihm den «Kuss der wahren Liebe» bekommen, um für immer Mensch bleiben zu dürfen. Zum Tausch muss sie ihre Stimme an die Meerhexe abgeben, die ihr erklärt: «Du hast dein Aussehen, dein hübsches Gesicht – und unterschätze ja nicht die Möglichkeiten der Körpersprache, ha! Die Menschenmänner lieben kein Geplapper!» Arielle unterschreibt tatsächlich den Vertrag, wird mit Beinen an Land gespült und benimmt sich dort zwar wie die letzte Idiotin, doch dank ihrer Schönheit gelingt es ihr trotzdem, den Prinzen zu bezaubern. In letzter Sekunde verhindert die Hexe den ersten Kuss zwischen Arielle und dem Prinzen und ärgert sich: «Kleine Schlampe! Die kann mehr, als ich dachte.» Schließlich erfüllt Arielles Vater, König Triton, ihr den Wunsch nach Menschenbeinen, auf denen sie dann schwupps in die Arme des Prinzen laufen kann – eine astreine Übergabe vom Machtbereich des einen Mannes an den des anderen: Happy End.

Was sich in dem Film andeutet, ist ein weiteres klassisches Attribut des «Frauseins», neben dem Streben nach Schönheit und der Fürsorge für andere: das Objekthafte. Arielle bekommt ihren Lebenstraum erfüllt und darf an der Seite des Prinzen leben, aber eben nur, weil andere über sie verhandeln und für beziehungsweise um sie kämpfen. Es *passiert* ihr.[x]

Diese Vorstellung, dass Mädchen oder Frauen zum Verhandlungsgegenstand werden, ist sehr tief in unserer Kultur verankert. Eines der ältesten Kulturgüter der abendländischen Tradition ist die *Ilias* von Homer. Sie beginnt damit, dass Männer über das Schicksal von jungen Frauen verfügen. Chryseis, Tochter des Priesters Chryses, wurde im Trojanischen Krieg «geraubt» und Agamemnon zugesprochen. Ihr Vater kommt, fordert sie zurück, erst friedlich, dann mit Gewalt, bis Agamemnon sie schließlich zurückgibt. Er bekommt dafür Briseis, die Konkubine des Achilles. In einer Kinderhörspielfassung der Ilias heißt es:

> «Der mächtige König [...] hielt das schwarzäugige Mädchen als Sklavin bei sich. [...] Voll Wut zürnte der König: [...] Deine Tochter geb ich nicht zurück. Erst wird sie alt in meinem Haus – und in meinem Bett.»[9]

[x] Eine Untersuchung von 2016 zeigt, dass weibliche Figuren in Disneyfilmen wenig zu sagen haben: Bei 22 von 30 untersuchten Disney-Filmen hatten männliche Figuren mehr Sprechanteile als weibliche Figuren, manchmal sogar, obwohl die Protagonistin weiblich war: Bei *Arielle* werden rund 70 Prozent des Textes von männlichen Figuren gesprochen. Im Film *Mulan* spricht der Drache 50 Prozent mehr als Mulan selbst. Insgesamt wurden 2000 Filme ausgewertet, nur in 22 Prozent der Filme sprachen Frauen mehr als Männer. Hanah Anderson and Matt Daniels: «Film Dialogue from 2,000 screenplays, Broken Down by Gender and Age», polygraph.cool, April 2016.

Eine Geschichte von Sklaverei und Vergewaltigung, sanft eingelesen für Kinder ab sieben Jahren. Ich höre das Hörspiel irgendwann während meines Studiums, also mit Anfang oder Mitte zwanzig, und denke: Huch. Wäre mir als Kind aufgefallen, dass es da so sehr um Gewalt geht? Hätte ich es normal gefunden? Wahrscheinlich.

Vielleicht ist das ein krasses Beispiel. Aber genauso krass sind Computerspiele, in denen die Prinzessin aus den Fängen des Bösen gerettet werden muss, selbstverständlich von einem männlichen Helden. Das Motiv der «Jungfrau in Nöten» zieht sich durch unsere gesamte Kulturgeschichte, egal ob wir von Rapunzel, Dornröschen, King Kong oder Super Mario reden.

Apropos Frauenraub. Eine meiner größten Kinderängste ist es, dass «mich jemand klaut». Wenn ich allein zu Hause bleiben muss, gehe ich jedes Mal stark davon aus, dass jemand einbrechen wird, wie bei *Kevin – Allein zu Haus*. Ich bin zwar selten allein zu Haus, weil ich zwei Geschwister habe, aber wenn doch, finde ich es schrecklich. Meine Strategie ist, mich unter dem Bett meiner Eltern zu verstecken und mich tot zu stellen. Ich liege dann möglichst flach atmend unterm Bett und versuche, kein einziges Geräusch zu machen. Angespannt lausche ich auf die Schritte des Einbrechers im Wohnzimmer – denke ich. Erst viel später finde ich heraus, dass die «Schritte» von der Wanduhr kamen, deren Sekundenzeiger mit einem Ton tickte, der ganz ähnlich klang wie Schritte auf Teppich.

Man kann darüber lachen, natürlich. Kann ich heute auch. Andererseits ist es erschreckend, für wie selbstverständlich ich die Vorstellung gehalten habe, ein Mädchen sei etwas, das jemand anderes sich schnappen könnte. Ich verstehe das damals gar nicht so sehr als Gewalt, sondern als eine Art natürliche Gefahr, der man als Mädchen eben ausgesetzt ist, so wie ein Kaninchen eben aufpassen muss, nicht auf den Fuchs zu treffen, oder wie ein Diamant, der eben geklaut werden könnte, weil er so kostbar ist.

Es ist auch die Zeit, in der wir Mädchen lernen, uns nicht zu ärgern, wenn Jungs uns in der Pause an den Haaren ziehen oder mit Wasser nassspritzen: Das heißt nur, dass sie uns mögen, und sie können es nicht anders zeigen. Jungs sind so, und «was sich liebt, das neckt sich». Wir lernen, dass uns eben manchmal weh getan wird, weil wir wertvoll sind – was für ein hässlicher, gefährlicher Widerspruch.

Ein anderes Beispiel für Erzählungen von Gewalt, die ich als Kind für ganz normal halte, sind ein paar Reime. Ich finde die damals lustig, so wie alle anderen sie lustig finden. Sie scheinen mir harmlos wie Abzählreime der Sorte «Ene mene miste, es rappelt in der Kiste».

Der eine geht so: Kam der König nach Havanna / sah die totgefickte Anna / «Wer hat meine Frau gebumst?» / Da kam ein kleiner Dicker: / «Ich war der große Ficker.»

Ein anderer: Eine kleine Mickymaus / zog sich mal die Hose aus / zog sie wieder an / und du bist dran.

Davon gibt es noch diese Version: Eine kleine Mickymaus / zog sich mal die Hose aus / Hose runter, Beine breit / Ficken ist ne Kleinigkeit.

Auf Wandertagen laufen wir manchmal durch den Wald und singen: Oooh Helene / Du hast so schöne Beene / Doch Titten haste keene!

Dann gibt es etwas mit «Schneewittchen, das Flittchen, hat so kleine Tittchen». Doch an den Spruch mit der toten Anna erinnere ich mich besonders gut. Ich bin in der ersten oder zweiten Klasse, als ich ihn aufschnappe. Unser Klassenzimmer ist noch im Erdgeschoss, und ich bin stolz, etwas von den «oberen» Klassen gelernt zu haben. Ich glaube sogar, den Spruch zu verstehen – damals. «Totgefickt», klar: Sie haben eklige Sachen gemacht, bis sie halt tot war.

Sprüche, die man auswendig kann, sitzen tief. Egal, wie flach sie sind. Und egal, wie sehr sie sich widersprechen: «Ficken ist ne Kleinigkeit» und «totgefickt». Wie geht das zusammen? Natürlich ist das einerlei für einen Kinderkopf. Ficken ist erst mal abstrakt. Erwachsenenzeug – im Zweifel einfach total widerlich und etwas, das man nie im Leben tun will, genau wie Alkohol trinken und Rauchen. Man kann jemandem «den Ficker» zeigen, den Mittelfinger, aber das war's auch schon in der praktischen Anwendung.

Fand ich das damals sexistisch? Nein. Natürlich nicht. Ich kannte das Wort nicht und das Konzept auch nicht. Ich weiß noch, dass ich die Wörter «sexy» und «sexistisch» eine ganze Weile für Synonyme hielt. Vielleicht bis ich elf oder zwölf war. Ich dachte, das eine ist eher Englisch und das andere eher ein Fremdwort. Beides hat irgendwas mit Sex zu tun, ist also nichts für Kinder, fertig.

Dass wir damals über die Ficker- und Titten-Sprüche so lachen, heißt nicht, dass wir besonders aufgeklärt sind. Im Gegenteil.

Als ich sieben bin, ist in Sachkunde Aufklärung dran. Weil es eine katholische Grundschule ist, unterrichten auch Ordens-schwestern. Unsere Klassenlehrerin heißt Schwester Regula, eine strenge, aber auch lustige Frau, die ständig Sprüche sagt wie: «Man wird alt wie ein Haus und lernt nicht aus.» Sie selbst schätze ich auf etwa hundert Jahre, weil ich viel weiter noch nicht zählen kann. Aufklärung heißt, wir lernen die Namen der Geschlechtsteile. Auf dem Arbeitsblatt, das Schwester Regula uns austeilt, ist links ein Junge und rechts ein Mädchen abgebildet, beide sind nackt und Pfeile zeigen auf ihre Körper. Unter den Kindern stehen die Wörter ge-schrieben, die man an die Pfeile ranschreiben soll.

Füße, Bauch, Gesicht, Hände, Haare, Arme, Bauchnabel, Glied, Spalte, Brustwarzen, Hals, Hodensack, Beine.

Glied und Spalte. Niemand sagt das, niemand!
Im Duden steht unter «Glied»:

Glied, das; -[e]s, -er; Glie|der|fü|ßer (*für* Arthopoden)

Und unter «Spalte»:

Spal|te, die; –, -n (*österr. u. landsch. auch für* Schnitz,
Scheibe; *Abk. [Buchw.]* Sp.)

Duden.de erklärt immerhin ein paar Bedeutungsvarianten,
darunter «längerer Riss in einem festen Material» und «(vul-
gär) Scham».
Ich weiß damals natürlich, dass es andere Wörter gibt. «Muschi» zum Beispiel. All die Wörter, die ich damals mit vier
nicht sagen wollte. Aber ich denke auch, wenn Schwester Regula «Spalte» sagt, dann heißt es wohl so. Schwester Regula
weiß alles. Ich habe also eine Spalte.
Spalte – wie Abgrund. Wer denkt sich so was aus? Eine Spalte
ist eine Lücke – da fehlt etwas, es ist unvollständig und eigentlich ein Nichts.* Spalte. Nichts, das man irgendwie mögen kann.
Das ist doch blöd. Was ist das für eine Lektion, die wir da lernen? Das ganze schöne Mädchensein – es kommt alles durch
etwas, was heißt wie ein Loch?
Als Kind will ich es gar nicht genauer wissen, obwohl ich unglaublich neugierig bin.
Irgendwann wird aus der Neugier Dreistigkeit. Als ich neun
oder zehn bin, gelte ich als furchtbar freches Kind. Ich belei-

* Die Kulturwissenschaftlerin Mithu M. Sanyal bat einmal andere Wissen-
schaftlerinnen, Genitalien zu malen. Alle konnten Penisse zeichnen, aber keine
wiedererkennbare Vulva. Sie schrieb daraufhin das Buch: *Vulva: Die Enthüllung des unsichtbaren Geschlechts.* Berlin 2009.

dige meine Lehrer, weil ich es mir leisten kann; meine Noten sind sowieso gut. Ab und zu werde ich kurzzeitig zur Räson gebracht, aber dann geht es wieder los: Ich erkläre, dass ich bestimmte Aufgaben blöd finde, oder unterstreiche absichtlich in den falschen Farben, weil mir alles zu willkürlich vorkommt. Es stört mich, wenn man an meinen Aufsätzen kritisiert, dass Fledermäuse *in echt* gar nicht reden können. Ich weiß das. Bei einem Elternabend sagt meine Klassenlehrerin Frau Birk zu meiner Mutter: «Ihre Tochter meldet sich nur bei den schweren Fragen. Die leichten hält sie für unter ihrem Niveau.» Ich sitze daneben, weil ich darauf bestehe, mitzukommen, wenn über mich geredet wird. «Das wird Einfluss auf deine mündliche Note haben», sagt Frau Birk zu mir. Sie weiß, dass das eine Drohung ist, die wirkt. Ich will all die guten Noten, ich habe mich in ihnen eingerichtet. Aber so, wie sie das sagt, stört es mich. Ich schmolle und fühle mich verarscht und gekränkt. Und durchschaut, das auch. Was soll das? Hatte sie nicht vor kurzem erst mit anderen Lehrern und meiner Mutter darüber geredet, ob ich eine Klasse überspringen sollte? Und jetzt droht sie mir.

Ich rieche ihren Lehrerinnengeruch nach Zigarettenrauch und Automatenkaffee und starre auf den Tisch. Kein Bock, dass so jemand über mich bestimmt. Mir ist heiß, ich bin wütend, und ich würde am liebsten schreien. Ich finde das ganze System ungerecht: Ich mag es nicht, wenn man sich an Regeln halten muss, die man nicht logisch findet. Und doch: In der darauffolgenden Woche fange ich an, mich bei jeder kleinen Mistfrage zu melden, antworte dann aber jedes Mal mehr, als eigentlich gefragt war. Als wir später Englischunterricht haben, sagt unser Englischlehrer nach ein paar Wochen zu mir: «Du darfst heute ein Extrawort lernen.» Er schreibt es an die Tafel: *naughty*. Dann dreht er sich zu mir und grinst: «So bist du: naughty. A naughty girl.»

Zu Hause bin ich längst nicht so aufmüpfig wie in der Schule. Zu Hause muss ich betteln: weil ich den Gameboy von meinem Bruder haben will. Mir ist schon klar, dass es Game*boy* heißt und nicht Game*girl*, und ich komme tatsächlich nicht auf die Idee, einen Gameboy ganz für mich allein haben zu wollen. Er kommt mir vor wie ein natürliches Jungsprivileg, an dem ich ausnahmsweise ab und zu teilhaben darf.

Mein Bruder hat sich den Gameboy selbst gekauft, sagen meine Eltern, von seinem Taschengeld, also darf er auch darüber bestimmen. Kein Kunststück, wo er als Ältester eben am meisten Taschengeld kriegt. Nur ab und zu, wenn er gnädig gestimmt ist, schiebt er mir den Gameboy rüber, für eine Stunde. Ich habe ein einziges eigenes Spiel, *Kirby's Dream Land*, das spiele ich dann. Kirby ist ein ballonförmiges Wesen, das fliegen kann und seine Gegner einfach aufsaugt und in Form von Sternen wieder ausspuckt, um andere Gegner abzuknallen. Finde ich gut.

Manchmal darf ich auch *Tetris* oder *Super Mario* von meinem Bruder spielen, aber wenn er mich ärgern will, gibt er mir den Gameboy mit *The Chessmaster* drin, weil ich das hasse. «Magst du doch so gern», sagt er, und es stimmt fast, denn ich spiele supergern Schach, aber gegen Menschen, und nicht gegen den Gameboy.

Zufällig hat mein Bruder nicht nur einen Gameboy, sondern auch einen Computer für sich, und meine Schwester und ich nicht. Manchmal lässt mein Bruder mich spielen, oder wir spielen gegeneinander. *Winter Challenge* oder *Summer Challenge*, also Olympische Spiele, oder *Paperboy*, wo man ein Junge ist, der mit dem Fahrrad rumfährt und Zeitungen austrägt.

Schlimmer aber als die Sache mit dem Gameboy und dem Computer finde ich, dass mein Bruder ein eigenes Zimmer hat und wir Mädchen nicht. Er hat ein eigenes Bettsofa, wir nur ein blödes Etagenbett. Er hat einen eigenen Schreibtisch und einen Computer und ein im Dunkeln leuchtendes Tyrannosaurus-rex-Skelett. Einerseits ist es klar. Er ist älter, wir sind jünger. Trotzdem bin ich neidisch.

Ich bringe es damals im Kopf nicht zusammen, dass auch mein Vater ein eigenes Zimmer hat und meine Mutter nicht. Natürlich gibt es keine offizielle Regel in der Familie, dass man pro Penis ein Zimmer kriegt. Mein Vater hat das Zimmer, damit er einen Platz für seinen Computer hat – meine Mutter hat keinen – und damit er rauchen kann. Alles gute Gründe, und für mehr Zimmer gibt es kein Geld. Meine Schwester und ich gehen einander zwar auf den Sack, aber wir sehen ein, dass es keine andere Lösung gibt.

Also rebellieren wir nicht. Wie auch? Wir merken zwar, dass hier irgendwas nicht ganz gerecht ist, oder jedenfalls nicht optimal für uns, aber es wirkt alles so alternativlos. Vorhin habe ich gesagt, ich war ein dreistes Kind. Ja, aber auch ein demütiges und eins mit wenig offener Wut. Wut wäre mir dumm vorgekommen: Wie sollte ich denn wütend sein, dass ich kein eigenes Zimmer habe, wo ich doch weiß, dass man Wohnungen nicht einfach größer zaubern kann und wir kein Geld haben, um umzuziehen? Wäre es nicht albern, gegen etwas aufzubegehren, von dem ich denke, dass niemand es ändern kann? Ein eigenes Zimmer zu fordern scheint mir so unlogisch, wie sich über das Wetter zu beschweren.

Frauen, die rebellieren und etwas kritisieren, werden oft als anstrengend bezeichnet. Man nennt sie hysterisch und Furien und hält sie für bescheuert, weil sie die *Notwendigkeiten* nicht sehen: dass es doch für alles Gründe gibt. Warum sitzen so viele Männer in der Chefetage? Tja, es gab halt keine qualifizierte Frau. Warum gab es keine qualifizierte Frau? Weil Frauen immer Sozialpädagogik studieren oder anderes weiches Zeug und weil sie vielleicht auch gar keinen Bock auf einen harten Posten haben. Warum haben sie keinen Bock? Weil sie andere Sachen lieber machen. Und *das* ist ja wohl ihr gutes Recht!

So lässt sich alles begründen. Die ganze Welt lässt sich so begründen. Alles, was ist, ist irgendwie entstanden. Heißt aber auch: Es lässt sich wieder kaputt machen.

Ich glaube, Wut ist eines der wichtigsten Gefühle, die man Mädchen heute beibringen muss zu behalten. Gefühle muss man Leuten nicht beibringen, deswegen schreibe ich nicht: «... die man Mädchen heute beibringen muss». Man muss ihnen nur helfen, die Wut nicht zu verlernen.

Ich habe «eines der wichtigsten» geschrieben. Welche noch? Gelassenheit. Das kommt jetzt komisch. Wut und Gelassenheit – sind das nicht Gegensätze? Ich glaube, nicht. Beides sind wichtige Arten von Reaktionen auf Dinge, die in der Welt passieren. Wenn mir etwas nicht passt, kann ich wütend werden und versuchen, es zu ändern. Ich kann aber auch im richtigen Moment drauf scheißen und sagen, dass es nicht mein Problem ist. Wenn eine Erzieherin mich nicht mädchenhaft genug findet oder ein Lehrer mich für zu frech hält, dann wäre das der richtige Moment zu sagen: Ist mir egal, ich muss nicht allen gefallen, und ich muss mich nicht so lange kümmern, bis alle happy sind.

Beides, Wut und Gelassenheit, sind Fähigkeiten, die man braucht, wenn man aktiv über sein Leben bestimmen will – und beides sind Fähigkeiten, die bei Mädchen nicht unbedingt geschätzt werden. Wut nicht, weil Aggressionen als männlich gelten, und Gelassenheit nicht, weil Gelassenheit ermöglicht, Konflikte auszuhalten, während Weiblichkeit eher damit verbunden wird, Konflikte zu lösen und Harmonie herzustellen.

Vor allem die Sache mit der Wut ist nicht so einfach. Es ist leicht zu sagen: Mädchen oder Frauen müssen lernen, wütend zu sein. Ja, müssen sie. Aber der Rest der Welt muss auch lernen, mit dieser Wut umzugehen.

Im Internet findet man Comics mit Dialogen wie diesem:

> *Frauen:* «Hallo, wir hätten gern die Hälfte der Macht.»
> *Männer:* «Haha, vergesst es.»
> *Frauen:* «Gebt uns die verdammte Hälfte der Macht!»
> *Männer:* «Hä, geht's noch? Könnt ihr mal ein bisschen freundlicher sein?»

Einerseits wird von Frauen immer wieder gefordert, sich doch bitte zu nehmen, was sie wollen: Jobs, faire Bezahlung, Männer. Andererseits gibt es aber eben das fast schon archetypische Bild der Feministin, die sich viel zu schnell aufregt, hysterisch wird und alles scheiße findet. Mädchen und Frauen sollen wollen und begehren und beanspruchen – aber sie sollen dabei bitte nicht anstrengend werden: ein unauflösbarer Widerspruch.

«Ich glaube», schreibt Nina Power in ihrem Essay *Die eindimensionale Frau*, «es gibt eine ziemlich reale Erwartung, dass Frauen immer ‹Schokolade› sagen sollen, wenn sie jemand fragt, was sie wollen.»[10]

Nun könnte man einwenden: Man muss doch nicht alle Erwartungen annehmen und erfüllen. Niemand ist so passiv und selbstlos. Das stimmt. Wenn ich Geschichten aus meinem Leben erzähle, die etwas mit Erwartungen oder Ängsten zu tun haben, dann nicht, um langsam, aber sicher ein Bild von mir als Vollopfer aufzubauen. Aber ich glaube, dass die kleinen Dinge zählen und zusammen das große Ganze ergeben.

Wenn es um unser eigenes Leben oder das anderer Menschen geht, fallen wir schnell in Muster von «entweder – oder», weil es so praktisch ist. Entweder Subjekt oder Objekt, aktiv oder passiv, selber schuld oder unschuldiges Opfer der Umstände. Aber diese Sichtweise hindert uns daran, zu sehen, wie genau Macht und Ungleichheit auf uns einwirken, wo sie von uns selbst mitgetragen werden und an welchen Stellen wir ansetzen müssen, um uns von alten Mustern zu befreien. Die Gesellschaft ist komplex – auch aus feministischer Sicht. Es ist nicht alles Unterdrückung und Sexismus. Das ist ja der Witz: dass es kompliziert ist. Würde das Patriarchat aus lauter billigen Kausalketten bestehen, wäre es viel leichter zu zerschlagen: Hier ein Hammerschlag und da, und alle wären befreit. Aber so läuft es nicht.

Dennoch: Manchmal fällt uns auf, dass Dinge sich wiederholen. Dass Männer Frauen häufiger ins Wort fallen. Dass Väter auf dem Spielplatz öfter gefragt werden, ob sie sicher sind, dass sie klarkommen mit dem Kind. Dass der pinke Rasierer teurer ist als der blaue, obwohl beide gleich viele Klingen haben.

Und dann können wir anfangen, Erklärungen zu suchen und die politischen Dimensionen einiger Handlungen zu erkennen: ihre Zusammenhänge, ihre vermeintliche Beiläufigkeit, ihre Tiefenwirkung. Und dann denken wir: Ach du Scheiße. Noch viel zu tun.

So war das bei mir mit dem Feminismus. Der Feminismus erklärt mir nicht, warum der Bus nicht auf mich wartet. Aber er erklärt mir, warum ich mich für mein Zuspätkommen entschuldigen werde, auch wenn ich nicht schuld war, sondern der Bus zu früh gefahren ist. Er erklärt mir, warum viele der Frauen, die ich kenne, sich auch noch entschuldigen würden, wenn sie von einem Meteoriten getroffen werden.

Die Dinge in neuem Licht zu betrachten heißt auch, sie den vermeintlichen Notwendigkeiten zu entreißen.

Wenn wir feststellen, dass Jungs gar nicht *natürlicherweise* mit Gameboys spielen und Mädchen nicht *natürlicherweise* besonders empathisch und fürsorglich sind und sich nach Liebe mehr sehnen als nach einem Computer, dann erst wird alles hinterfragbar.

Wie sehr wir daran gewöhnt sind, die Unterschiede zwischen den Geschlechtern für naturgegeben zu halten, erklärt das Buch von Cordelia Fine: *Die Geschlechterlüge*. Sie zeigt darin, dass selbst neurowissenschaftliche Studien, die untersuchen wollen, welche Unterschiede es zwischen «weiblichen» und «männlichen» Gehirnen gibt, oft nicht neutral sind.[*] Fine – selbst Neurowissenschaftlerin – macht deutlich, warum es alles andere als einfach ist, unterschiedliche Verhaltensweisen an den Gehirnen von Mädchen und Jungs, Frauen und Männern zu erklären: Viele der vermeintlich neutralen Versuchsanordnungen, in denen gezeigt werden soll, wie typisch männliches und weibliches Denken und Fühlen funktioniert, sind selbst von stereotypen Mustern durchzogen. Etwa wenn im Versuch ein Ball als typisches Jungsspielzeug und eine Spielzeugbratpfanne als typisches Mädchenspielzeug herhalten müssen, obwohl Bälle und Bratpfannen eben für Jungs und Mädchen gleichermaßen interessant sein können – je nachdem, ob man etwas werfen will oder, sei es im Spiel oder nicht, ein Spiegelei braten will. Beides sind nützliche Fähigkeiten, sollte man meinen.

Gegen Ende meiner Grundschulzeit – die bis zur sechsten Klasse geht – sind die Jungs irgendwann nicht mehr nur die,

---

[*] Der deutsche Titel des Buches ist etwas irreführend, denn um *Lügen* geht es dabei gar nicht. Zu lügen bedeutet, jemandem bewusst die Wahrheit vorzuenthalten. Geschlechterstereotype aber sind keine Lüge, sondern eher Denkmuster, in denen eben auch Wissenschaftler*innen gefangen sein können. Der englische Originaltitel lautet: *Delusions of Gender*. «Delusion» kann Täuschung oder Wahn bedeuten; «delusions of grandeur» ist Größenwahn. Um den gelegentlich vorhandenen Größenwahn der Neurowissenschaften geht es Fine.

die nerven und Gameboys haben oder an den Haaren ziehen. Eines Tages fangen die Pferdemädchen in meiner Klasse mit einer neuen, coolen Sache an: sich verlieben. Ein paar von ihnen gründen eine Gang, deren Mitglieder man daran erkennt, dass sie alle den gleichen Hairwrap tragen, also eine mit bunten Fäden umwickelte Haarsträhne, so wie man das damals eben macht. Niemand anders darf dieselben Farben tragen wie Melli, Marina und Nina, denn nur sie sind die «sexy angles». So schreiben sie es auf ihre Federmäppchen, Hefte und sogar mit Edding auf eine Klotür. Wahrscheinlich wollen sie eigentlich «sexy angels» heißen, aber sie schreiben eben «angles», also «sexy Winkel». Ich habe das Gefühl, dass Marina den Fehler bemerkt, denn eigentlich ist sie sehr gut in Englisch, aber sie sagt nichts, weil sie nicht rausfliegen will.

Jedenfalls sind es Melli, Marina und Nina, die mit dem Verlieben anfangen. Das funktioniert so, dass sie sich in Michi, Felix und Basti verlieben, und alle anderen Mädchen aus der Klasse verlieben sich dann auch in Michi, Felix und Basti. Das ist ein guter Trick, weil man als nicht so cooles Mädchen weiß, dass man sich kein Arschloch ausgesucht hat. Wenn die coole Melli in Michi verliebt ist, sollte man auch in Michi verliebt sein. Ganz einfach. Verliebt sein wird das neue Ding. Wer etwas auf sich hält, macht mit.

Das Gute daran ist, dass man ruhig in Michi «verliebt» sein kann, auch wenn man ihn eigentlich etwas eklig findet, weil man gesehen hat, wie er in Mathe seine Popel gegessen hat. Denn dieses «Verliebtsein» hat sowieso noch keine Konsequenzen, solange nicht gerade eine Klassenfahrt ansteht. Man muss nichts tun außer zusammenstehen und tuscheln und «er ist so süüüüß» quieken.

Für den Fall, dass eine Klassenfahrt ansteht, sind die Regeln etwas anders. Auf Klassenfahrten kommt es zum Exzess. Da gibt es am letzten Abend eine Party, und man weiß, irgendwann wird «I'll Never Break Your Heart» von den Backstreet Boys laufen, und dann geht es verdammt noch mal um *alles*. Das heißt, als Mädchen muss man irgendeinen Jungen am Start haben, mit dem man «tanzt». Also im Grunde rhythmisch rumsteht, so eng beieinander, dass man sich gerade eben nicht schämt, denn es ist unwahrscheinlich, dass man den einen abkriegt, den man wirklich gern hätte. Das ist allein schon mathematisch unmöglich, weil Michi, Felix und Basti ja alle bereits verteilt sind.

Hinterher sind Sommerferien, und alle kommen auf die Oberschule. Wenn man mich nach den Ferien fragen würde, in welchen der Jungs ich vor sechs Wochen verliebt war, würde ich sagen: Ich weiß es nicht mehr, ist doch egal.

Es ist nur ein Spiel.

Stick out your thumb and lift up your skirt
Someone's gonna stop here soon

COCO ROSIE

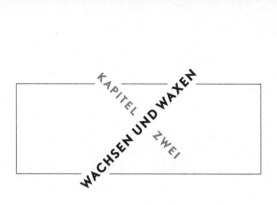

KAPITEL ZWEI

WACHSEN UND WAXEN

Als Helmut Kohl aufhört, Kanzler zu sein, höre ich auf, ein Kind zu sein. Zack, Ära zu Ende.

Ich bin zwölf, und meine Hobbys sind Lesen, Malen und mich im Badezimmer schminken und alles wieder abwaschen, bevor ich rauskomme. Der Kinderpreis im Kino gilt nicht mehr, aber erwachsen bin ich noch lange nicht. Ich habe auberginefarbene Strähnchen im Haar und trage gefälschte weiße Buffalo-Plateauschuhe von Deichmann. Wenn ich mich hübsch machen will, benutze ich blauen Mascara und weißen Lidschatten, und zwar komplett unironisch.

Eines Tages stehe ich unter der Dusche und habe plötzlich Angst. Ich stelle mir vor, wie diese zwei Minihügel, die gerade am Entstehen sind, in ein paar Jahren groß sein werden. Brüste. Erst mal kein Ding. Aber. Ich stelle mir auch vor, dass es unter meinen dann fertiggestellten Brüsten eine Ritze geben wird, wo die Brust drüberhängt, und in der sich Dreck sammelt. Man kann sich selbst ja schlecht unter die Brüste gucken, also weiß man gar nicht, wie schmutzig es dort ist. Man vergisst das bestimmt als Frau, weil man beschäftigt ist mit Kinderkriegen, Mann haben, Arbeiten, und so sammelt sich da jahrelang, ja Jahrzehnte dieser Dreck und geht höchstens weg, wenn man mal schwimmen geht. Dann wird das weggechlort. Aber ansonsten sammelt es sich und gammelt. Bah!

Ich habe das Gefühl, eine sehr wichtige Entdeckung gemacht zu haben, aus dem Stand heraus, beim Duschen. Ich nehme also die Bürste, mit der ich mir sonst die Fingernägel schrubbe, und einen sehr großen Klecks Duschgel und wasche sehr, sehr gründlich die Stelle unter meinen eigentlich noch gar nicht vorhandenen Brüsten. Ich schrubbe und rubbele, denn die Sauberkeit muss mindestens fünfzig Jahre halten. Ich finde mich außerordentlich genial. Am Abend habe ich Ausschlag.

Siebzehn Jahre später lese ich *Mädchen für alles* von Charlotte Roche, und die superneurotische Hauptfigur erzählt, wie sie duscht: «Ich hebe meine bisschen schweren Brüste an, da muss ich immer drauf achten, dass es da drunter sauber bleibt, nicht, dass sich irgendwann eine Unterbrustfaltenentzündung entwickelt.» Ich frage mich kurz, ob ich damals auch so neurotisch war oder heute immer noch bin, stelle aber beruhigt fest, dass ich heute sehr genau weiß, dass man doch irgendwie Zugang hat zu dieser Stelle unter den Brüsten. Wenigstens das.

Damit ist das Thema «Arbeit am Körper» aber längst nicht erledigt, nein, es geht erst richtig los. Wenn meine Mutter vor dem Spiegel steht und sich die Augenbrauen nachzeichnet, sagt sie zu mir: «Du brauchst das nicht, du hast so schöne dunkle Augenbrauen. Hab ich schon bei deiner Geburt gesehen.» Und ich denke einerseits: Yessss, gute Augenbrauen. Andererseits lerne ich: Man hat eben Aufgaben als Frau, die sich aus dem Körper ergeben. So wie man Zähne putzen muss, weil man ein Mensch ist und Zähne hat, muss man als Frau die Augenbrauen ausgehfein machen, bevor man das Haus verlässt. Dabei schminkt meine Mutter sich überhaupt nicht viel, sie ist in drei Minuten fertig mit allem – aber vielleicht fällt es mir gerade deswegen auf: Selbst sie, die fast nichts macht, weiß, dass es ganz ohne auch nicht geht.

Für mich beginnt damit die Phase «Experimente mit Drogeriebedarf». Eines Tages geht die Sache mit den Haaren los. Ich teste sämtliche Enthaarungscremes, Rasierermarken und Kaltwachsstreifen und blockiere stundenlang das Badezimmer, weil mir ein Achselhaar wächst. Ich betone: eins. Unter der rechten Achsel. Irgendwann drei, dann fünf, insgesamt, unter beiden Armen. Aber wehret den Anfängen. Das muss alles weg. Seit meinem ersten Achselhaar rasiere ich mich alle paar Tage. Wer weiß, was da sonst noch alles käme. Dasselbe gilt für die Schamhaare, und wo man gerade dabei ist, kann man die Beine ja auch gleich machen. (Irgendwann kommen noch die Arme dazu, weil mein Vater mir eines Tages über den Arm streicht und sagt: «Mein kleines Mammutchen.» Okay, dann mach ich halt auch die Arme. Allerdings nur so lange, bis eine Freundin in der Schule mir sagt, dass das total komisch aussieht, so nackte Arme, und ich sehe es ein.)

Spätestens bei der Enthaarungsfrage beginnt das gelegentliche Hübschmachen, das in der Kindheit noch spielerisch war, zu Arbeit zu werden. Mein Körper wird zu einer wandelnden To-do-Liste. Natürlich ist der faktische Aufwand nicht besonders groß, nachdem ich mich irgendwann für eine Methode entschieden habe; dann dauert es kürzer als Zähneputzen. Aber es ist eben auch kein Rumprobieren und kein «als ob» mehr, sondern alltägliche Notwendigkeit, zumindest empfundene Notwendigkeit. Ich habe das Gefühl, es ist meine heilige Pflicht, dafür zu sorgen, dass niemand meine Körperhaare sehen kann, vor allem die in den Achselhöhlen.

Ich halte sie für eine Zumutung für die Welt und lasse sie nie länger als einen Millimeter werden, nicht mal beim Zelten oder im tiefsten Winter.

Das erste Mal sehe ich meine Achselhaare wachsen, als ich mit Anfang zwanzig wegen akutem Nierenversagen im Krankenhaus liege. Da ist rasieren doch eher egal. Es fällt mir erst hinterher zu Hause auf. Ich dusche und gucke mich unter den Armen an und denke, hm, interessant, ich habe theoretisch seit zehn Jahren Achselhaare und habe sie noch nie gesehen. Aha. Dann mache ich sie wieder weg.

Würde mich jemand fragen, warum ich das mache, würde ich sagen: Weil ich es schöner finde und weil es sauberer aussieht. Oder: Weil die anderen das auch machen. Was ich bestimmt nicht sagen würde: Weil diese Gesellschaft den weiblichen Körper kontrolliert, und zwar viel stärker als den männlichen Körper, und weil ich die Ideale und Zwänge, die für weibliche Körper gelten, schon so sehr internalisiert habe, dass es mir nicht mal mehr auffällt, dass sie von außen kommen.

Das Komplizierte ist: Alle Aussagen stimmen.

Was heißt es, dass irgendwelche «Zwänge» von «außen» kommen? Hat mich jemals ein Außerirdischer in einen Drogeriemarkt gezerrt und gesagt: Hier, nimm diese Markenrasierklingen für 2,50 Euro pro Stück? Das schon mal nicht. Niemand nötigt mich.

Es ist ein merkwürdiger Widerspruch: Ausgerechnet zu dem Zeitpunkt, als mein Körper anfängt, Zeichen des Frauseins zu entwickeln, bestehen meine größten Sorgen darin, diese Zeichen wieder wegzumachen. Die Brüste kann ich nicht wegmachen, klar. Da ist meine einzige Angst nur der Dreck, der sich darunter sammeln könnte. Aber die neuen Haare kann ich entfernen – und verrückterweise fühle ich mich besonders erwachsen in den Momenten, in denen ich mit Kaltwachsstreifen oder Rasierklingen hantiere, um den Zustand wiederherzustellen, den mein Körper vorher hatte: alles schön glatt. Dann hab ich das Gefühl, alles unter Kontrolle zu haben. Dabei ist es gar nicht so, dass ich Angst hätte vorm Erwachsenwerden – ich habe total Bock drauf. Und wie von Zauberhand beginne ich mich zu fügen in Rituale, von denen ich glaube, sie gehören eben dazu.

Mein Taschengeld, das ich vorher hauptsächlich in Mickymaushefte und Süßigkeiten investiert habe, gebe ich jetzt für Produkte aus, die mich zur Frau machen sollen – als würde ich mich nicht sowieso zu einer entwickeln. Haarspray, Lidschatten, Lipgloss und Bodylotion, die nach Erdbeeren riecht.

Ich übe fleißig, mich zu schminken, und habe eine Schminktasche, mit der man eine ganze Dragqueen bühnenfein machen könnte. Aber wenn ich aus dem Bad komme, sehe ich wieder genauso aus wie vorher, weil ich alles wieder abwasche. Ich schäme mich, niemand soll mich geschminkt sehen. Die Mädchen aus meiner Klasse, die sich schminken, halte ich für Schlampen, die übertreiben und oberflächlich sind – und so eine will ich nicht sein. Ich lerne zu dieser Zeit seitenweise *Faust I* auswendig und lese das Physikbuch fürs ganze Schuljahr in der ersten Woche komplett durch – so eine bin ich, und als so eine will ich gesehen und anerkannt werden. Nicht als eine, die stundenlang vor dem Spiegel steht und versucht, Rouge aufzutragen, obwohl ich natürlich genau das tue.[x]

Damit habe ich schon als Zwölfjährige zumindest unbewusst erkannt, wie widersprüchlich die Anforderungen an Frauen und ihre Körper sind: Sei schön – aber nicht *zu* schön. Kümmere dich um dein Äußeres – aber nicht so, dass man sieht,

---

[x] Ich kann es bis heute nicht.

wie viel Arbeit du da reingesteckt hast.* Sei sexuell attraktiv – aber pass auf, dass du nicht wirkst, als wärst du «leicht zu haben».

Dabei ist Attraktivität in sexueller Hinsicht noch gar nicht mein Ziel. Also fast nicht. Wie alle meine Freundinnen fange ich zu dieser Zeit an, Stringtangas zu tragen – aber mit Snoopy drauf. Oft haben sie ein Loch an der Seite, weil wir sie bei H&M klauen. Wir ziehen sie in der Umkleide über unsere Unterwäsche drüber, schneiden den Diebstahlschutzpieper raus und ziehen die Hose wieder an. Auf diese Art komme ich an meine erste vermeintlich sexy Unterwäsche, die ich dann zu Hause nach jedem Tragen per Hand wasche und heimlich auf den unteren Rohren der Heizung trockne, damit niemand sieht, dass ich schon BHs habe und eben Snoopy-Tangas. Überhaupt: Stringtangas, Geißel der Menschheit! Das wohl Unbequemste, was man sich untenrum antun kann.

Dabei ist es gar nicht so, dass ich deswegen tatsächlich heiß gefunden werden will. Ich möchte noch keinen Sex, jedenfalls nicht mit anderen Menschen. Die Ärzte sind mit *Männer sind Schweine* auf Platz eins der Charts: «Für ihn ist Liebe gleich Samenverlust.» – Uh. Ich möchte damit nichts zu tun haben. Natürlich bin ich ständig verliebt, aber nach der Michi-Felix-Basti-Phase nur in Leute auf Postern oder im Fernsehen: in die Hansons (bzw. den mittleren von denen), den Sänger Gil (die Haare!), in Lene von Aqua (die mit *Barbie Girl*) und später in Jona aus dem Big-Brother-Container (erste Staffel). Das reicht fürs Erste und ist angenehm abstrakt. Es geht nicht darum, jemand von denen zu treffen. Es geht

---

* Einzige Ausnahme: Sport. Dass jemand Sport macht und damit viel Zeit verbringt, darf man sehen, das gilt für Männer genauso und wird – vor allem in den letzten Jahren – eher mit Gesundheit und Disziplin zusammengebracht als primär mit sexueller Attraktivität.

wahrscheinlich auf einer funktionalen Ebene schlicht ums Üben: Wie schwärmt man richtig?

Den ersten Flirt meines Lebens, in dem Sinne, dass mir eine sexuelle Interaktion durchaus konkret vorschwebt, habe ich dann mit einem gelben Hüpfball. Ich sitze oben in meinem Hochbett und kann nicht einschlafen. Der Hüpfball hat zwei Hörner, also diese Dinger zum Festhalten. Gelb und weich und abstehend. Ungefähr so, wie man sich den Penis von Bart Simpson vorstellt, wenn man das will.

Ich sitze im Bett und schaue den Hüpfball an, der unten auf dem Boden liegt. Es wird nachts nie richtig dunkel in dem Zimmer, weil vor dem Fenster eine Straßenlaterne steht. Der gelbe Hüpfball liegt mitten auf dem Parkett, im schummrigen Laternenlicht, und hat etwas Magisches. Die zwei Hörner machen mir komische Gefühle. Was regt sich da in mir? Ich will die Hörner in mich reinstecken, oder jedenfalls eines von ihnen. Wie man das so macht, also, wie ich denke, dass man das macht. Ich meine, genauso sieht doch ein Penis aus, oder? Das mit dem Steifwerden weiß ich damals noch nicht, deswegen kann ich mir auch nicht ganz vorstellen, wie man so ein Ding eigentlich in sich reinstopfen soll. Ich bin mir aber sicher, dass es schon klappen würde, wenn es darauf ankäme.

Dass ich nicht vom Hochbett runterklettere und der Sache nachgehe, liegt vor allem daran, dass im unteren Bett meine kleine Schwester schläft. Man kann nicht den ersten Sex seines Lebens haben, wenn die eigene Schwester dabeiliegt, das habe ich so im Gefühl.

Ich verdränge diese Episode meines Lebens, bis ich viele Jahre später ein Lied von Funny van Dannen höre: Dingficker. Da heißt es:

«Sven war zuerst in einen Papierkorb verliebt / dann in einen Hüpfball / dann in die Garage / und seine Mutter fragte Sven: ‹Warum verliebst du dich nicht einfach mal in ein Mädchen?› / Doch Sven rief: / ‹Mutti, ich bin ein Dingficker, na und? Was ist denn schon dabei? / Sind die Gedanken und die Gefühle neuerdings nicht mehr frei?›»

Ich höre das Lied und denke, haha lustig. Dann stelle ich es mir bildlich vor, erinnere mich an den Hüpfball und denke: Huch. Der Hüpfball. Aber es war auch nur eine kurze Verliebtheit, die Sache mit dem Hüpfball. Es passiert nichts zwischen uns, wie man so sagt.

Doch apropos freie Gedanken und Gefühle: Meine einzige Vorstellung von Masturbation bei Frauen habe ich damals – natürlich – aus dem Fernsehen, und es ist keine gute. Meine Familie guckt *Die Wochenshow* auf Sat.1, eine, nun ja, wie nennt man das? Wikipedia sagt, eine «Sketchshow». Das sehen wir also, und darin gibt es diverse wiederkehrende Figuren und Szenen, unter anderem eine Talkrunde, in der klischeehafte Leute sitzen: zum Beispiel Gerd, ein asozialer, lauter Typ mit Vokuhila, gespielt von Ingolf Lück, und Petra, eine humorlose und unsichere Lesbe, gespielt von Anke Engelke. Der Witz zwischen den beiden besteht darin, dass er sich immer über sie lustig macht oder ihr ins Wort fällt, indem er «Mille mille mille!» ruft und so tut, als würde er einen Vibrator benutzen. Und alle lachen.

Das ist es. Ich denke tatsächlich, Masturbation bei Frauen ist etwas zutiefst Verrücktes und Frauen machen das eigentlich nicht, außer sie sind eben wirklich etwas *anders*, wie diese Petra. Dann benutzen sie irgendwelche Geräte, die ich *nie* benutzen würde.

Mein Wissensstand ist also denkbar dürftig, aber ich finde Mittel und Wege. Was schwer genug ist. Denn das Hochbett bleibt noch eine Weile, und wie um alles in der Welt soll man an sich rumrubbeln, ohne dass sich was bewegt und ohne dass man was hört?

«Eine Frau muss Geld und ein eigenes Zimmer haben, um schreiben zu können», sagt Virginia Woolf in *Ein Zimmer für sich allein*. Und nicht nur das. Sie braucht schon viel früher ein eigenes Zimmer, weil sie sonst Probleme beim Masturbieren hat. (Nicht nur sie. Er auch.) Aber es geht. Ich erfinde eine Technik, die eher mit Drücken als mit Rubbeln zu tun hat und exakt kein einziges Geräusch macht.

Heute frage ich meine Freund*innen, wie sie das gemacht haben, als sie in die Pubertät kamen. Gar nicht, sagen manche. Aha. «Ich habe mich unendlich fest in die Matratze gedrückt», sagt Lora. «Mit einem Plüschkaninchen», sagt Elisabeth. «Mit einem zusammengeknoteten Handtuch», sagt Rina. «In eine alte Socke rein», sagt Martin, «damit die Bettwäsche sauber bleibt.» «Beim Duschen», sagt Jan. «Beim Duschen», sagen überhaupt einige. «Massage-Einstellung beim Duschkopf», sagt Ola, «immer, bis heute.»

Ich verstehe nicht, wie das mit dem Duschkopf gehen soll. Hundertmal probiert. Vielleicht kann ich mich beim Duschen nicht entspannen, weil mein Vater früher immer gegen die Tür klopfte oder gleich das Warmwasser abstellte, wenn wir zu lange duschten. Vielleicht habe ich den richtigen Duschkopf noch nicht gefunden. Ich habe es sogar gegoogelt, weil ich dachte, vielleicht fehlt mir die richtige Technik. Man findet haufenweise Videos, aber nur wenig hilfreiche. «Carli Banks ist eine kleine Duschschlampe», steht dann in der Beschreibung. Oder «Amateur Freundin masturbiert mit Duschkopf» – in einer verkalkten, schimmeligen Badewanne. Oder «Eufrat versenkt einen Duschkopf in ihrer hungrigen Vagina». Es bleibt mir ein Rätsel.

Damals wäre Internet praktisch gewesen. Nicht um Duschvideos zu googeln, sondern überhaupt, um Zugang zu Informationen zu bekommen. Heute gibt es Seiten wie *omgyes. com*, auf denen Frauen detailliert erzählen, wie sie sich selbst befriedigen oder wie sie angefasst werden wollen, mit Videos und genauen Erklärungen, welchen Teil welchen Fingers sie wie benutzen. Ich halte das ohne Übertreibung für einen ziemlichen Fortschritt für die Menschheit. Das gab es früher nicht. Informationen kamen aus dem Fernsehen, aus gedruckten Medien oder von Freund*innen, die etwas im Fernsehen oder in gedruckten Medien gelernt hatten.

In dieser Zeit, als ich dreizehn bin, habe ich ein festes Programm nach der Schule. Nicht Geige spielen oder Ballett tanzen oder so. Sondern eine Fünf-Minuten-Terrine essen und Talkshows gucken. Die Talkshows, die von Frauen moderiert werden, heißen so wie der Vorname der Moderatorin, die von Männern moderiert werden so wie der ganze Name, mit Nachname: Arabella, Sabrina, Sonja, Britt, Nicole, Vera am Mittag – und Andreas Türck, Oliver Geissen. Ich ziehe sie mir alle rein. Ich lerne alles über Beziehungen und Familienleben. Wie eine Mutter mit elf Kindern sich gar nicht schämen muss, elf Kinder zu haben. Wie Fabian Nadine betrogen hat, aber sie trotzdem voll liebt, und dennoch leider nicht ausschließen kann, dass er sie noch mal betrügt. Und wie Vanessa ihrer Mutter sagen will, dass sie Rico liebt, obwohl Rico schon Autos geknackt hat und Rentner überfallen, aber sie liebt ihn trotzdem. Und übrigens, das muss sie jetzt auch noch sagen, vor der Kamera, für die Mutter, übrigens ist sie schwanger.

Bei Hans Meiser schalte ich immer aus. Hans Meiser macht mich traurig. Ich kann nicht sagen, wieso. Ich kann Hans Meiser nicht mal ansehen, ohne ein tiefes Gefühl für die Endlichkeit des Seins zu kriegen. Ein Gefühl für Sterblichkeit, Verderblichkeit, Untergang. Wenn ich den Fernseher ausgeschaltet habe, ist mein offizielles Nachmittagsprogramm vorbei. Dann mache ich meistens Hausaufgaben, oder ich lese. Sage ich. Aber bin ich bescheuert? Ich bin in der Pubertät. Und ich muss mich informieren, also: Dinge angucken, die mit Sex zu tun haben. Wir haben schon Internet, aber ins Internet zu gehen ist zu dieser Zeit kompletter Psychostress. Es läuft währenddessen eine fiese Sekundenanzeige, die sagt, wie lange man seinen Eltern jetzt wieder das Geld aus der Tasche gezogen hat. Oder haben wir überhaupt schon Internet? 1999? Ich habe jedenfalls noch keinen Computer, den kriege ich erst zum Achtzehnten.

Ich muss mich also analog informieren. Dazu gehe ich, wenn ich mit den Talkshows durch bin und Hans Meiser mich quasi körperlich vom Sofa geschubst hat, zum Bücherregal im Flur. Dort stehen vier Billy-Regale voll mit Zeitschriften und Büchern. Unten links sind ein paar Stapel mit *stern*- und *Geo*-Heften und alte Kinderbücher: *Was ist was*-Bücher, Bücher über Tiere, über Roboter, Bastelbücher. Ich bücke mich runter zu den *Geo*-Heften. Sozusagen. Daneben steht ein dünnes, grünes Buch. Mein Ziel. Oh, ein Heft zum Thema Arktis! Eins zum Thema Lernen im Alter. Und eins zum Thema Wüste! Das ist natürlich interess... – schwupp. Ich schnappe mir das dünne, grüne Buch, stecke es in das Heft *Überleben in der Wüste* ... und düpdüdüü, husche ich in mein Zimmer.

Also, «mein Zimmer» ist übertrieben. Das Zimmer von meiner Schwester und mir. Ich will nicht sagen, dass ich einen kleinen territorialen Fetisch habe, aber ich habe die Quadratmeterzahl bis auf zwei Nachkommastellen durch zwei geteilt und mit Paketklebeband eine Grenze auf den Teppich gezogen. Mein Teil, ihr Teil. 8,17 Quadratmeter für jede. (Inzwischen haben wir Einzelbetten, kein Hochbett mehr.)

Ich verkrieche mich also mit dem dünnen, grünen Buch, das in einem *Geo*-Heft versteckt ist, und fange an zu lesen. Oder eher: zu gucken. Das Buch ist mein einziger Zugang zu sexuellen Inhalten. Außer ich will mir den Querschnitt eines Penis im siebzehnbändigen Brockhaus ansehen. Mache ich auch manchmal. Aber das dünne, grüne Buch ist besser. Es handelt sich um: *Mutter sag, wer macht die Kinder?* von Janosch.

Es ist das Buch, mit dem ich aufgeklärt wurde, von meiner Mutter, denn das bisschen «Spalte» und «Glied» in der Grundschule war wenig ergiebig. Wann genau das war, kann ich nicht sagen, ich muss das ganz außerordentlich gut verdrängt haben. Das Buch jedenfalls hat meine Mutter aufgehoben, Gott sei Dank. Es ist mein erster Porno.

Mutter sag, wer macht die Kinder? handelt von einer Mäusefamilie. Mutter Maus und Vater Maus, und die Kinder Werner, Emilchen, Tütü und Piller. Die Kinder waren eigentlich mal mehr, aber zwei hat der Kater Mikesch gefressen, eines ist in die Grube gefallen, und zwei haben sich verlaufen. Tütü will von der Mäusemutter wissen, wie die Mäusekinder gemacht werden. Die Mutter hat keinen Bock, es zu erklären, sie ist mit Kochen beschäftigt, und der Vater ist nicht da, der muss hart arbeiten auf dem Feld.

Tütü lernt es in der Schule, erst anhand von Kirschblüten, die von einer Biene bestäubt werden. Dann anhand von einem Hahn, der ein Huhn befruchtet, das dann ein Ei legt. Und schließlich anhand von Menschen, weil Menschen das so ähnlich machen wie Mäuse, nur der Mensch «hat hinten keinen Schwanz».

Ich gucke mir als Vorspiel die Mäusebilder an. Dann die Menschenbilder.

Ein bisschen lese ich auch den Text dazu. Da steht:

> «Wenn der Mensch [sic] erwachsen ist, kann er mit dem Penis bei der Frau Kinder machen. Er wird dann der Vater, und sie wird die Mutter. [...] Das machen sie so: Wenn die Frau Lust bekommt, sagt sie zu ihrem Mann: ‹Ach Walter, ich liebe dich.

Küss mich doch mal! Hast du Lust dazu?› Dann küsst der Mann die Frau, denn dazu hat er fast immer Lust. [...] Manchmal legt sich der Vater oben auf die Mutter und manchmal die Mutter oben auf den Vater. [...] Dann steckt der Vater seinen Piller [...] in Mutters Puschel [...] und spritzt seinen Samen in die Mutter.»

Es ist sehr aufregend für mich.
Wenn man heute bei Amazon guckt, wie das Buch so bewertet wird, kann man sagen: tendenziell scheiße. Das geht schon bei den biologischen Details los. Jemand, der nur einen einzigen Stern vergibt, sagt: «Janosch hat sich anscheinend unzureichend über die Biologie der Tiere informiert, denn er schreibt: ‹Wenn der Hahn das Huhn erwischt hat, springt er auf seinen Rücken und spritzt mit seinem kleinen Piller seinen Samen in das Huhn. [...]› Zitat Ende – Allerdings haben Hähne keine Piller! Das scheint vielleicht ein unwesentliches Detail zu sein, aber in einem Sachbuch sollten meiner Meinung nach die Fakten stimmen.»
Andere schreiben, sie halten das Buch für «sehr bedenklich», «absolut weltfremd» oder «hervorragend, wenn man selbst sehr gehemmt ist». Und wieder jemand erklärt: «Die Bilder finde ich absolut daneben, man muss die Geschlechtsteile nicht während dem Akt in der Hündchenstellung sehen.»
Ja, doch bitte! Deswegen gucke ich mir das an, Himmelarschfickundzwirn. Deswegen mache ich das ganze Tamtam mit dem *Geo*-Heft und allem. Ich *will* das sehen. Es ist ein bisschen ein Kraftakt, aber es geht schon. Kraftakt, weil ich den Schnauzer des Typen ausblenden muss und die Brustwarzen von der Frau, die abstehen wie Antennen. Und wie die gucken. Beide. Scheiße gucken sie. Zusätzlich muss ich mir vorstellen, dass der Mann auf dem einen Bild gar nicht an der Frau vorbeispritzt, so wie in der Zeichnung, sondern in sie rein. Boah,

wie soll der auch an ihr vorbeispritzen. Dann würde sie den ganzen Schmodder ja sehen können, und wenn ich mir das so vorstelle, in meinem dreizehnjährigen Hirn, muss ich fast ein bisschen spucken. Ich muss also abstrahieren. Aber dann geht's. Und dann ist es geil.

Wenn ich mir heute dieses Buch angucke, fallen mir die Augen aus dem Kopf. Aber was sollte ich tun, damals? Es ist 1999, und wir haben nichts anderes. Kein YouTube, kein Youporn, kein Snapchat, kein Tinder. Das einzige, was wir noch haben, ist der Otto-Katalog mit den Unterwäscheseiten darin. Aber da wird nicht gevögelt, nicht mal ansatzweise.

Etwa ein Jahr später weiß ich immer noch sehr wenig über Sex, aber das Schlimme ist, dass ich denke, ich wär ganz gut im Bilde, und zwar, weil ich Unmengen an Jugend- und Mädchenzeitschriften konsumiere: *Bravo*, *Bravo Girl*, *Mädchen*, *Popcorn*, *Sugar*, *Pop Rocky*, *Young Miss*, ich lese sie alle.

Ich lerne daraus haufenweise «Beauty-Tipps», wie zum Beispiel, dass man sich die Zähne mit Backpulver aufhellen kann. Also mache ich das. Wenn da steht, dass Eiklar/Milch/Grüntee glatte Haut macht, pinsele ich mir Eiklar/Milch/Grüntee aufs Gesicht. Wenn da steht, dass Teebeutel von Schwarztee gut gegen Augenringe sind, lege ich mir Teebeutel von Schwarztee auf die Augen. Wenn da steht, dass Löffel aus dem Eisfach strahlende Augen machen, lege ich mir Löffel aus dem Eisfach auf die Augen. Ich lerne, dass mein Körper einen Haufen ungeahnter Defizite hat, die sich aber ganz einfach beheben lassen; zumindest kann ich mir Mühe geben.✗

✗ Die Backpulverstory zieht heute immer noch: In einer *Bravo*-Ausgabe vom Mai 2016 heißt es: «Wenn du eine Woche vor eurem ersten Date mit Bleaching-Hilfsmitteln arbeitest (z.B. mit Backpulver die Zähne putzen), ist das voll in Ordnung.» Leider ist es nur ästhetisch in Ordnung und macht aber ansonsten die Zähne kaputt.

Ich lese Foto-Lovestories über aggressive und übergriffige Jungs, die ihre Freundinnen stalken, ab und zu mal eine Ohrfeige für sie übrig haben oder ihr das Bikinioberteil klauen – «Jetzt stell dich nicht so zickig an» –, einfach, weil sie es können und weil alles mit ein bisschen Wangestreicheln wieder gut wird. «Marcel, ich mag dich ja auch...»[11]

Damals habe ich nicht das Gefühl, dass da etwas nicht stimmt. Dass es immer wieder um Grenzüberschreitungen geht und die Darstellungen alle vor Klischees und Blödheit nur so triefen. Ich weiß noch nicht, dass schäbiges, schlechtes Verhalten von Jungs nichts ist, das man romantisieren sollte und mit «er kann seine Liebe nicht anders zeigen» schönreden. Was in der Grundschule Haareziehen war, ist jetzt eben mal eine Ohrfeige.

Ich frage mich mit vierzehn eigentlich nur, ob ich später, wenn ich in einer Beziehung bin, auch im BH schlafen werde wie die Mädchen auf den Bildern, und vor allem, ob man tatsächlich beim Küssen reden kann.[*] Also so richtige, ganze Dialoge («Ich hab' dich so lieb, Lolli.» – «Oh Thommy, ich freu' mich schon so schrecklich darauf, morgens neben dir aufzuwachen.»).

Und natürlich lese ich ausführlich die Seiten von Dr. Sommer, auf denen «Liebe, Sex und Zärtlichkeit» erklärt werden. Schon damals habe ich das Gefühl, da steht jedes Mal das Gleiche drin: Benutzt Kondome! Wenn es juckt, geht zum Arzt! Lasst euch nicht drängen, aber probiert ruhig mal was aus!

Es ist immer wieder dasselbe, auch bezüglich der Leute, die in den Heften vorkommen: Alle sind heterosexuell und cisgender (also nicht transgender), fast alle sind weiß, niemand ist behindert, außer die eine Protagonistin einer Foto-Lovestory,

[*] Nein. Beides nein.

in der es dann natürlich darum geht, ob ihr Schwarm Manuel sie *trotzdem* lieben kann, obwohl sie doch im Rollstuhl sitzt. (Ja, aber es fällt ihm wahnsinnig schwer, und er überwindet sich erst, nachdem er vom Auto angefahren wurde und selbst nicht laufen kann.)[12]

Immer ist es das Mädchen, das überrascht, überrumpelt, verführt wird, manchmal bedrängt, nie andersrum. Die Richtung ist klar: Jungs «nehmen» Mädchen. Weibliches Begehren findet höchstens als Schwärmen oder Kichern statt, aber nie als aktiver Part; maximal kann das Mädchen noch lasziv auf dem Bett liegen wie ein Köder.

Männliches Begehren dagegen wird als unhinterfragbare Naturgewalt präsentiert, so blöd der Junge sich auch anstellt. Elisa, siebzehn, schreibt in der *Bravo Girl:* «Unser Sexlife ist gerade total öde! Wenn ich meinen Freund besuche, passiert immer das Gleiche: Er geht ins Bad, zieht sich ein Kondom über, legt sich aufs Bett und will mit mir schlafen. Ehrlich gesagt, finde ich das langweilig. Warum fällt ihm beim Sex nichts Neues ein?» Die Antwort der *Bravo Girl:* «Na ja, dein Freund scheint tatsächlich ein bisschen fantasielos zu sein. Es gibt mehrere Möglichkeiten, was du tun kannst. Erstens: streiken. [...] Zweitens: Mach dir selbst Gedanken, was dich im Bett besonders anmachen würde. [...] Oder du begleitest ihn beim nächsten Mal einfach mit ins Bad. Eine Dusche zu zweit – das kann ziemlich prickeln.»

Kein einziges Wort darüber, dass es eine Möglichkeit wäre, mit dem Freund *zu reden.*

Wenn ich heute in die *Bravo* gucke, hat sich gar nicht so viel geändert. Mädchen sollen Jungs immer noch locken, und Jungs sollen nicht immer glauben, was Mädchen so plappern. Wenn sie sagt: «Ganz schön kalt hier!», heißt das übersetzt: «Ich will kuscheln! Kannst du deinen Arm um mich legen?» Wenn sie sagt: «Ich hab am Wochenende noch nichts vor», heißt das: «Jetzt frag mich endlich, ob wir was zusammen machen!!!» Egal, was sie sagt, sie meint ziemlich sicher: Nimm mich. Der Junge hingegen meint, wenn er sagt: «Boah, hab ich Hunger!» in Wirklichkeit: «Kannst du mir bitte was zu essen besorgen?»

Mädchen befinden sich außerdem in permanenter Konkurrenz zueinander: Die Frage «Who wore it better?» («Wem stand es besser»?), in der Stars mit demselben Outfit danach bewertet werden, wem es besser steht, ist eine Institution. In jeder Mädchen- und Frauenzeitschrift, nicht nur in der *Bravo*. Geschichten über vermeintliche Zickenkriege zwischen Kolleginnen, Schwestern, Exfreundinnen sind in so gut wie jedem Heft zu finden. Die *Bravo* schreibt über Gigi und Bella Hadid, zwei Schwestern, die beide erfolgreiche Models sind: «Neid-Alarm!», ein Text darüber, wie die neunzehnjährige Bella die einundzwanzigjährige Gigi um Jobs beneidet und dass sie «nur» vier Millionen Instagram-Follower hat im Gegensatz zu ihrer Schwester mit siebzehn Millionen. Nicht nur das: «Sie konkurrieren auch in der Liebe!», weil beide berühmte Freunde haben. Bella sagt, dass sie von Pizza zunimmt und Gigi nicht; und dass Gigi sie unterstützt. Man könnte das als Geschichte von Solidarität zweier Schwestern erzählen, stattdessen wird «Neid-Alarm» daraus gemacht.

Alles ist wie früher, nur dass beste Freundinnen jetzt «BFF» beziehungsweise «ABF» heißen und zu den Film- und Popstars noch YouTuber*innen dazugekommen sind.

Es gibt immer noch «Top & Flop»-Listen. Top sind: irgendwas Neues von Starbucks, die Facebookseite von einem Mops, plüschige Chillhosen. Flop sind: Erkältungen, Verschlafen, Laubbläser, Pickel. Es gibt Werbung für Tampons und Rasierer und in der Mitte Poster und Autogrammkarten (schon unterschrieben, praktisch). Dazu gibt es eine Titelstory, die

«Tricks dich sexy» heißt, wo eine YouTuberin Stylingtipps gibt für «Girls, die ihre Oberweite zu klein finden»: «Kuschel-socken im BH sind der Shit! Die gibt's im 1-Euro-Laden – und es hat einen unglaublichen Effekt. Man muss sie umdrehen und geschickt reinstecken!»

Dr. Sommer beantwortet dieselben Briefe wie eh und je («Reicht Rausziehen?», «Ich habe Angst vorm ersten Zun-genkuss!») und natürlich gibt es Foto-Lovestorys, in denen sich am Ende ein Junge und ein Mädchen küssen, die da-bei immer noch reden. Die meisten Tipps richten sich auch heute an Mädchen (obwohl im Editorial «Lieber Bravo-Le-ser» steht) und sollen helfen, dass man beliebt und sexy wird. Über die Schauspielerin und Sängerin Ariana Grande heißt es: «Sie achtet auf ihr Aussehen, liebt tolle Klamotten und schönes Make-up – wirkt dabei aber nicht bitchy. Kein Wun-der, dass so viele Mädchen sein wollen wie sie: süß, sexy – aber natürlich! Und vor allem eines: immer nett!»

Jugendlichen beizubringen, dass sie ihren Körper sexy trick-sen müssen, indem sie sich Socken in den BH stopfen, halte ich für ein Verbrechen. Natürlich *tun* Jugendliche solche Sachen. Aber ihnen auch noch zu erklären, dass das gut ist und ein wirklich schlauer Trick, das ist falsch. Es ist zutiefst falsch. Wenn der Inhalt solcher Zeitschriften nur darin be-steht, die Scheiße nachzulabern, die Teenager mit Komple-xen sich selbst erzählen, sind sie nicht viel wert: Sie züch-ten Unsicherheit, wo Halt so wichtig wäre, und es bestätigt den Verdacht all derer, die meinen, ihr Körper sei nicht gut genug.

Manchmal sind die Tipps geradezu bizarr: Im Sommer 2015 gab es viel Kritik für eine *Bravo.de*-Serie aus 100 Flirttipps, mit denen Mädchen lernen sollten, verführerisch auf Jungs zu wirken. Hätte man auch nur einen Teil der Tipps befolgt, wäre man ein dauerlächelndes, glattrasiertes, mit überkreuzten Beinen allein rumstehendes Mädchen geworden, dessen parfümierte offene Haare sich über einem pfirsichfarbenen Schal wellen; ein Mädchen, das sich jeden Tag anders schminkt – aber immer mit Rouge und Wimperntusche –, sich die Ärmel vom Pulli etwas über die Hände zieht, ab und zu an einer Haarsträhne zwirbelt und Jungs «immer leicht von unten» anguckt, das schnell wegsieht, sobald es angeguckt wird, ab und zu wie «ein kleiner Tollpatsch» in einen Jungen reinstolpert – und sich bei all dem *nicht verstellt*: «Sei du selbst!»

Die *Bravo* löschte die Tipps in der darauffolgenden Woche und entschuldigte sich: «Kritik ist, dass wir ein rückständiges Frauenbild transportieren. Tatsächlich sind einige der Tipps absolut unglücklich.»[13]

Wenn ich ehrlich bin, freue ich mich heute jedes Mal, wenn ich sehe, dass diese Zeitschriften wahrscheinlich bald allesamt aussterben werden. Wenn die so bleiben, wie sie sind, dann können sie weg. Siebzig Prozent Auflageverlust in fünf Jahren bei *Bravo* – okay. Weiter so.[14]

Man kann Jugendlichen so vieles über Kennenlernversuche, Beziehungen und Sex beibringen, und es ist ein Elend, wenn sich solche Zeitschriften immer wieder darauf beschränken, dass ein möglichst süßes Mädchen einen möglichst coolen Jungen abbekommt, indem es sich geschickt am Kopfhaar zwirbelt.

Ich wünschte, man würde aus solchen Zeitschriften lernen, dass es so etwas wie richtige vs. schlechte Sexualität nicht gibt (ausgenommen alle Formen von Gewalt) – es gibt nur Zufriedensein oder Nichtzufriedensein. Und ich wünschte, Jugendliche würden aus diesen Zeitschriften lernen, wie sie ihre Grenzen aufzeigen können. Dass sie nichts mitmachen müssen, wenn sie nicht wollen. Dass so vieles okay und gut sein kann. Dass man gar keine Bitch ist, nur weil man schöne

Klamotten mag und sich schminkt. Dass es keine Mindest-
oder Maximalzahl von Sexualpartner*innen gibt. Dass es
Optionen jenseits von Heterosexualität gibt und man damit
kein Freak ist. Dass noch nicht mal die Einteilung in zwei
Geschlechter etwas ist, das sie begrenzen sollte. Davon sind
diese Hefte meilenweit entfernt.

Die *Bravo* hatte ihre Zeit. Gut, dass es sie gab. In den Sechzi-
gern- und Siebzigern war die *Bravo* eine wichtige Informa-
tionsquelle für alle jungen Menschen, die Sex und Popmusik
interessant fanden, also für alle.

Martin Goldstein, der 1969 der erste «Dr. Sommer» der *Bravo*
war, hat in einem Interview mal erzählt, dass zwei Hefte im
Jahr 1972 als jugendgefährdend eingestuft und indiziert wurden, weil er darin geschrieben hatte, dass Selbstbefriedigung
okay und nicht schädlich ist und dass Erwachsene sich auch
selbst befriedigen. Im Verbot stand der poetische Satz: «Die
Geschlechtsreife allein berechtigt noch nicht zur Inbetrieb-
nahme der Geschlechtsorgane.»[15]

Dass die *Bravo* sich für Selbstbefriedigung eingesetzt hat in
einer Zeit, in der Kaffeewerbung noch so funktionierte, dass
zwei Hausfrauen sich darüber unterhalten, welchen Kaffee
man dem Ehemann kochen sollte, um ihn zufriedenzustellen,
das ist ehrenhaft und revolutionär. Aber heute ist von dieser
Aufklärerrolle nicht mehr viel übrig.

Natürlich sind Zeitschriften wie die *Bravo* nicht das eigent-
liche Problem. Sie sind Teil einer Sexualkultur, die offen
tut und doch immer noch zutiefst in alten Rollenbildern
feststeckt.

Heute gucken Jugendliche eher YouTube, als dass sie die
Bravo lesen, aber besser ist das nicht: Es ist sogar noch frau-
enfeindlicher. Während die *Bravo* sich noch halbwegs Mühe
zu geben scheint, bei all den widersprüchlichen Ansagen
die Sei-du-selbst-Aufforderung, so absurd sie dann wirkt,

nicht zu vergessen, scheint es für einige der beliebtesten YouTuber*innen kein Problem, zu erklären, dass Mädchen einfach nerven.

YouTuber LionT erklärt: «Am Ende des Tages ist natürlich jedes Mädchen verschieden, das heißt, nicht jedes Mädchen nervt auf die und die Weise, sondern nur ein Großteil von Mädchen nervt auf die und die Weise.» YouTuberin Joyce erklärt selbst: «Ich bin ja selber 'n Mädchen, ne? Aber es gibt Dinge, die regen mich an Mädchen einfach sowas von auf, kennt ihr das?» Was genau nervt, darin sind sich die beiden ziemlich einig: Mädchen drehen einem das Wort im Mund um, fühlen sich hässlich und minderwertig, sie stellen sich ständig in Frage, sie shoppen zu viel, brauchen zu lang zum Anziehen und Schminken, sie lügen, zicken, schmollen, sind aufmerksamkeitsgeil und unentschlossen.[16]

In einem Video des YouTube-Trios ApeCrime, einem der meistabonnierten deutschen Kanäle, geht es darum, was Männer an Frauen mögen; als Gast eingeladen ist die YouTuberin Melina Sophie. Die Jungs erklären, dass Mädchen, die mit großen Brüdern aufwachsen, auffällig cool sind, was natürlich an den Brüdern liegt, «so schwul sich das jetzt anhört». Wenn es nicht an den Brüdern liegt, dann daran, dass sie «nur mit Kerlen rumhängt». «Wie ist das bei dir, Melina?» – «Lieber Männer. Eindeutig. Viiiel unkomplizierter, ja mega! Echt, ohne Scheiß.» Sie benutzen das Wort «behindert» im Sinne von «scheiße» und stellen fest: «Wenn 'ne Frau nicht kochen kann, ist es keine Frau.» Sie finden es geil, wenn sie «so 'ne Tusse» zu Hause haben und sie am nächsten Tag ein T-Shirt von einem ausleiht, «das ist ein Indiz dafür, dass man die Frau gepflügt hat». Im nächsten Video erklärt Melina, worauf sie bei Frauen steht. Erstens: Intelligenz, denn es gibt auch «diese typischen Wasserstoffblondinen – hahaha. Du denkst wirklich, du unterhältst dich mit einem Toastbrot.»

Fazit ist: Die Jungs fänden es am geilsten, wenn zwei nackte Lesben für sie in der Küche stehen und kochen.

Die beiden Videos wurden jeweils über 1,2 Millionen Mal gesehen. Die *Bravo* verkauft momentan gut 150 000 Exemplare pro Heft.[17]

Es scheint als würde sich durch den Wechsel von *Bravo* zu *YouTube* als Medium lediglich verändern, dass niemand mehr Taschengeld ausgeben muss, um an all die abgefuckten Infos zu kommen, die in der Seele nichts Gutes anrichten.

Natürlich ist das Internet in dieser Hinsicht ohnehin Fluch und Segen: Jugendliche können sich Pornos angucken, so viel sie wollen, solange sie «Ja, ich bin mindestens achtzehn» klicken, was sie natürlich tun; sie können sich Dinosaurierpornos runterladen, in denen Frauen von Urechsen vernascht werden – aber wissen am Ende im Zweifel trotzdem nicht, wie eine Frau mit Schamhaaren aussieht. «Hairy» ist eine Sonderkategorie auf *Youporn*.

Was das richtige Verhalten Gleichaltrigen gegenüber betrifft, sind Jugendliche heute nicht so viel sicherer als früher, sie stellen dieselben Fragen wie eh und je: Woher weiß ich, ob er / sie mich mag? Wie zeige ich ihm / ihr, dass ich ihn / sie mag und was machen wir dann zusammen? Habe ich eine Chance? Und, verdammt, wer bin ich?

Es ist kein Wunder, dass junge Menschen diese Fragen stellen: Sie werden sie immer stellen, weil Menschen diese Fragen stellen – für Immanuel Kant sind das die grundlegenden Fragen der Philosophie: Was kann ich wissen? Was soll ich tun? Was darf ich hoffen? Was ist der Mensch?

Obwohl es inzwischen mehr Pornos als Fische im Meer gibt, schreiben Jungs in Internetforen: «Treffe beim Sex das Loch nicht, Hilfe! :(» Und Mädchen fragen immer noch, ob sie mit Aspirin verhüten können.

Diese Unsicherheit steht in krassem Widerspruch zu der Vorstellung, wir seien heute permanent umgeben von Sex: Sex sei überall, die Gesellschaft würde übersexualisiert, und alles sei Porno und Fetisch und letztlich, infolgedessen, Übersättigung und Abstumpfung.

Es stimmt aber nicht. Wir sind nicht umgeben von Sex, sondern von einem diffusen Versprechen von Sex – gerade so diffus, dass es sich meist auflösen lässt in einen Zusammenhang von einerseits nackter Haut, vollen Lippen und langen Haaren und andererseits zu kaufenden Produkten oder zu konsumierenden Medien.

Etwas Ähnliches behauptet Laurie Penny in *Fleischmarkt*. Sie sagt: «Was uns umgibt, ist nicht Sex an sich, sondern die Illusion von Sex, eine Airbrush-Fantasie von Sexualität mit erzwungenem Spaßfaktor, die so steril wie unbarmherzig ist.» Ich glaube nicht, dass es um eine Illusion von Sex geht, ich glaube, es ist noch weniger. Es ist noch nicht mal eine Illusion – oder höchstens eine Illusion im Sinne eines Versprechens, das im Moment seiner Einlösung unsanft umlenkt und dann eben keine junge, willige Frau liefert, die mit dir das Bett zerwühlen möchte, sondern einen Mietwagen oder eine Packung industriell gefertigten Kartoffelsalat. Gute Fahrt und guten Appetit, beehren Sie uns bald wieder.

Die Frauen, die wir sehen, sagen nicht: Fick mich. Sie sagen: Guck mich an – und dann guck diesen Film, kauf diese bauchformende Strumpfhose und fahr dieses Auto. Das funktioniert aber nur, wenn ihre nackten, jungen und schönen Körper uns zugleich noch mehr erzählen und etwas in uns ansprechen – nämlich Wunschvorstellungen davon, wie unser Leben mit dem, was wir da sehen, wäre: Dann sind diese Körper eine Verheißung.

Wir sind nicht umgeben von Sex: Was wir in den Medien oder

in der Öffentlichkeit sehen, ist sehr selten Sex als Handlung; es sind in den allermeisten Fällen nackte oder halbnackte Frauenkörper. Entblößte junge Frauen sind das *Symbol* für Sex schlechthin. Und es müssen nicht mal komplette Frauen sein – einzelne Körperteile reichen. Ein Mund, ein Bein, ein Dekolleté.

Eine Titelseite der *Hamburger Morgenpost* berichtet über «Hamburgs neue Sex-Meile» und schneidet, weil man sich nicht damit begnügen will, Gebäude abzubilden, noch eine Frau ohne Kopf ins Bild, in rot-schwarzer Unterwäsche – wahrscheinlich eher ein Unterwäschemodel als eine Prostituierte, aber klar, Frau in Unterwäsche gleich Sex. Warum kein Mann? Als würden Männer nichts damit zu tun haben, dass da Prostitution stattfindet. Ein Buch, das von Sittlichkeit während der Adenauer-Ära handelt, heißt *Wie der Sex nach Deutschland kam* und zeigt: zwei übergeschlagene Frauenbeine. Fertig, Thema klar, ganz ohne Mann.

Die Gleichsetzung von Frauen und Sex führt dazu, dass Feminist·innen, die gegen die Verdinglichung der Frau als bloßes Sexobjekt kämpfen, vorgeworfen wird, sie seien «gegen Sex» – prüde, verklemmt, lustfeindlich.

Frauenkörper sind so sehr mit Sex verbunden, dass ihre bloße Abbildung reicht, um zu zeigen: Ding, dong, hier geht's ums Vögeln.

Nun könnte man sagen: Klar. Man braucht halt 'ne Frau zum heterosexuellen Verkehr. Richtig. Aber halt auch einen Mann. Die Autovermietung, die zu Werbezwecken einen jungen Mann lasziv an einer Kühlerhaube knabbern lässt, muss erst noch gegründet werden. Der Autovermieter Sixt, der sich tatsächlich nicht zu fein ist, in einem Werbespot eine Frau an einem Auto lecken zu lassen («Frühlingsgefühle»), hat auch ein Plakat im Angebot, auf dem ein Mann im Badeanzug neben einem BMW Cabrio liegt, dazu der Spruch: «Bei dem Model ging was schief, dafür ist der Mietpreis attraktiv.» Das funktioniert eben genau dann, wenn es völlig absurd ist, einen Mann zu bloßen Dekorationszwecken neben einem Auto zu fotografieren.

Wie grotesk die Posen von Frauen sind, wenn sie Produkte bewerben, sieht man, wenn Männer – zwecks Kunst oder eben Ironie – genau dieselben Posen einnehmen. Es sieht immer albern aus, selbsterniedrigend und dämlich. Aber bei Frauen sind wir daran gewöhnt.

Frauenkörper zu Dekorationszwecken sind normal. Es ist fast schon ein Running Gag geworden, dass Magazine wie der *Stern* und der *Focus* es schaffen, zu jedem beliebigen Thema eine halbnackte oder nackte Frau abzubilden, egal ob Eifersucht, Esoterik oder Endoskopie.

Und nicht nur das. Hier eine unvollständige Liste von Themen, die *Stern*, *Focus* und *Spiegel* schon mit (halb)nackten Frauen oder Frauenkörperteilen illustriert haben: Abnehmen ohne Stress, Abnehmen und Ess-Typen, alternative Medizin, Anti-Aging-Programme, Ärzte-Check, Bluthochdrucktherapien, Demenzforschung, deutsche Schicksalsjahre, Deutschland und Lebensqualität, Diabetes, Diät und Durchhalten, Diät-Gesellschaft, echt schöne Zähne, erfolgreiches Abnehmen für Männer und Frauen, falsche Zahnarztbefunde, Gerüche, gesunde Haut, gesunde Zähne, gesundes Essen, Gesundheit und Vererbung, Griechenland, Haut und Berührung, Hautforschung und Milliardenmarkt Kosmetik, Heilkraft der Bewegung, Hormone, Hilfe für den Rücken, Impfen, Knieprobleme und Knieheilmethoden, Kopfschmerzen, Krebsfrüherkennung und Hautpflege, Lexikon der Sexualität, Logik der Gefühle, Medizin-Apps und Patienten-Portale, Mütter, Naturheilverfahren, neue Hoffnung bei Krebs, neue Kameras, neue Mittel gegen Allergien, Partnerbörsen im Internet, Reisen und Krankheiten, richtig gut schlafen, Röntgenstrahlung und ihre Gefahren, Rückenmedizin, Rückenschmerzen, Salz, sanfte Medizin, Schlafrhythmus und Einschlaftricks, Schlafrhythmus und innere Uhr, schlank werden und schlank bleiben, schöne Haut, schöne Zähne und Zahnversicherungen, Schwangerschaft und Geburt, Selbstbewusstsein und Wechseljahre, Sexpillen, Sigmund Freuds 150. Geburtstag, späte Eltern, Stress mit der Bandscheibe, Treue, Umwelt und Krankheiten, Untreue, Urlaub, Übergewicht, versteckte Entzündungen, Vorsorge und Früherkennung, Weight Watchers, Wellness in Deutschland, Zucker.

Ich habe mal in einer Oberstufenklasse Philosophie unterrichtet, es ging im Unterricht um die Objektifizierung von Menschen, und die Schüler*innen sollten sich vorstellen, sie wären Cheflayouter*in eines großen Wochenmagazins und müssten sich ein Titelbild überlegen. Thema «Salz». Dann sagten die Jugendlichen: «Ich würde einen umgekippten Salzstreuer zeigen.» Der *Focus* zeigt: Eine Frau mit roten Lippen und Salzkörnern im Gesicht. Thema «Krebs» – die Jugendlichen sagten: «Jemand, der beim Arzt sitzt und traurig ist.» Der *Focus* zeigt: Eine komplett nackte Frau von hinten, die seitlich auf dem Boden liegt, hinter ihr ein paar Zellen in Großaufnahme. Und so weiter.

Wenn man fragt, warum das so ist, antworten die meisten: Sex sells. Aber wenn «sex sells» wirklich «Sex» meinen würde und nicht «nackte Frauen», müsste etwa die Hälfte der in Werbung abgebildeten Leute Männer sein. Nun könnte man sagen, wir finden Frauen eben sexier – aber warum sind dann nicht mehr Frauen lesbisch? «Sex sells» ist ein Prinzip, an das wir uns gewöhnt haben, aber es funktioniert nicht: Es gibt Studien, die belegen, dass Produkte sich nicht besser verkaufen, wenn sie mit Sex alias nackte Frauen beworben werden. Amerikanische Psycholog*innen haben hierzu 53 verschiedene Experimente ausgewertet. Es ging um die Wirkung von

Werbung, die Sex und/oder Gewalt zeigt oder zum Beispiel in der Werbepause von sex- oder gewaltlastigen Filmen läuft. An den Studien, die zwischen 1971 und 2015 durchgeführt wurden, waren insgesamt knapp 8500 Testpersonen beteiligt. Es kam raus: Ja, Leute finden Sex und Gewalt interessant, aber so interessant, dass sie vom Produkt abgelenkt werden und die Wahrscheinlichkeit, dass sie das Produkt kaufen, nicht steigt.[18] Die Autor•innen der Studie erklärten das evolutionspsychologisch: Sex interessiert die Menschen, weil sie sich fortpflanzen wollen. Gewalt interessiert sie, weil sie überleben wollen. Es macht also Sinn, Hinweise auf Sex oder Gewalt wahrnehmen zu können. Verkaufstechnisch war das Fazit aber eindeutig: Gewalt und Sex verbessern die Wirksamkeit von Anzeigen nie.

Als Justizminister Heiko Maas im Frühjahr 2016 ankündigte, er wollte geschlechterdiskriminierende Werbung in Deutschland unterbinden und Plakate verbieten, auf denen Menschen als reine Sexobjekte dargestellt werden, war die Aufregung groß: Was wollte dieser Mann? Wollte er Nacktheit verbieten oder Models Burkas umhängen, wollte er erotische Werbung verbieten, «Sex-Werbung», wie einige schrieben? Ist Werbung mit nackten Frauen gleich Werbung «mit Sex»? Eine Gesellschaft, die die nackten Körper oder Körperteile von Frauen nicht mehr trennen kann von Sex oder Erotik oder der eigenen Sexualität, hat ein Problem mit ihrem Frauenbild und nicht nur mit dem.

Ich schreibe immer «die Frauen», als wäre ich nicht Teil davon. Aber natürlich bin ich das. Alle Menschen, die als Frau wahrgenommen werden, sind davon betroffen. Wer jetzt sagt: «Aber Angela Merkel!», dem sei gesagt: Ja, Merkel erst recht.

Gerade Frauen in Machtpositionen müssen sich entscheiden,

ob sie sich aktiv der Sexualisierung entziehen, indem sie sich betont androgyn geben, oder sie müssen sehr genau aufpassen, welche Attribute von «Weiblichkeit» sie zeigen können, ohne den Respekt ihrer Umgebung zu verlieren. Als Theresa May im Sommer 2016 Premierministerin des Vereinigten Königreichs wurde, zeigt die *Welt* auf der Titelseite nicht ihr Gesicht, sondern ihre Füße in Leoparden-Print-Pumps: «Schuhe der Macht.» Würde Leoparden-Print Frauen mächtig machen, würde hier aber mal ganz plötzlich ein anderes Zeitalter anbrechen.

Sicher gibt es eine lange Tradition männlicher Herrscher, die sich als besonders potent dargestellt haben, aber eben *männliche* Herrscher, weil deren Sexualität leichter mit Macht zusammenzubringen ist. Frauen mit Macht werden hingegen häufig so weit entsexualisiert, bis sie quasi neutral werden. Eine der wenigen Ausnahmen war Katharina die Große, von deren Liebhabern heute über zwanzig namentlich bekannt sind. Als Kaiserin konnte sie sich das leisten, alle mussten damit klarkommen. Merkel hat es da schwerer. Sie regiert nicht aufgrund edler Herkunft, sondern aufgrund ihrer Fähigkeiten; sie regiert als eine von vielen und eben auch als Mensch – und als Frau. Wer sie abwerten will, kann ihr das Frausein wahlweise absprechen oder auf die Nase binden: Sie ist dann entweder «das Merkel», das geschlechtslose Wesen, oder «Mutti», die Urform des Weiblichen. Merkel selbst hat ihren Stil mit ihren berühmten Hosenanzügen so weit perfektioniert, dass sie – seit ihre Frisur und ihr Make-up weltpolitiktauglich sind – allenfalls noch über die Farbe ihres Jacketts zum Thema in ästhetischen Belangen wird. Oder: Wenn sie mal von ihrem eigenen Dresscode abweicht und ein Kleid mit Ausschnitt trägt, wie zur Eröffnung der Osloer Nationaloper 2008.[*]

Es lässt viel Raum für Spekulationen, warum Merkel ausgerechnet ein Porträt von Katharina der Großen auf ihrem Schreibtisch stehen hat. Die *FAZ* mutmaßte kurz vor Merkels Amtsantritt 2005, da sei doch mindestens eine modische Seelenverwandtschaft im Busch zwischen Merkel, «die bekennt, bei harter Arbeit bevorzuge sie Hosen und flache Schuhe» und Katharina, die sich gern «im maskulinen Militärmantel verewigen» ließ.[19]

Vielleicht werden wir eines Tages aufhören, darüber zu sprechen, welche Schuhe unsere Regierungsmitglieder tragen, und sie einfach arbeiten lassen. An ihren Jobs, nicht an ihren Körpern.

Denn unseren Körper so hinzubekommen, wie wir uns das wünschen, ist Arbeit, wenn auch nicht direkt bezahlte. Wir stecken Zeit, Kraft, Nerven und viel Geld in das Bild, das wir als Ziel vor Augen haben, und wir werden nie fertig damit.

Wer einmal in einer Drogerie Mädchen dabei beobachtet hat, wie sie sich in das Business des Sich-schön-Machens hineinfuchsen, versteht, wie viel Ressourcenmanagement dahintersteckt: wie sie sich dabei beraten, wie sie das wenige Taschengeld in Haarkuren und Schminke investieren, wie sie hin und her laufen und vergleichen und rechnen und sich aufregen: «Kraaass, jetzt wo ich fast gar kein Geld hab, gibt es wieder nur die teurere Feile. Alter, was ist deren Problem?»

Dabei spielt es natürlich eine Rolle, wie perfekt die Körper sind, die wir in der Werbung oder den Medien sehen, und wie ähnlich sie einander sind: schlank, groß, jung, glatt, meis-

---

× «Es hat etwas Tragikomisches, dass Merkel einen Skandal mit einem Kleid und nicht mit einem Hosenanzug auslöste», schreibt Julia Schramm in *50 Shades of Merkel* (Hamburg 2016, S. 160). Sie bemerkt auch, dass bei Frauen im Anzug eben immer noch vom «Hosenanzug» gesprochen wird – «als müsste betont werden, dass Frauen jetzt auch Anzüge tragen, dass Frauen auch mal die Hosen anhaben dürfen» (ebd., S. 158).

tens mit heller Haut, ohne Behinderung, sportlich. Man wird davon beeinflusst, wenn man nicht komplett blind ist.

Die Ideale, die wir da sehen, gelten zwar für Frauen und Männer gleichermaßen – aber Frauen werden stärker *als Körper* bewertet als Männer. Wie viele stark übergewichtige männliche Politiker gibt es in Deutschland – und wie viele weibliche? Für Männer ist es kein Hindernis, wenn sie den Schönheitsnormen nicht entsprechen. Für Frauen muss es nicht unbedingt eines sein, aber sie werden definitiv immer *auch* danach bewertet, wie sie aussehen.

Hilal Sezgin hat das in der *taz* mal so formuliert, dass Frauen zum Beispiel in Talkrunden «immer mit dem ganzen Körper und ihrer Persönlichkeit ‹präsent› sind», Männer nicht: «Ein Mann verschwindet in seinem Anzug und wird zum neutralen, quasi körperlosen Verlautbarer seiner Meinung. In das Urteil über Frauen hingegen fließen Aussehen, Kleidung, Gestik ein. Wie redet sie, wie sitzt sie da, wie häufig lächelt sie?»[20]

Man kann leider nicht davon ausgehen, dass sich diese Ungleichheit so bald erledigen wird. Es stimmt zwar, dass der Schönheitsdruck für Männer inzwischen zunimmt, aber er wird dadurch für Frauen nicht kleiner. Frauen werden über ihre Körper kontrolliert, jeden Tag. Immer wieder wird uns gesagt, was wir mit unseren Körpern tun oder was wir lassen sollen, ob wir sie nun richtig oder falsch eingesetzt haben und dass wir mit den Konsequenzen eben leben müssen. Ob Frauen in Deutschland oder woanders Kopftuch tragen sollen, wird oft diskutiert, ohne dass sie nach ihren Beweggründen gefragt werden, warum sie das Tuch tragen wollen. Als es darum ging, ob Frauen die Pille danach rezeptfrei kriegen können – wie in vielen anderen Ländern längst üblich –, tat die CDU so, als müsse man davon ausgehen, dass Frauen sich dann quasi von dieser Pille ernähren würden. (Jens Spahn, gesundheitspolitischer Sprecher der Unionsfraktion, fühlte sich immer wieder gezwungen zu sagen, das seien nun mal keine Smarties.) In Großbritannien gibt es Regeln für Pornos, die man per Video on Demand gucken kann. Diese dürfen bestimmte Sexpraktiken nicht mehr zeigen, unter anderem weibliche Ejakulation – männliche Ejakulation bleibt erlaubt. Und wenn Madonna sich für ein Magazin auszieht, fragt ein anderes Magazin: «Madonna wieder nackt: Muss das sein?» Eine meiner Lieblingstitelseiten hatte die *InTouch*, ein Klatschmagazin, das sich hauptsächlich den Fehltritten weiblicher Prominenter verschrieben hat: «Mager-Schock» heißt es da über Heidi Klum, und «Kilo-Frust: Sie wird immer dicker» über Britney Spears, die ein Eis leckt. Die einen so, die anderen so, Hauptsache, falsch.

Und ein Ende ist nicht in Sicht. Naomi Wolf vertritt in *Der Mythos Schönheit* die These, dass Schönheitsnormen für Frauen umso krasser wirken, je mehr politische, rechtliche und finanzielle Möglichkeiten Frauen haben: «In dem Maß, wie es den Frauen gelang, sich vom Kinder-Küche-Kirche-Weiblichkeitswahn frei zu machen, übernahm der Schönheitsmythos dessen Funktion als Instrument sozialer Kontrolle.»[21]

Insofern kann man sagen, dass ich damals, als Zwölfjährige, intuitiv schon das Richtige getan habe, als ich anfing, meinen Körper zu bearbeiten mit Kaltwachs und Schminke. «Das Richtige» im Sinne von: Ich wusste, dass es um etwas geht. Dass es relevant ist, was *ich als Frau* «aus mir mache». Und dass ich ungepflegt aussehe, wenn ich nicht genug mache.

Ein ehrenwerter Versuch, sozusagen. Das Problem ist, dass man in der Pubertät so schlecht die Kontrolle behält. Überall wächst und tropft was raus.

Spätestens in dem Moment, als ich mit dem Menstruieren anfange, beginnt auch die Abscheu. Das Blut ist nicht das Schlimme. Irgendwann gehe ich morgens pinkeln, habe

Blut im Schlafanzug und weiß: Jo, ist so weit. Ich stopfe den Schlafanzug in die Wäsche, denke, na ja, ist egal, wenn die Flecken nicht rausgehen, weiß-gelb mit Engeln drauf sollte ich eh langsam aussortieren. Das Schlimme sind die Binden. Ich finde sie schrecklich, grusele mich aber noch vor Tampons. Mit Binden habe ich das Gefühl, wieder eine Windel zu tragen. Ich gehe zur Schule und bilde mir ein: Alle. Können. Diese. Binde. Sehen.

Dazu kommen die unkalkulierbaren Krämpfe, die so heftig sind, dass ich denke, ich lasse mir lieber alle relevanten Organe rausoperieren, als diesen Horror vierzig Jahre lang mitzumachen. Es fühlt sich an wie ein Fluch. Kontrollverlust, Vertrauensverlust, Scham. Ich hasse es. Und habe dann doch keinen Bock mehr aufs Erwachsenwerden.

In der Umkleidekabine vorm Sportunterricht vergleiche ich meinen merkwürdigen Körper mit den merkwürdigen Körpern der anderen. Es ist der Ort der maximalen Entblößung. Nicht nur im klamottentechnischen Sinn, natürlich, das auch. Aber auch sonst. Es geht um alles: Wer hat schon wie große Brüste? Wer ist wie und wo rasiert? Wer trägt welche Unterwäsche?

Die Mädchen, die am allermeisten sexy sein wollen, tragen den Pullover direkt über dem BH. Push-up-BH natürlich – etwas anderes gibt es für uns nicht. Wenn BH, dann Push, Push, Push, so weit, wie es geht. Keine Ahnung, wer sich das mit dem Pullover direkt überm BH zuerst ausgedacht oder aus einem Porno abgeguckt hat, aber so ist der Style. Ich mache es nicht, weil ich nicht frieren will. Ich friere eh schon ständig, weil ich so dünn bin.

Was uns eint, ist die Wolke aus «Vanilla Kisses»-Deo, die uns alle umgibt. Süß und penetrant. Und die Wut auf die Sportlehrerin, Frau Schorf. Sie nennt mich «Mäuschen», wenn ich beim Hochsprung die Stange runterreiße oder beim Basketball nicht treffe. Sie macht, dass ich mich schäme für jede meiner Bewegungen. Ich will nicht ihr Mäuschen sein. Sogar die Mädchen, die sportlich sind, finden Frau Schorf zum Kotzen, weil sie ihnen vorwirft, nicht noch härter zu trainieren oder nicht an Wettbewerben teilzunehmen. Es geht das Gerücht um, dass sie früher eine bekannte Sportlerin für Olympia trainiert hat. Niemand traut sich zu fragen, ob das stimmt. Und niemand von uns schafft es, sie zufriedenzustellen.

Es ist gut, gemeinsam auf Frau Schorf wütend sein zu können. Wir mögen bei der Hohen Wende am Stufenbarren aussehen wie lebensmüde kleine Robben, aber wir lernen immerhin, dass das Schimpfen über gemeinsam erfahrene Ungerechtigkeit etwas sehr Vereinendes haben kann.

We all wore reading spectacles
But didn't get too political

HERMAN DUNE

KAPITEL DREI

WISSEN WÄRE MACHT

Alle, die irgendwann zwischen den achtziger und den nuller Jahren einen Fuß in das Berliner Stadtgebiet gesetzt haben, kennen das Plakat von «Big Sexyland»: Eine blonde Frau liegt da und trägt nicht viel mehr als rosa-metallic Handschuhe und silberne Ohrringe. Über ihre Brustwarzen sind Sterne geklebt. Der Schöneberger Laden warb über zwanzig Jahre mit diesem Plakat für «2000 qm prickelnde Erotik» – dahinter verbarg sich eine Mischung aus Stripclub, Sexshop und Pornokino. Die Frau mit den Sternen auf den Brüsten gehörte zum Straßenbild wie Telefonzellen, Briefkästen und Kaugummiautomaten.

Als das «Big Sexyland» vor ein paar Jahren zumachte und damit auch die Frau mit den Sternbrüsten verschwand, fiel es ironischerweise kaum jemandem auf. Außer vermutlich denen, die regelmäßig hingegangen waren. «Berlins bekanntester Busen», wie der Autor Philip Meinhold mal geschrieben hatte, war weg, und die meisten merkten nichts.[22] Warum auch? An Brüsten auf Plakatwänden mangelt es ja inzwischen nicht mehr.

Die Geschichte des «Big Sexyland» ist symbolisch für unsere

Gewöhnung an nackte Frauenkörper im öffentlichen Raum: Die Frau, die übrigens Marion Gallert hieß, kannte jeder, weil sie zu einer Zeit auftauchte, in der es noch keine Hundefutter- oder Autoreifenwerbung mit Brüsten gab und natürlich zu einer Zeit, als es noch kein Internet gab und keine Internetpornos.

Zu Marion Gallert hatten wir fast eine persönliche Beziehung: Sie guckte uns zu, wie wir zur Schule gingen, und sie wartete mit uns auf den Bus. Egal, wie schmierig und schäbig der Laden war, für den sie warb: Sie war wie eine alte Bekannte. Das «Big Sexyland», aus dem sie kam, war dennoch ein fernes Land. Sex war nichts, was sich innerhalb meiner Welt abspielte. Ich wusste, irgendwann würde ich in diese Sphäre eintreten, aber ganz sicher ohne Sterne auf den Brüsten.

Der Übergang von der Zeit, in der Sex etwas Abstraktes war, zu der Zeit, in der ich tatsächlich mit Menschen schlief, hatte viel mit Lesen zu tun. Eigentlich hatte bei mir sowieso immer alles mit Lesen zu tun. Lesen bedeutete oft, nicht unbedingt neue Antworten zu finden, sondern vor allem neue Fragen. In einem Gedicht von Mascha Kaléko heißt es über das Mädchen in der Pubertät: «Wenn Mädchen diesen Wendepunkt erreichen, / Sind ihre Augen große Fragezeichen, / Ihr Mund ein schweigender Gedankenstrich.»[23]

Genau so ein Wesen aus Fragezeichen und Gedankenstrich bin ich mit fünfzehn. Die Reise nach Südtirol ist der letzte Familienurlaub, auf den ich mitfahre, das beschließe ich schon auf der Hinfahrt. In mein Tagebuch schreibe ich: «Aaaaaah … Durchschnittsalter im Hotel: 120 mindestens.» Ich bin ein schlecht gelaunter Teenager und habe keinen Bock auf Wandern in Südtirol. Also nehme ich einen großen Stapel Bücher mit, sitze lange Nachmittage auf dem Fensterbrett der Pension und lese *Narziß und Goldmund*. Ich fliehe in diese weit entfernte Welt gutaussehender Jünglinge mit tiefen Sehnsüchten und skurrilen Vornamen. Ich versinke in der Sprache, die so wolkig weich und zugleich so tadellos ordentlich ist wie die aufgeschüttelten Daunenkissen in unserer Pension.×

Es gibt da diese Stelle, die geht so:

> «Ich habe mir viele Gedanken gemacht, und ich habe viele Gesichter und Gestalten gesehen und habe über sie nachgedacht, und einige von diesen Gedanken haben mich immer wieder geplagt und mir keine Ruhe gelassen. Es ist mir aufgefallen, wie in einer Gestalt überall eine gewisse Form, eine gewisse Linie wiederkehrt, wie eine Stirn dem Knie, eine Schulter der Hüfte entspricht, und wie das alles im Innersten gleich und eins ist mit dem Wesen und Gemüt des Menschen, der eben ein solches Knie, eine solche Schulter und Stirn hat. Und auch das ist mir aufgefallen, ich sah es in einer Nacht, wo ich bei einer Gebärenden helfen mußte, daß der größte Schmerz und die höchste Wollust einen ganz ähnlichen Ausdruck hat.»[24]

Ich lese diese Sätze immer und immer wieder. Weil mir alles so natürlich und wahr erscheint, was Hesse schreibt, denke ich, dass es sich hier um quasi gottgegebene, unhinterfragbare Wahrheiten handelt.

Erste Wahrheit: Alles an mir muss sehr hässlich sein. Ich gucke meine Knie an – meine hässlichsten Körperteile – und denke: Jede Stelle meines Körpers ist so missraten wie meine Knie. Meine Hände fand ich immer schön, jetzt gucke ich sie an und finde die Finger zu kurz und die Adern zu sichtbar und alles irgendwie knapp daneben. (Tagebucheintrag: «War gerade im Bad. Bin heute richtig hässlich. Stand ein paar Mi-

---

× Faszination Bürgertum.

nuten vor dem Spiegel, hab versucht zu lächeln, sah schrecklich aus. Wie eine Verbrecherin.»)

Zweite Wahrheit: Beim Sex wird das alles noch hässlicher. Wenn man beim Orgasmus aussieht wie eine gebärende Frau, dann muss man offenbar völlig fertig aussehen, ohne Kontrolle, wie eine Wahnsinnige. Niemand darf mich je beim Sex sehen, folglich darf ich nie Sex haben. Ich will keine dieser Frauen werden.

Vorsichtshalber informiere ich mich trotzdem weiter. Denn ich weiß, auch weil zu dieser Zeit *Bridget Jones – Schokolade zum Frühstück* ins Kino kommt, dass es keine Option ist, eine alleinstehende, ungevögelte Frau zu bleiben. Lieber: *Die perfekte Liebhaberin* – so heißt das Buch, das ich gemeinsam mit ein paar Freundinnen lese, von einer Autorin namens Lou Paget. Der Untertitel verspricht «Sextechniken, die *ihn* verrückt machen». Lydia hat das Buch gekauft und in blau geblümtes Geschenkpapier eingeschlagen, denn es ist unsere Reiselektüre auf der Klassenfahrt an die Ostsee, und so ganz sicher sind wir uns nicht, ob es okay ist, das zu lesen. Uns fällt gar nicht auf, wie bescheuert es ist, ein Buch zu lesen, das erklärt, wie man Männern einen geilen Orgasmus besorgt, statt eines zu lesen, das erklärt, wie man selbst einen kriegt. Halb belustigt, halb ernst studieren wir Tipps für die richtige Vögel-Atmosphäre («Kerzen mit Orangen- oder Zitrusduft sind bei Männern beliebt. [...] Lassen Sie Kerzen nie unbeaufsichtigt brennen.»), einen jederzeit sexbereiten Körper («Bewahren Sie immer eine Rolle Zahnseide in der Handtasche auf. Wenn Sie irgendwo ohne Handtasche hingehen, stecken Sie ein Stück in den BH oder in die Hosentasche.») und Runterhol-Techniken mit Namen wie «Ode an Bryan» oder «Der Herzschlag Amerikas». Ola ist die einzige von uns, die schon Sex hatte, und findet die Anleitungen, die teilweise sieben verschiedene Schritte enthalten, komplett albern. «Am Ende macht man eh einfach hoch, runter, hoch, runter, fertig», sagt sie, «und zwei Hände zu benutzen ist superdumm, weil man immer eine spermafreie Hand braucht.» Sie beeindruckt uns alle.

Das Schlimme an dem Buch ist aber nicht, dass die Runter-hol-Techniken idiotische Namen haben, kompliziert sind wie eine komplette olympische Kür in rhythmischer Sportgymnastik und niemand auf der Welt sich ernsthaft Zahnseide in den BH steckt. Das Schlimme ist, welche Vorstellung das Buch Frauen von sich als Sexobjekt und -dienstleisterin vermittelt, und zwar im Gewand vermeintlichen Empowerments. Denn obwohl es dazu gedacht ist, die Leserin «in Ihrem Frausein zu bestärken», damit sie und ihr Partner «Sex auf ganz neue Art genießen» können, enthält es haufenweise Passagen wie diese:

– «Sie haben jederzeit die Freiheit, nein zum Sex zu sagen, aber bedenken Sie dabei auch, dass es zur Liebe gehört, füreinander da zu sein, auch wenn man manchmal am liebsten ganz woanders wäre.»

– «*Sie* treffen die Entscheidung, meine Damen. Egal, ob Sie schlucken wollen oder nicht, sollten Sie fairerweise erfahren, dass es Männer *tatsächlich* antörnt, wenn sie sehen, dass ihre Partnerin Sperma schluckt. Die Tatsache, dass sie im Mund ihrer Partnerin ejakulieren dürfen, gibt ihnen das Gefühl, angenommen zu werden.»

Mit anderen Worten: Tun Sie beim Sex auch Dinge, die Sie nicht wollen, damit Ihr Mann sich pudelwohl fühlt. Wenn Sie ihn wirklich lieben, dann hat er ein Recht auf Ihren Körper. An einer anderen Stelle erklärt die Autorin, dass es Männern nahezu unmöglich ist, Frauen beim Eisessen oder Lippenschminken zuzusehen, ohne einen Ständer zu kriegen. Der «Geheimtipp», der daraus folgt:

> «Wenn Sie beim nächsten Mal in der Gegenwart eines Man-
> nes etwas trinken, stecken Sie die Zunge ein winziges Stück-
> chen heraus und halten sie an den Rand des Glases oder der
> Tasse. Ich garantiere, dass er darauf reagieren wird.»

Das ist ein Frauenbild direkt aus der Hölle und auch ein
ziemlich beschränktes Männerbild. Aber das merken wir damals nicht. Es ist nicht so, dass wir unser gesamtes Selbstbild
aus solchen Ratgebern holen – aber uns fällt eben auch nicht
auf, was für eine abgefuckte Scheiße das ist. Woher soll das
kommen, dass man als Frau selbstsicher und fürsorglich mit
dem eigenen Körper umgeht und den Sex hat, den man will,
wenn man solche «Ratschläge» für normal hält? Und es ist
kein Katechismus aus den Fünfzigern, es ist ein Bestseller
aus dem Jahr 2000. Wir denken, wir lernen was fürs Leben,
und nehmen uns vor, Duftkerzen und Stringtangas zu kaufen, und noch mehr Sexratgeber und Frauenzeitschriften, um
noch mehr zu lernen. (Es ist übrigens dieselbe Zeit, in der
Warum Männer nicht zuhören und Frauen schlecht einparken
jahrelang in den Top 10 der *Spiegel*-Bestsellerliste steht.)
Aus Zeitschriften wie *Cosmopolitan* und *Joy* lernen wir Hun-
derte Arten, demütig an einem Schwanz zu lutschen und
ebenso viele Arten, den eigenen Körper so hinzubekommen,
dass wir möglichst häufig die Gelegenheit dazu kriegen.
Auch heute, anderthalb Jahrzehnte später, funktionieren
Frauenzeitschriften noch so. Die *Jolie* erklärt unter dem Titel
«Was uns erschreckt», dass ein Viertel der Frauen in Deutschland nicht nur im Winter, sondern auch sonst mit unrasier-
ten Beinen und unlackierten Fußnägeln rumläuft. «Derlei
Beautysünden» würde der Frühling aber aufdecken («Hallo,
aufgewacht: Der Frühling ist da und bringt alles ans Licht!»).
Den Körper eines Menschen im natürlichen Zustand als
«sündig» zu bezeichnen – das kennt man sonst höchstens von

religiösem Fundamentalismus. Weil sich eine Zeitschrift natürlich nicht verkaufen würde, wenn sie Frauen einfach nur beschimpft, gibt es all die schönen Beautytipps dazu. Darin steckt aber auch schon das gesamte Prinzip dieser Hefte, die die Indoktrinierung perfektionieren, die *Bravo* und *Bravo Girl* bei uns begonnen haben und die man gut und gern als Komplettverarschung bezeichnen kann. Frauen werden als fehlerhafte Wesen dargestellt, deren Körper *unmöglich* in Ordnung sein kann, und dann kriegen sie – Abrakadabra – die entsprechenden *wirklich leicht zu befolgenden* Tipps und Produkte verkauft, um ihre Fehler zu beseitigen und sich so weit aufzuwerten, bis sie attraktiv werden, was heißt: für Männer attraktiv.[25] «Last Minute zum Strandbauch – mit diesen 8 Übungen schaffen Sie's noch» *(Women's Health)* – als könne man nicht mit jedem Körper an den Strand. Und als wäre nicht der einzige wirksame Trick, um wirklich so auszusehen wie die Models auf den Fotos, Photoshop.

Angesprochen fühlen dürfen sich alle Frauen: Das «Wir» ist allgegenwärtig – ein rhetorisches Mittel, das sich Frauenmagazine mit Boulevardmedien und Erzieher*innen im Kindergarten teilen.[*] «Wir machen das so» heißt immer auch: Wer es nicht so macht, gehört nicht dazu. «Wir» und «uns» zu sagen, stellt Gemeinschaft her. «Was wir durch Lästern lernen», erklärt die *Joy*, und die *Women's Health* freut sich: «Viele Männer sind in ihrem Denken und Handeln einfach gestrickt – und genau das lieben wir an ihnen.»

Das Perfide ist, dass all diese Magazine von dem Versprechen leben, ihren Leserinnen zu einem besseren, erfolgreicheren, erotischeren Leben zu verhelfen. Das Motto der *Jolie*: «Alles, was das Leben schöner macht». Dabei enthalten sie Botschaften, die zutiefst menschenfeindlich sind. Natürlich kann man

---

[*] Und mit diesem Buch.

diese Hefte für alberne bunte Blättchen halten, aber sie sind eben da und werden gelesen. *Glamour, InStyle, Joy, Jolie* und *Cosmopolitan* verkaufen von jeder Ausgabe in Deutschland je 200 000 bis 330 000 Exemplare monatlich.[*]

Und obwohl es Zeitschriften für Frauen sind, sind die Sextipps darin hauptsächlich dazu gedacht, Männern Spaß zu bereiten. Die *Jolie* bringt eine Titelgeschichte über «Die Sex-Stellung, die Männer lieben», sie verspricht den «heißesten Akt aller Zeiten». Die Stellung hat etwas mit Hocken und gespreizten Beinen zu tun, Knie nach oben. Die Frau braucht dafür «ein bisschen Mut und Ausdauer», es kann «echt anstrengend» werden – passende Workout- und Yogatipps stehen dabei –, doch es lohnt sich, denn der Mann findet das: «geil, geil, geil». Das ist leicht gesagt, weil: «Männer sind mehr oder weniger Dildos mit Körper dran». Die Frau hingegen trainiert ihre Oberschenkel und verbrennt Kalorien. Geil, geil, geil.

Als Zusatz gibt es den Verweis auf ein Video auf *jolie.de/juicy*, in dem eine Blowjob-Technik erklärt wird, bei der die Frau eine aufgeschnittene Grapefruit auf einen zu lutschenden Penis steckt und dazu Geräusche wie Darth Vader macht. Männer lieben das.

Überhaupt, Blasen. Würde die Menschheit dieselben Anstrengungen in die Raumfahrt stecken wie die Redaktionen von Frauenzeitschriften in Blowjob-Ratgeber, könnten wir längst zum Kaffeetrinken auf den Mars. Und immer wieder wird Blasen wie etwas dargestellt, wo eine Frau eben durch-

---

[*] Die Zahlen beziehen sich auf das erste Quartal 2016. Zum Vergleich: Die *Geo* wird knapp 240 000-mal verkauft, also ähnlich viel. Natürlich gibt es auch feministische Frauenzeitschriften wie das *Missy Magazine* oder das *an.schläge*-Magazin, und es ist unendlich gut, dass es sie gibt. Wenn man sich aber die Verkaufszahlen und das Angebot an einem durchschnittlichen Kiosk anguckt, sieht man, was Mainstream ist. Das feministische *Missy Magazine* druckt derzeit 25 000 Stück, viermal im Jahr.

muss, eine Art Pflichtübung jeder sexuellen Beziehung, die man schon irgendwie hinter sich bringen wird – dem Mann zuliebe. Der Orgasmus des Mannes wird zum Heiligen Gral, für den sich Leid und Lügen lohnen.

Glamour.de schreibt übers Blasen:

> «Es heißt nicht zufällig Blow-JOB, hier haben Sie tatsächlich etwas zu tun. Diese ‹Aufgabe› können Sie richtig gut meistern oder einfach nur schlampig abhaken – dann macht das Ganze aber nicht wirklich Sinn. Ängste vor kleinen Unbequemlichkeiten (Würgereiz, Spermaschlucken) sollten Frauen nicht davon abhalten, Oralsex zu praktizieren. Wer seinen Partner zu einem glücklicheren Menschen machen will, probiert einfach mal die ganze Palette: Seinen Penis so tief wie möglich hineinstecken, Würgereiz ignorieren, nebenbei mit seinen Bällen jonglieren, genüssliche Laute von sich geben, lutschen, lecken, saugen und dabei das Atmen nicht vergessen. Klingt anstrengend? Er wird es Ihnen danken, versprochen!»

Und *Freundin.de* empfiehlt, sich beim Blasen «auf das Machtspiel» einzulassen und dem Mann ein «antörnendes Machtgefühl» zu verleihen: «Gönnen Sie ihm das und spielen Sie einfach mit, indem Sie ihm dabei unterwürfig in die Augen blicken – schließlich wissen Sie viel besser, wer die Zügel in der Hand hält.» Selbst wenn vermeintlich die Fragen der Frauen beantwortet werden, geht es dabei nicht darum, «den Frauen» zu einem angenehmen Sexleben zu verhelfen: In einem Blowjob-Guide der *Jolie* steht zum Beispiel, was eine Frau tun sollte, wenn sie beim Blasen einen Würgereiz kriegt. Die Antwort ist nicht: «Dann lassen Sie es, Sie müssen das nicht machen.» – sondern: «Üben, üben, üben!» Der Tipp kommt von «Julia», einer Prostituierten. Und «Pornostar Mia Magma» sagt dazu: «Viele Männer stehen darauf, wenn es einem die Tränen in die Augen treibt.» – Ernsthaft? Selbst

wenn es so wäre: Wenn einem beim Sex tatsächlich die Tränen kommen, dann sollte man in Gottes Namen aufhören.[×]
Frauenzeitschriften wären ein guter Ort, um Frauen Tipps zu geben, die *Frauen* helfen, guten Sex zu haben. Denn offenbar ist Oralsex etwas, was längst nicht alle Frauen mögen: In einer Studie mit knapp 900 heterosexuellen Studierenden kam heraus, dass Frauen zwar doppelt so oft der aktive Part beim Oralsex sind wie Männer, aber weniger Spaß daran haben. Von den Männern sagten 52 Prozent, es sei «sehr angenehm», der aktive Part zu sein, von den Frauen nur 28 Prozent. Der passive Part zu sein, gefiel 69 Prozent der Frauen und 73 Prozent der Männer.[26]
In einer anderen Studie wurden Tiefeninterviews mit 71 heterosexuellen Jugendlichen im Alter von sechzehn bis achtzehn Jahren geführt. Dabei beschrieben die Jugendlichen, dass sie einerseits Männer und Frauen als gleichberechtigt ansehen, was Oralsex betrifft, allerdings fanden sie, dass Oralsex bei Frauen irgendwie ein «bigger deal» sei als bei Männern: Unabhängig von ihrem Geschlecht beschrieben die Jugendlichen das Lecken einer Vulva als komplizierter und ekliger als das Lutschen eines Penis. Unter den Jungs fanden sich viele, die weibliche Genitalien generell ekelhaft oder hässlich fanden. Die männlichen Befragten erklärten, dass sie eher darauf verzichteten, Oralsex zu praktizieren, wenn sie nicht in der Stimmung waren. Die jungen Frauen hingegen waren bereit, ihren Sexualpartnern einen zu

× Natürlich gibt es Dinge, die man tun kann, um beim Blasen mehr Spaß zu haben, ohne sich mühsam Würge- und Ekelinstinkte abzutrainieren. Zum Beispiel kann es helfen, nur saubere Penisse zu lutschen. Und: Man braucht nicht den kompletten Schwanz zu schlucken, damit es geil wird. Die Eichel ist sowieso das Wichtigste, und für die Länge reicht eine Hand. Sperma kann man in ein Taschentuch spucken, ist auch nicht viel mehr Flüssigkeit als einmal heftig gerotzt. Endlich mal eine praktische Fußnote.

blasen, auch wenn sie nicht so richtig Lust hatten.[27] Doch
woher sollen Mädchen und Frauen wissen, was sie selbst
beim Sex wollen, wenn sie sich so sehr darauf konzentrieren, es für ihre männlichen Sexualpartner möglichst geil zu
machen?

Während wir glauben, wir – oder die Generationen vor uns –
hätten die Fesseln des Patriarchats längst gesprengt, haben
wir nur gelernt, in ihnen shoppen zu gehen. Willig und dank-
bar saugen wir die Tipps auf, die uns zu niedlichen Playboy-
häschen machen, und wir zahlen auch noch Geld dafür.

Apropos Geld. Vielleicht kommt die Wut, die ich heute auf
Frauenzeitschriften und vermeintliche Sexratgeber habe,
auch daher, dass ich für solches Zeug bis zu meinem achtzehnten Lebensjahr so viel von meinem Taschengeld aus-
gegeben habe. Es wäre wahrscheinlich besser und sogar ge-
sünder gewesen, das komplette Geld für Drogen auszugeben.
Ungesund ist es im wahrsten Sinne des Wortes: Eine Studie
aus dem Jahr 2012 zeigt, dass Frauen nach dem Lesen von
klassischen Frauenzeitschriften signifikant unzufriedener
mit ihrem Aussehen sind und anfälliger für Essstörungen
werden.[28]

Männerzeitschriften sind übrigens nicht besser und bilden keineswegs das männerfeindliche Gegenstück zu den
Frauenzeitschriften, indem sie in tausendfacher Ausführung
erklären, wie man eine Vulva am geschicktesten leckt, selbst
wenn man keinen Spaß daran hat. Auch sie zeichnen hauptsächlich ein Bild von männlichem Begehren als etwas, das
es um jeden Preis zu befriedigen gilt, und Frauen stellen sie
als komplizierte Gören dar, die man irgendwie rumkriegen
muss. In einer Studie von 2011 legte man Testpersonen Aussagen aus Männermagazinen wie der *FHM* vor und Zitate
von Männern, die für Vergewaltigung verurteilt wurden.[29]
Darunter waren zum Beispiel solche Sätze:

«Ich denke, Mädchen sind wie Knetmasse. Wenn du sie aufwärmst, kannst du alles mit ihnen tun.»

«Ein Mädchen kann Analsex mögen, weil es sich dabei unglaublich frech fühlt und sie das Gefühl mag, eine dreckige Schlampe zu sein. Wenn das der Fall ist, kannst du alle Arten von erniedrigenden Handlungen ausprobieren, um ihr zu helfen, ihre schmutzige Fantasie auszuleben.»

«Die meisten Mädchen werden nur widerwillig mit jemandem ins Bett gehen [...]. Aber normalerweise kann man sie verführen, und dann tun sie es gern.»

Die Testpersonen waren nicht fähig zu unterscheiden, welche Sätze aus Männermagazinen stammen und welche von Vergewaltigern. Ja, sie fanden sogar die Aussagen aus den Magazinen tendenziell herabwürdigender.* Obwohl diese Hefte als «Mainstream» gelten, und als etwas, das man sich zur Unterhaltung reinzieht, enthalten sie bisweilen krasseste frauenfeindliche Botschaften.

Wenn ich heute über solche Frauen- oder Männermagazine spreche, denken Leute oft, dass ich sie gern *verbieten* lassen würde. Das stimmt nicht. Ich will viel lieber, dass sie aussterben: dass niemand mehr Bock hat, sie zu kaufen (oder die entsprechenden Seiten im Internet anzugucken).

Die Autorin Rebecca Solnit hat einmal über Zeitschriften wie die *Cosmopolitan* geschrieben: «Maybe it says a lot about the fragility of gender that instructions on being the two main ones have been issued monthly for so long.»[30]

Einer der Autoren der Männerzeitschriften-Studie sagte: «Ich glaube nicht, dass Zensur das Nützlichste ist, das die

---

* Bei den von mir gewählten Beispielen sind das erste und das zweite Zitat aus Männerzeitschriften, das dritte von einem Vergewaltiger.

Regierung tun kann, um auf diese Studie zu reagieren. Ich glaube, es ist sinnvoller, in wirklich hochwertige Sexualpädagogik für junge Männer und Frauen zu investieren, damit die Leute nicht auf diese Art von Medien zurückgreifen müssen, um die Lücke zu füllen.»[31]

Und die Lücke ist da. Was vielen Jugendlichen – und auch Erwachsenen – fehlt, ist nicht nur ein hinreichendes Wissen darüber, wie guter Sex geht, sondern auch darüber, wie man da hinkommt, ihn zu haben.

Damals, mit fünfzehn, kurz vor dem ersten Sex, sind wir in einem eigenartigen Zustand: Die Mädchen, die das tragen, was wir «Schnellfickerhosen» und «Nuttenstiefel» nennen, halten meine Freundinnen und ich einerseits für die, die am nächsten an Sex dran sind und damit an dem, was wir alle irgendwie wollen – andererseits finden wir sie abstoßend und billig. Wenn ich in Mathe neben Lydia oder Jolante sitze und wir sehen, wie eines dieser Mädchen seinen hellblauen Tanga so zurechtzupft, dass er ein ganzes Stück hinten aus der Hose rausguckt, gucken wir uns an und verdrehen die Augen. Wir tragen auch Tangas – aber man soll sie nicht sofort sehen. Wir wollen ja auch ganz bald Sex haben, aber so zu wirken, fänden wir peinlich.

Ich habe damals das Gefühl, ich müsse mich in etwas verwandeln, das dann eines schönen Tages von einem Jungen für gut genug befunden wird, gevögelt zu werden. Mir fällt nicht auf, dass das keine gesunde Vorstellung ist.

Dabei ist es nicht so, dass ich eine besonders naive oder unselbständige Fünfzehnjährige wäre oder eine besonders unglückliche. Ich lese haufenweise Bücher über Quantenphysik und stelle mir vor, wie ich später irgendeine wichtige Entdeckung machen werde, ich male Leinwände voll und zeichne Comics, ich lerne Schwedisch und gehe zum Schlagzeugunterricht, mein Leben ist gut. Aber ich habe eben auch sehr festsitzende Vorstellungen davon, dass Frauen eher Objekte sind und Männer eher Subjekte und dass es ziemlich selbstverständlich ist, dass Frauen für Männer mehr tun als andersrum.

Wenn ich mir Gedanken darüber mache, was man an der Welt verbessern könnte, komme ich nicht auf irgendwas mit Feminismus. Und ich mache mir solche Gedanken, denn natürlich würde ich gern die Welt retten.

Ich frage mich in dieser Zeit immer wieder, was die Menschen in hundert oder zweihundert Jahren über uns heute denken werden. Gibt es etwas, das wir heute als normal und richtig erachten und worüber die dann sagen werden: Scheiße, war das falsch? Ganz bestimmt gibt es das. Aber was?

Mir fällt auf diese Frage nicht viel mehr ein als: Umweltschutz, Klimawandel, das alles. Ich denke damals, dass das der Punkt ist, in dem es noch offensichtlichen politischen Handlungsbedarf gibt: Wir verbrauchen zu viele Ressourcen, produzieren zu viel CO_2 und rotten zu viele Tierarten aus. Auf etwas mit Geschlechterrollen, mit Rassismus, mit Klasse oder Behinderung komme ich nicht. Ich weiß zwar, dass es Ungerechtigkeiten gibt, Armut und Gewalt, sehe aber nicht, wie man daran etwas ändern könnte. Ich gehe ein paarmal zu den Treffen einer Greenpeace-Gruppe, fühle mich da aber nicht wohl, weil alle mir viel informierter und cooler scheinen als ich. Die Tücken des politischen Aktivismus: Egal, wie gut die Ziele sind, sobald man mit den Leuten nicht klarkommt, die sich dafür einsetzen, steht man allein da.

Irgendwann laufe ich einen Abend lang mit meiner Freundin Jolante durch die Gegend und erzähle ihr von meinen Überlegungen: dass man etwas tun muss, weniger konsumieren, nicht mehr so viele Tiere töten und so. Findet sie auch, vor allem das mit den Tieren. «Wenn du Vegetarierin wirst, werd ich auch eine», sagt Jolante irgendwann, «aber allein ist

blöd.» – «Okay», sage ich, «lass uns das machen. Kein
mehr. Und kein Fisch.»

Es fühlt sich an wie ein geheimer Pakt.

«Ab nächste Woche», sagt Jolante. «Warum nicht ab jetzt?»,
frage ich. – «Ab nächste Woche», sagt sie, «dann können wir
noch mal zu McDonald's. Abschlussessen.» Und so machen
wir das dann auch.

An einem Montag im Juli 2001 fangen wir also an. Jedenfalls
fast. An dem Dienstag essen meine Geschwister Chicken-
Nuggets aus dem Backofen. Es gibt nicht so viele Dinge aus
Fleisch, die ich lecker finde. Im Grunde drei: Chicken-Nug-
gets und Currywurst und die Haut von Brathähnchen. Als
mein Bruder und meine Schwester gerade beide nicht in
der Küche sind und der Backofen anfängt zu piepen, klaue
ich einen Nugget aus dem Ofen. Ich puste, puste, puste, und
schwupp, aufgegessen. Es ist das letzte Mal, dass ich Fleisch
esse, bis heute.*

Ein paar Wochen nachdem ich mit Jolante das Vegetarierin-
nen-Ding beschlossen habe, ist eine Party, auf der wir fleißig
eklige Sachen trinken: Batida de Coco mit Kirschsaft, Be-
rentzen Saurer Apfel und Bacardi Breezer. Jolante will inzwischen Anti genannt werden, und ich bin neidisch, dass
mit meinem Namen nichts Vergleichbares geht. Wir erklären
Tom, einem Typen, der schon achtzehn ist und damit im Gegensatz zu uns gefühlt vollständig erwachsen, dass wir kein
Fleisch mehr essen, aus ethischen Gründen, wegen der Tiere
und der Umwelt. «Wir sind gegen die Gesellschaft», erkläre
ich, «und man muss irgendwas tun.» Ich halte mich für sehr
politisch, das so zu sagen. Anti nickt und sagt: «Auch, weil
es Punk ist.» – «Ja», sage ich, «auch, weil es Punk ist.» – Aber

---

* Betonung auf Fleisch. Fisch esse ich ziemlich bald wieder, wegen Inkon-
sequenz und Sushi. Ich nenne mich dann nicht mehr Vegetarierin, ich sage
immer nur «ich esse kein Fleisch», Pescetarierin klingt mir zu abgehoben.

Tom ist schlauer. «Ihr seid gar nicht gegen die Gesellschaft», sagt er. «Ihr seid *gegen das System*.» Es klingt total logisch. Natürlich. Wir sind ja nicht gegen die Menschen im Einzelnen, wir wollen niemandem weh tun. Von da an sind wir also gegen das System.

Ein paar Bacardi Breezer später sitzt Tom auf einem der Sofas, von denen man nicht wissen will, wie sie so weich geworden sind, und auf Tom sitze ich und küsse ihn.*

Meinen ersten Freund habe ich bald darauf im Herbst. Wir sind eine komplette Woche zusammen, dann trennen wir uns dramatisch. Bisschen Pause, dann wieder zusammen, ein paar Monate. Er ist genauso unsicher wie ich, aber wir tun unser Bestes. Er schreibt Lieder für mich, ich male Bilder für ihn. «Zusammen sein» ist zu dieser Zeit etwas nahezu Heiliges, und alles, was länger als eine Party geht, gilt als «zusammen» und ist also ernst. Einmal liegen wir auf seinem Bett und küssen uns, er zählt heimlich das Ticken der Uhr mit und sagt dann, als wir aufhören zu küssen: «154 Sekunden». Damals sage ich, «spinnst du, warum zählst du das?», aber heute scheint es mir total logisch, denn sexuelle Erfahrung war damals noch etwas Abzählbares.

Irgendwann trennen wir uns, ich bin traurig, aber suche mir bald wen Neues. Ich weiß ja jetzt, wie es geht. Ein etwas liebloses Verlieben, aber es passt schon.

Mit meinen Freundinnen rede ich gar nicht so viel darüber, *was* wir konkret mit den Jungs machen, sondern eher darüber, *ob* wir bestimmte Stufen der Erleuchtung schon geschafft haben: Geküsst? Klar, sonst wär man nicht zusammen. Sex gehabt? Mmmh, noch nicht «so richtig». Ihm einen runtergeholt? Quasi sobald er die Tür abgeschlossen hatte. (Wozu hatten wir all die Anleitungen gelesen.)

---

* Als Dank fürs Mansplaining.

Weil wir nicht so besonders konkret darüber reden, wie das alles im Einzelnen aussieht, müssen wir darauf vertrauen, dass wir es «richtig» machen. Bisschen anfassen, bisschen lutschen, bisschen stöhnen, läuft. Mein zweiter Freund ist der erste, mit dem ich schlafe, und es ist, nun ja, «ganz nett». Aber was erwarte ich auch vom Sex? Ich erwarte, dass *er* kommt, und er kommt.

Sex läuft in den vier Wochen unserer Beziehung so wie in einem Roman von Sibylle Berg, und das bedeutet nichts Gutes: «Ich erzeuge Geräusche, von denen ich annehme, dass sie erregend klingen und helfen, die Übung schnell zu beenden, die man Liebemachen nennt.»[32]

Es gefällt mir einigermaßen, aber ich folge einem Skript, das ich meine erfüllen zu müssen, und vielleicht gefällt mir vor allem das: dass ich jetzt dabei bin. Es ist nicht unangenehm, aber es ist eben auch nicht geil. Unangenehm ist es nur, als er mir einmal aus Versehen ins Auge ejakuliert, weil er zu früh kommt.

Was passiert mit uns Frauen zwischen dem Moment, wo wir uns wünschen, Prinzessin oder Meerjungfrau zu sein, und dem Moment, wo wir merken, dass Sperma in den Augen brennt? Jahrelang haben wir unsere Körper auf unseren Prinzen vorbereitet, und dann kommt so was dabei raus. Vorgetäuschte Orgasmen und hinterher noch ein bisschen zusammen rumliegen, irgendwann aufstehen, in das benutzte Kondom neben dem Bett treten und sich ein bisschen ekeln.

Was war unsere Vorstellung von Sex, und was haben wir bekommen, und was wollen wir? Was ist der Sinn davon, ein gutes Sexobjekt zu sein und dann schlechten Sex zu haben?

Guter Sex müsste ja wenigstens der Preis sein für all die Vorbereitung. Meine Freundin Lydia erzählt stattdessen, dass sie sich beim Sex immer so ärgert, dass ihre Brüste wackeln; und ich freue mich, dass ich Körbchengröße 70A habe.[33]

Was wir von diesem mittelmäßigen Sex vor allem haben, ist männliche Bestätigung – und die ist wertvoll. Selbst wenn die männliche Aufmerksamkeit darin besteht, belästigt zu werden, denken wir damals: immerhin. Mira ist ein schüchternes und unsicheres, bildhübsches Mädchen in unserer Klasse, sie tanzt Ballett und trägt ihr langes, dunkles Haar hochgesteckt zu einem Dutt, der wie ein Donut aussieht. Unter den Jungs wird es zu einem Spiel, einen Finger in die Mitte von Miras Haarknoten zu schieben, ohne dass sie es merkt. Natürlich merkt sie es immer wieder. Dann rennen die Jungs weg und lachen sich tot: «Alter, ich hab sie so hart gefingert!» – «Du hast sie richtig gefickt, Mann.» Irgendwann trägt Mira ihre Haare nur noch geflochten.

Es ist dieselbe Zeit, in der wir T-Shirts mit dem Aufdruck «Zicke» tragen – halb selbstbewusst, halb ironisch, immer kokettierend. Als stünden wir drüber, wenn uns jemand so nennt.

Mit sechzehn schreibe ich viel Tagebuch. An manchen Tagen schreibe ich nur: «Heute nicht so viel gegessen, nur 1 Apfel und 1 Zwieback», an anderen Tagen schreibe ich mein Gewicht auf und freue mich, dass es immer weniger wird. Ich rechne meinen Body-Mass-Index aus, komme auf 15,4, was starkes Untergewicht ist, und finde trotzdem, dass ich mich mehr kontrollieren muss. «40 kg sind die Obergrenze, aber so weit sollte es gar nicht erst kommen», schreibe ich einmal. Einen Tag nach einem Familienfest notiere ich: «Oh Gott, ich bin ganz dick, so viel gegessen, ich seh aus wie schwanger. Muss kurz wiegen … 39,2. Na ja, krieg ich auch noch weg.»

Das Abnehmen fühlt sich paradox an: Ich fühle mich innerlich stark, weil ich konsequent wenig esse, aber körperlich fühle ich mich schwach und unterlegen. Im Mai 2002 geben Die Ärzte ihr «15 Jahre netto»-Jubiläumskonzert, ich gehe mit meinen Freund*innen hin. Am Anfang bin ich mit Anti, Lydia und den anderen ganz vorne. Wir sind froh, so nah an der Bühne zu stehen, aber als es losgeht, wird vorne gepogt, und um uns herum sind lauter zwei Meter große springende Männer, die einen Scheiß darauf geben, ob sie auf uns fallen oder nicht, und natürlich fallen sie auf uns. Ich schließe kurz die Augen und rechne fest damit, nur mit einem Knochenbruch da rauszukommen, aber irgendwie schaffen wir es, uns nach weiter hinten durchzuschlagen, während vorne Die Ärzte *Anneliese Schmidt* singen: «Im Garten spielt das kleine Mädchen / Es baut zwischen den Blumen für die Ameisen kleine Städtchen.» Ich denke, ich bin so eine kleine Ameise.

Einerseits weiß ich, dass ich untergewichtig bin, andererseits ist Untergewicht für mich so sehr die einzig denkbare Variante von Körper, dass ich innerhalb dieses Bereichs noch mehr schaffen will.

Hätte es damals schon die Challenges gegeben, die es heute in sozialen Netzwerken zum Thema Schlankheit gibt, hätte ich wahrscheinlich versucht, bei allen mitzumachen: Die «Thigh-Gap-Challenge», bei der eine Lücke zwischen den Oberschenkeln sein soll, wenn man aufrecht steht und die Knie sich berühren, die «Belly-Button-Challenge», bei der man mit einem Arm um den Rücken herumgreift und dann mit den Fingern den Bauchnabel anfassen können muss, die «Collarbone-Challenge», bei der man sich möglichst viele Münzen in die Kuhle überm Schlüsselbein legen soll, die «Under-Boob-Pen-Challenge», bei der ein Stift unter die Brust geklemmt wird und sich allein dort halten muss, oder die «A4-Paper-Challenge», bei der die Taille so schmal sein soll, dass sie hinter einem hochkant gehaltenen Blatt Papier verschwinden kann. So grotesk diese Trends von außen wirken, so sinnvoll fühlen sie sich für diejenigen an, die sich ihnen anschließen und die dann wissen: Zumindest in dieser einen konkret benennbaren Kategorie bin ich schlank, also schön genug, so dass ich mindestens *ein* Selfie machen kann, das den Maßstäben entspricht. Es sind messbare Erfolge, und was messbar ist, gibt Sicherheit. Natürlich kommt kurze Zeit später die nächste Challenge, und es kann sein, dass es eine wird, die anatomisch ohnehin nur für wenige Menschen möglich ist, so wie die «Thigh Gap» zum Beispiel nur bei bestimmten Beckenformen erreichbar ist, die man durch noch so viel Sport oder Diät nicht erreichen kann. Doch natürlich ist das Internet voller Anleitungen, wie man es zumindest für Fotos dennoch versuchen kann mit der richtigen Fußhaltung, Shape-Unterwäsche oder Selbstbräuner.

In ihrer eigenen Logik sind diese Challenges perfekt: Das Ziel ist zumindest kurzfristig klar formuliert – und scheint damit viel greifbarer als bloßes Irgendwie-Schlanksein, bei dem man nie weiß, wann es denn nun endlich reicht – und man kann *gewinnen*. Der Preis wird in Likes ausgezahlt.[*] Vielleicht nicht hunderttausendfach, wie die entsprechenden Bilder von Beyoncé, Kim Kardashian oder Taylor Swift – aber man kann auf derselben Plattform posten wie sie, also ist man zumindest ein ganz kleines bisschen auf derselben Party.

Natürlich ist es nicht so, dass alle, die versuchen, schlank und schön zu sein, passive Trottel sind, die nur auf die nächste Norm warten, die sie erfüllen dürfen. Von anderen wahrgenommen zu werden ist ein menschliches Bedürfnis, und es ist nicht falsch, das mit Hilfe des Körpers zu versuchen. Der Körper ist kein bloßes Objekt, das wir irgendwo abstellen

---

[*] Unter den entsprechenden Hashtags gibt es immer auch Leute, die sich über die Challenge lustig machen oder zeigen, wie sehr sie drauf scheißen. Unter #a4waist finden sich nicht nur Frauen, die ein leeres DIN-A4-Blatt vor ihre schmale Taille halten, sondern auch solche, die ein DIN-A3-Blatt nehmen, einen Pizzakarton oder ihre Diplomurkunde. Aber diese Bilder funktionieren nur als Ironie oder Rebellion, weil es so viele gibt, die die Sache ernst meinen.

und dann begaffen lassen: Wir *sind* unser Körper und können Subjekt und Objekt sein – wie die Hand, die greifen oder ergriffen werden kann, sogar gleichzeitig.

Auch als *schöner* Körper gesehen werden zu wollen ist nichts Verwerfliches. Die Frage ist, wie viel Freiheit in diesem Wunsch steckt und wie viel Raum für Veränderung. Denn es ist nicht schlecht, sich ab und zu bewusst zum Objekt zu machen, zum sexuellen oder zu sonst einem. Es ist aber gefährlich, wenn man denkt, es sei der einzige Weg, auf dem man Anerkennung bekommen kann.

Shulamith Firestone, die das Frauenbild von Frauenzeitschriften schon in den siebziger Jahren kritisierte, schrieb zugleich, man dürfe das nicht mit schönen Bildern verwechseln:

> «Es gibt keinen Grund für Feministinnen, sich päpstlicher als der Papst zu gebärden und zu glauben, die Schönheit des Titelgesichts von ‹Vogue› müsse unbedingt abgelehnt werden. Denn darum geht es nicht. Uns interessiert: Ist dieses Gesicht auf eine menschliche Weise schön? Darf es älter werden, sich verändern, verfallen, kann es positive oder negative Emotionen ausdrücken, hat es auch ohne künstliche Prothesen Bestand – oder imitiert es trügerisch die völlig andersgeartete Schönheit eines unbeseelten Objektes, etwa wie Holz, das wie Metall aussehen soll?»[34]

Die Psychoanalytikerin Susie Orbach erklärt in ihrem Buch *Bodies. Schlachtfelder der Schönheit* die Mechanismen, mit denen wir gesellschaftliche Schönheitsideale so zu unseren eigenen machen, dass es sich nicht falsch anfühlt. Orbach schätzt, dass wir zwei- bis fünftausendmal pro Woche mit Bildern digital manipulierter Körper konfrontiert sind. Körper, die perfekt aussehen. Damit müssen wir umgehen, und wir tun es mehr oder weniger geschickt. Wir behandeln unseren eigenen Körper zwar bisweilen unglaublich brutal, aber wir fühlen uns dabei nicht unbedingt als Opfer von irgendwas. Kosmetikindustrie, Diäten, Schönheits-OPs erscheinen uns als Mittel, mit denen wir ein bestimmtes Bild von uns schaffen können. Ja, sie suggerieren sogar eine Art Fürsorge für unseren Körper.

> «Wir sehen uns nicht als Opfer einer Industrie, die uns ausbeuten will. Im Gegenteil, wir werden dazu gebracht, das Problem umzudeuten und auf uns zu nehmen: An mir ist etwas verkehrt, das ich durch Bemühen [...] in Ordnung bringen kann. [...]. Wir entschärfen das Gefühl [...], kritisiert zu werden, indem wir den aktiven, enthusiastischen Part in unserem Selbstvervollkommnungsprogramm übernehmen. Wir werden voller Eifer korrigieren, was falsch ist, und dabei dankbar die Chancen nutzen, die uns die Schönheitsindustrie bietet.»[35]

Und das wiederum fühlt sich an wie Macht: Wir sehen uns als Handelnde, die ihre Freiheit nutzen. Wir vergessen, dass die Vorstellung, etwas an unserem Körper sei *falsch*, nicht natürlich oder selbstverständlich ist – auch, weil wir um uns herum ständig Menschen sehen, die ähnliche Kämpfe führen. Es ist leichter, gegen sich selber anzutreten, indem man hungert, als gegen ein Ideal. Vor allem ist das Ziel schöner: 78 Prozent der Elf- bis Siebzehnjährigen sagen heute, dass es einen Zusammenhang zwischen Dünnsein und Beliebtsein gibt.[36] Vor allem bei Mädchen führt diese Idee mit zunehmendem Alter zu krankhaftem Verhalten: Während Jungs und Mädchen im Alter von elf Jahren noch ungefähr gleich häufig Symptome von Essstörungen zeigen – jedes fünfte Kind – liegt der Durchschnitt bei den siebzehnjährigen Mädchen bei dreißig Prozent und den siebzehnjährigen Jungen bei dreizehn Prozent.[37]

Dabei geht es nicht nur um Eitelkeiten und eben typische Unsicherheiten in der Pubertät, sondern um die sehr grundlegende Frage, welchen Platz in der Welt man sich selbst zugesteht. Denn das Paradoxe an dieser Situation bleibt: Einerseits sind junge, schlanke Frauenkörper für uns *das Schöne* schlechthin, sie sind ein Ideal, das für Attraktivität, Gesundheit, Disziplin steht. Andererseits hilft es gar nicht so viel, einen solchen Körper zu haben, sobald es um Machtfragen geht.

Peggy Phelan stellt in ihrem Buch *Unmarked: The Politics of Performance* fest, dass junge, weiße Frauen die Welt regieren würden, wenn man Sichtbarkeit mit Macht gleichsetzen könnte.[38] Aber sie tun es nicht. Und zwar nicht nur, weil sie sehr viel Zeit damit verbringen, ihre Körper zu bearbeiten und damit schon aus praktischen Gründen weniger Zeit für alles andere haben, sondern auch, weil sie damit eben unbewusst genau den Platz in der Gesellschaft einnehmen, der ihnen zugewiesen wird.

Wir sind zwar mit Bildern hübscher Frauen in der Werbung und in den Medien gelinde gesagt ganz gut versorgt, aber nicht mit ihren Meinungen, ihrem Wissen und ihren Geschichten: Wer angeschaut wird, darf nicht automatisch sprechen.

Im Jahr 2015 waren in den Talkshows der öffentlich-rechtlichen Sender nur etwa 36 Prozent der Gäste Frauen – rund ein Prozent mehr als im Jahr zuvor.[39] Das ist kein spezifisch deutsches Problem: In einer Untersuchung von englischsprachigen Medien kam heraus, dass Männer in den Nachrichten immer noch öfter repräsentiert werden: Die Wahrscheinlichkeit, dass eine im Text genannte Person männlich ist, liegt bei 77 Prozent, bei auf Fotos gezeigten Personen sind es knapp 70 Prozent. Das heißt, Frauen kommen in Nachrichten seltener vor, aber wenn, dann ist es wahrscheinlicher, dass sie auf einem Bild gezeigt als dass sie in einem Text erwähnt werden – als «eye candy», wie es in der Studie heißt.[40]

In dem Stück *Und jetzt: die Welt!* von Sibylle Berg stellt die Hauptfigur, eine junge Frau, fest:

> «Solange wir damit beschäftigt sind – und wir wollen sagen: nachhaltig damit beschäftigt sind –, panisch zu wenig zu essen am Tag und nachts heimlich Babybrei, den wir unter dem Bett gelagert haben, in uns zu stopfen und danach zehnmal die Treppen hoch- und runterzurennen, weil sich Babybrei nicht erbrechen lässt, solange wir uns Schminktipps im Internet ansehen und uns nach Cellulite abtasten, haben wir den Sieg nicht verdient in der Schlacht – um was eigentlich? Weltherrschaft, okay, dann halt, aber – Was ziehe ich da an? Ich kann da nicht hin. Ich kann diese Weltherrschaftssache nicht machen, wenn ich nicht mal weiß, wie man sich zu solchen Gelegenheiten korrekt und dennoch weiblich kleidet...»[41]

«Weltherrschaft» klingt nach viel. Aber um die Welt und um Herrschaft geht es, in dem Sinne, dass die Frage, wie viel von der Welt uns zusteht, eine ist, die viele Frauen mit einem schlichten «nicht so viel» beantworten. Am Hochstapler-Syndrom leiden Frauen viel häufiger als Männer: Egal, welche Erfolge sie erzielen, stets haben die Betroffenen Angst, es könnte rauskommen, dass sie nichts davon verdient haben und in Wirklichkeit komplette Loser sind. Während Männer ihre Erfolge häufiger sich selbst zuschreiben, neigen Frauen dazu, sie mit äußeren Faktoren zu erklären.[42] Sie denken dann, sie hätten entweder Glück gehabt oder ihre Umgebung durch Charme rumgekriegt, seien aber eigentlich nicht besonders intelligent oder kompetent.

Natürlich ist es nicht nur eine Frage des Geschlechts, was man sich zutraut. Vieles hängt davon ab, welche Erfolge und Rückschläge man bisher erlebt hat und wie selbstverständlich man es findet, dass Menschen, die einem ähneln, erfolgreich sind – und wie sehr man sich selbst dementsprechend für eine Ausnahme hält. Diese Ähnlichkeiten können im Bereich von «Race», «Class», «Gender» liegen, also Ethnizität, Klasse und eben Geschlechtsidentität, aber nicht nur: Es betrifft genauso Fragen von Alter, Gesundheit, Behinderung und so weiter.

Es wäre insofern falsch zu behaupten, dass alle Unsicherheit, die Frauen mit sich rumtragen, mit ihrem Geschlecht oder mit Schönheits- und Schlankheitsidealen zu tun hat. Aber je mehr man sich an den Gedanken gewöhnt hat, dass Anerkennung von anderen *das* Ziel ist, desto schwieriger wird es, zu akzeptieren, dass die eigenen Fähigkeiten auch einfach mal gut und genug sind.

Und je mehr man darauf hinarbeitet, anderen gefallen zu wollen, desto eher verliert man ein Gefühl dafür, sich selbst einzuschätzen – und im schlimmsten Fall verliert man auch ein Gefühl für die eigenen Grenzen: Wie weit will ich gehen für das Gefühl, das andere mir geben?

Als ich sechzehn bin, spiele ich eine Zeitlang Schach, und es scheint mir das beste Spiel der Welt zu sein. Ich liebe alles, was logisch ist und ordentlich. Schwarz und weiß. In einem Jugendclub neben der Schule finden AGs statt. Die Schach-AG ist klein, hauptsächlich Jungs. Der Gruppenleiter heißt Rüdiger und hat rote Haare, und ich mag, wie er sich um uns kümmert.

«Brillant», sagt er, wenn ich einen schlauen Zug gemacht habe. Ich mag, wie er auf dem Tisch sitzt und uns beim Spielen zuguckt. Wir spielen anderthalb Stunden, dann ist Schluss. Nach der AG stehen wir rum, Rüdiger sagt, seine Tochter habe heute Abend ein Tanzturnier, da müsse er noch hin. Ich bin neidisch auf die Tochter. Vielleicht sollte ich auch tanzen, das wäre cooler als Schach spielen. Ich versuche montags ohnehin, so cool auszusehen wie möglich. Ich ziehe meine Lieblingshose an, eine dunkelrote Cordschlaghose, und mein Lieblings-T-Shirt mit weiß-lila Muster.

Rüdiger wohnt mit seiner Familie in einem Häuschen mit Garten, ganz in der Nähe der Wohnung meiner Eltern. «Und du?», fragt er, als ich mein Brett zusammenräume und die Figuren alle einzeln in ihre Plätze drücke, einen Tick zu langsam und einen Tick zu ordentlich, als sollten sie nicht ersticken. «Nur noch Mathe lernen», sage ich, «morgen ist Klausur.» – «Das packst du eh», sagt er, «du machst das mit links, alles, das seh ich doch.» – «Ja», sage ich. «Na dann», sagt er, «auf geht's. Biste mit'm Fahrrad?» Was für eine bescheuerte Frage, denke ich. Nein, ich fahre nie mit dem Fahrrad zur Schule, das wär viel zu weit, einmal quer durch die Stadt. «Nee, U-Bahn», sage ich. «Na, dann nehm ich dich mit im Auto, wohnst ja um die Ecke.» – «Okay.» Die anderen sind schon raus. Ich bin aufgeregt und ein bisschen stolz. Er nimmt mich mit.

Es ist heiß im Auto, die Junisonne scheint. «Mach ruhig dein Fenster runter», sagt er, und ich finde den Knopf nicht gleich. «Hier?», frage ich, Gott, ich bin so unsicher. Plötzlich schiebt sich die Scheibe von allein runter, ich mache «huch» und er grinst. Er hat auf der Fahrerseite auch Knöpfe dafür. «Technik, die begeistert!», lacht er und fährt los.

«Wo wohnst du genau?», fragt Rüdiger. «Gleich hinterm S-Bahnhof die Straße runter und um die Ecke. Weißt du? Wo der Hundefriseur ist.» – «Der Hundefriseur, meine Güte.» – «Ja, ich weiß auch nicht. Diese Gegend ist so schlimm.» – «Aber ja, ich weiß Bescheid.»

Ich bin die Strecke von der Schule noch nie mit dem Auto gefahren. Ich wusste gar nicht, dass man dann die Autobahn nimmt. Aber klar, warum nicht. «Schieb mal eine der Kassetten rein», sagt er, «wenn du magst. Rechts neben dir.» Ich greife in das Fach. Die Kassetten sind in seiner Handschrift beschriftet, dieselbe Schrift, mit der er uns manchmal Begriffe an die Tafel schreibt. «Künstliche Rochade» oder «Stefan Zweig». Er will immer, dass wir mal die *Schachnovelle* lesen. Mach ich vielleicht bald, dann freut er sich. Ich nehme eine Kassette, auf der «Beatles White Album» steht, und stecke sie in die Anlage. «Flew in from Miami Beach BOAC / Didn't get to bed last night / On the way the paper bag was on my knee / Man, I had a dreadful flight»

«Sehr gut», sagt er, «kennst du das?» – «Weiß nicht? Vielleicht nur ein bisschen.» – «Oh, wenn du es nicht weißt, dann kennst du es nicht. Es ist das heftigste Beatles-Album überhaupt.» «Also, dieses Lied», sage ich, «das kenn ich, aber ich dachte, es ist von Billy Joel.» Rüdiger lacht. «Du bist süß», sagt er, «weißt du das?» Gott. Was soll das? Ich schäme mich und bin gleichzeitig stolz. Was für eine Mischung. Dumm und niedlich. Oh Mann. «Warum süß?», frage ich. «Billy Joel hat das auch gespielt, in der Sowjetunion, zwanzig Jahre nachdem die Beatles das aufgenommen haben.» – «Ah.» – «Ja.»

«Gehen wir noch spazieren?», fragt er, während wir die Autobahn langfahren. Keine Ahnung, wo wir sind. Rechts und links ist Wald. «Von mir aus?» – «Schön!» – «Wo denn?» – «Da vorne gleich.» – «Okay.» Das verwirrt mich. Spazieren? Müssen wir dann reden? Ich weiß nicht mal, wann die Beatles gelebt haben. Hoffentlich fragt er mich nichts über die Beatles. Ich versuche mich zu erinnern, wie die überhaupt hießen. Mir fällt nur John Lennon ein. Ah. Und Paul McCartney. Und die anderen? Das waren doch vier. Scheiße.

Wir rollen auf einen Parkplatz am Wald. «Wo sind wir?», frage ich, und ich weiß nicht, ob das eine peinliche Frage ist. Vielleicht ist es gar nicht so weit von zu Hause, und ich müsste das hier kennen. «Grunewald», antwortet er. Ich schnalle mich ab. «Bleib ruhig sitzen», sagt er. «Weißt du, wie schön du bist, wenn du lächelst?» Oh.

«Nein, warum?» Gott, ich bin so dumm. Ich antworte nur in Fragen. Warum mache ich das? «Du kannst dich ein bisschen entspannen», sagt er, «leg ruhig deinen Sitz zurück.» – «Ich weiß nicht, wie das geht.» – «Okay, warte, ich komm kurz rüber.» Er geht ums Auto rum. Warum soll ich mich entspannen? Zum Spazierengehen? Rüdiger macht meine Tür auf, dreht an der Seite von meinem Sitz, und die Lehne geht langsam nach hinten. «So», sagt er, «ist das gemütlicher?» – «Hm, ja, danke.» Er bleibt neben mir stehen, sehr nah. Er riecht nach Männerdeo und Schweiß. «Entspann dich», sagt er und legt eine Hand auf mein Bein. Was passiert jetzt? Wann gehen wir los?

Wir gehen nicht los. Irgendwann liegt er auf mir, in diesem Familienauto, einem dunkelblauen VW Touran, mit Kindersitz hinten. Ich lasse alles geschehen, mein Körper wird zu einem Stein, der Schmerzen hat und weint, aber nichts sagt. Der schlichte Satz «Das will ich nicht» ist nicht in meinem aktiven Wortschatz vorhanden, und ein «Hör auf» wäre mir erschienen wie etwas aus einer fernen Galaxie. Alles erstickt in Ekel, Schock und Unglaube, dass *das* gerade passiert. Was «das» ist, kann ich nicht sagen.

Ich weiß es hinterher, zu Hause, unter der Dusche. Vielleicht. Ich weiß es ein bisschen mehr, aber eigentlich immer noch nicht. Ich bin froh, dass ich die Pille nehme, seit einem halben Jahr. Es hat unglaublich weh getan, es war warm und ekelhaft und dauerte lange. Am Ende gab er mir ein Taschentuch, wegen der Tränen, und brachte mich nach Hause.

Als ich unter der Dusche stehe, tut es immer noch weh. Meine Vagina brennt, alles Innere fühlt sich wund an. Ich weiß nicht, ob das normal ist. Vielleicht muss das so, denke ich. Vielleicht stimmt aber auch irgendwas nicht mit mir. Vielleicht habe ich eine Allergie gegen Sperma, kann das sein? Warum sonst sollte es so brennen? Der Junge, mit dem ich vorher geschlafen habe, hat immer Kondome benutzt.

Ich stecke alle Klamotten, die ich an dem Tag anhatte, gleich nach dem Duschen in die Waschmaschine, Kochwäsche. Ein paar Tage später, als ich alles von der Wäscheleine nehme, gucke ich die Sachen lange an. Ich mag sie nicht mehr anziehen. Meine Lieblingssachen, eigentlich. Ich stecke sie in eine Plastiktüte und stopfe sie unten in den Kleiderschrank, hinter die Inlineskates, die mir zu klein geworden sind. Drei Jahre später, als ich von zu Hause ausziehe, schmeiße ich die Tüte weg.

Von dem Nachmittag mit Rüdiger erzähle ich jahrelang niemandem, weil ich nicht weiß, was ich sagen sollte. Ich kann es nicht mal mir selbst erzählen, ich habe keine Worte: Ich weiß nicht, ob ich etwas falsch gemacht habe, ich weiß nicht, ob das alles peinlich war oder nur etwas unglücklich, weil es so gebrannt hat. Ich habe nicht mal die Ahnung davon, dass *er* etwas falsch gemacht haben könnte. Die Worte «Missbrauch» oder «Vergewaltigung» sind schlimmeren, brutaleren Fällen vorbehalten, denke ich. Vergewaltigung ist für mich damals etwas, das Frauen zustößt, wenn sie spätnachts allein nach Hause laufen und dem falschen Fremden begegnen, der dann über sie herfällt. Ich schäme mich, wie als ich mit zwölf Jahren mal beim Ladendiebstahl erwischt wurde, nur in einem viel tieferen Ausmaß: Ich bin ja selbst zu ihm ins Auto gestiegen, das war dumm, oder?

Ich habe doch schon als Kind gelernt, dass ich mit niemandem mitgehen soll. Ich kannte Erzählungen von fremden Männern mit Süßigkeiten und hatte eine klare Vorstellung vom Bösen, eine dunkle Gestalt, die hinter einem Busch hervorspringt. Dass die Gefahr mitten in meinem Alltag liegen würde, hatte ich nicht geahnt.

Ich mache die Schach-AG noch bis zum Ende vom Schuljahr weiter, ein paar Wochen. Dann höre ich auf, aber ich hätte sowieso aufgehört. Sie ist nur für Leute von der achten bis zur zehnten Klasse, und ich bin dann, nach dem Sommer, in der elften Klasse.

Mein Tagebuch aus diesem Jahr endet mit einem Eintrag zu diesem Tag, weil ich es danach nicht mehr benutzen wollte. Ich höre auch auf, zum Schlagzeugunterricht zu gehen, und ich höre auf, mich zu verlieben, für drei Jahre. Stattdessen sitze ich oft zu Hause und zeichne mich selbst in Kohle. Wenn ich fertig bin, zeichne ich mir noch Flügel, riesige Flügel, die mich zudecken und mit denen ich jederzeit wegfliegen kann.

Weil Wegfliegen keine Option ist, fange ich an, meine Arme zu ritzen. Am Anfang benutze ich ein altes Teppichmesser. Ich nehme das älteste, rostigste Messer aus dem Werkzeugregal; kein neues, damit mein Vater nicht merkt, dass etwas fehlt. Ich weiß, dass viele in meinem Alter ritzen: Wenn ich Bilder von ihren Wunden und Narben sehe, spüre ich Mitgefühl und gleichzeitig eine Art Bewunderung für ihren Mut. Sie haben etwas durchgestanden.

Das alte Messer schneidet schlecht, also kaufe ich Rasierklingen im Supermarkt. Sie sind perfekt. Es fasziniert mich, sie an meine Haut anzusetzen und durch leichten Druck immer tiefer reingleiten zu lassen. Ich mag die Farbe der Bluttropfen, die rausquellen. Ich fühle eine seltene Mischung von Schönheit und Wirksamkeit meiner selbst. Hätte ich vielleicht auch mit Leistungssport haben können, wer weiß. Und so destruktiv und krank das klingt, ein angenehmes Gefühl dabei zu kriegen, während ich meine Arme so zerstöre, dass lebenslänglich Narben bleiben werden, so sinnvoll fühlt es sich in dem Moment an, in dem ich es tue. Ich tupfe das Blut mit Papiertaschentüchern weg, und später, wenn nichts mehr blutet, wasche ich meinen Arm mit kaltem Wasser. Manchmal, wenn ich besonders tief geschnitten habe, lege ich mir einen dünnen Verband um, aber immer nur so dünn, dass man ihn unter meinen langen Ärmeln nicht bemerkt. Im Sommer trage ich Armstulpen und bilde mir ein, das fällt bei meinen Hippieklamotten ohnehin nicht weiter auf. Um meinen achtzehnten Geburtstag ist mein linker Arm so voller frischer Wunden, dass kaum noch Platz für neue ist und ich gelegentlich auch meine Füße ritze. Wenn Freund*innen mich auf die Wunden ansprechen, weil sie sehen, wie ich mich umziehe, oder weil mir ein Ärmel hochrutscht, antworte ich nicht. Wenn ich kann, gehe ich weg. Ich will nicht darüber sprechen, weil ich weiß, wie absurd es klingen würde zu erklären, dass das Ritzen mir hilft. Ich habe das Gefühl, ich müsste produktivere Lösungen für meine Probleme finden. Der Therapeut, zu dem ich dann ein Jahr lang gehe, bringt mir nichts. Er fragt immer wieder, ob ich gute Noten habe, und ja, ich habe gute Noten, und ich ritze und hungere weiter. Ich mache mein Abi mit 1,1, aber das Abi gibt es für Bildung und nicht für innere Stärke.

Heute habe ich Narben am linken Arm, die jede*r sehen kann. Sie sind ein Teil von mir, ich bin nicht stolz auf sie, aber schäme mich auch nicht. Sie bleiben für immer sichtbar, wie eine körperliche Lücke im Lebenslauf.

Ich würde gern zurückreisen und mein siebzehn- und achtzehnjähriges Ich umarmen. Kein Mensch soll sich die Arme zerschneiden müssen, um etwas zu fühlen. Dann wieder denke ich, aber mich haben doch damals Menschen umarmt, und es hat nicht gereicht.

Und während ich das schreibe, weiß ich, irgendwo in der Welt sitzen auch jetzt wieder Mädchen, die sich selbst verletzen. Mit Messern, Scherben, glühenden Kippen oder Draht. Es scheint schon fast ein Klischee: magersüchtige Mädchen,

die sich verletzen. Selbstmitleidige Wesen, die das eigene
Blut romantisieren, sich aber nicht trauen, sich umzubringen,
und Aufmerksamkeit erzwingen wollen, indem sie das vermeintlich Wertvollste zerstören, was sie haben – ihren jungen, weiblichen Körper.
Leslie Jamison schreibt darüber:

> «Man hört oft, dass Ritzer sich nur ritzen, weil sie Aufmerk-
> samkeit wollen. Aber ist dieses ‹nur› wirklich angebracht?
> Der Schrei nach Aufmerksamkeit erscheint als Verbrechen
> schlechthin, als aufdringlich oder trivial – so, als wäre es
> fundamental egomanisch, sich nach Aufmerksamkeit zu se-
> hnen. [...] Im Hass auf Ritzer [...] zeigt sich der Versuch, eine
> Grenze zu ziehen zwischen authentischem und künstlichem
> Schmerz [...].»[43]

Doch gerade um den Schmerz und die Wunde geht es: Beides ist sehr real, schlicht und kontrollierbar. Es ist kein Wut-
ausbruch und keine Diskussion: Man kann nicht verlieren,
wenn man alle Aggression gegen sich selbst richtet, man hat
im wahrsten Sinne des Wortes das ganze eigene Leid in der
Hand.
Die Schule wäre einer der Orte, an dem man jungen Menschen beibringen könnte, nach innen ihre Grenzen zu wahren und nach außen Hilfe zu suchen. Bis ich Mitte zwanzig
war, hatte ich keine Ahnung, ab wann etwas ein Übergriff ist,
den man sich nicht gefallen lassen muss. Ich hatte es schlicht
nie gelernt und kam auch nicht auf die Idee, dass mir Informationen fehlten.
Wir hatten noch mal Sexualkunde in der zehnten Klasse,
aber die bestand vor allem darin, dass ein komplett verklemmter Biolehrer uns Arbeitsblätter austeilte, aus denen
wir lernten, wie der Menstruationszyklus funktioniert. Wir
zeichneten Hormonkurven in Diagramme, außerdem sahen

wir eine bedrückende Dokumentation über eine Abtreibung, aus der mir vor allem gruselige Bilder von medizinischen Geräten im Kopf geblieben sind und die Vorstellung, dass Abtreibung etwas zutiefst Falsches ist und Frauen, die das auf sich nehmen, wahnsinnig und kaltherzig sein müssen. Das war's.

Wir verbrachten wesentlich mehr Stunden damit, den Aufbau des Auges zu lernen und am Ende ein Schafsauge zu sezieren mit dem Ziel, die Linse herauszuoperieren.

So falsch.

So unglaublich falsch.

Nichts gegen Schafsaugen oder eine fundierte Kenntnis des Menstruationszyklus. Aber es gibt so vieles, das wir hätten lernen können.

Es mag der Tatsache geschuldet sein, dass es sich um eine katholische Schule handelte, wie wenig wir darüber lernten, was Sex außerhalb der biologischen Fortpflanzungsmechanismen zweier heterosexueller Menschen ist.

Wenn ich eine Liste machen müsste mit einigen Fakten, die mir damals völlig fremd waren, wären es zum Beispiel diese:

– Die Klitoris ist ein komplexes Organ, das größer ist als eine Erbse. (Und ich vermute stark, dass unser Biolehrer das auch nicht wusste.)

– Es gibt weibliche Ejakulation.

– Die meisten Frauen kommen von bloßer Penetration mit einem Penis nicht zum Orgasmus, sie brauchen also auch nicht so zu tun, als ob.

– Die Pille, die ich seit einiger Zeit nehme, wie alle meine Freundinnen, kann heftige Nebenwirkungen haben. Mir wird erst klar, wie sehr die Pille meinen Körper verändert hat, als ich sie nach zehn Jahren absetze und mir ein halbes Jahr lang Schnurrhaare wachsen, wie bei einer Katze.

– Zweigeschlechtlichkeit ist ein Konstrukt: Nicht alle Menschen sind entweder Frau oder Mann. Ich habe damals eine diffuse Vorstellung davon, dass es intersexuelle Menschen gibt, habe aber im Grunde keine Ahnung. Das Wort «nonbinär» kenne ich nicht.

– Man kann zwischen «sex» und «gender» unterscheiden, also den körperlichen und gesellschaftlichen Aspekten von Geschlecht.

– Queere Menschen sind nicht verrückt: Menschen, die nicht heterosexuell sind, sind keine skurrilen Sonderfälle. Ich habe keine konkrete Vorstellung von Lesben, Schwulen, Bisexuellen, Pansexuellen oder Asexuellen, und das Wort «queer» kenne ich nicht, und das, obwohl ich seit der Grundschule weiß, dass ich auch auf Frauen stehe. Das Wort «schwul» kenne ich nur als Beleidigung oder im Zusammenhang mit einem Lehrer, den wir im Verdacht haben, einen Freund zu haben, was uns so verrucht wie krass erscheint, dass ihn nie jemand danach fragt. Die einzige Lesbe, die ich kenne, ist eine Kollegin meiner Mutter, die mir mal Socken gestrickt hat.

– Transgeschlechtlichkeit hat nichts mit Federboas zu tun. Ernsthaft. Ich kenne das Wort «cis» nicht, also das Gegenstück zu «trans»: Cisgender beschreibt Leute, deren Gender mit dem bei der Geburt bestimmten Geschlecht übereinstimmt, also die meisten. Transgender sind die, bei denen es nicht übereinstimmt.

– Und nicht zuletzt sollten Schüler∗innen lernen, ab wann etwas nicht mehr Sex ist, sondern sexualisierte Gewalt.

Die Autorin Peggy Orenstein kritisiert die gängigen Formen der Sexualkunde hart. Für ihr Buch *Girls & Sex* hat sie mit siebzig Mädchen im Highschool- und College-Alter gesprochen. Es ist ein Problem, sagt sie, wenn Aufklärungsunterricht nur davon handelt zu lernen, wie die Geschlechtsorgane aufgebaut sind:

> «Man lernt darin, dass Jungs Erektionen haben und ejakulie-
> ren, und dass Mädchen ihre Tage kriegen und unerwünschte
> Schwangerschaften haben können. Dann ist es doch kein
> Wunder, wenn weniger als die Hälfte der 14- bis 17-jährigen
> Mädchen sagt, sie hätten schon mal masturbiert. Und die ge-
> hen dann sexuelle Beziehungen ein, und wir erwarten, dass
> sie dafür sorgen können, dass sie befriedigt werden? Das ist
> lächerlich, es wird nicht passieren.»[44]

Orenstein ist dafür, mit Mädchen sehr offen über Masturbation und Erregung zu sprechen und über Ansprüche in
Beziehungen. Denn wenn junge Frauen nicht wissen, was sie
erregt, aus welchen Gründen haben sie dann Sex? Was erhof-
fen sie sich davon? Wie soll man sich auf Sex freuen, wenn
man nicht weiß, was daran Spaß macht?
Vielleicht ist es peinlich, darüber im Unterricht zu sprechen. Ganz sicher ist es peinlich, darüber mit verklemmten
Biolehrer*innen zu sprechen. Man muss das alles aber auch
nicht im Biologieunterricht behandeln: Was spricht dagegen,
Sexualkunde auszulagern an externe Pädagog*innen? Dazu
sind Sexualpädagog*innen da.[45]
In den letzten Jahren gab es viele Debatten darüber, wie Se-
xualunterricht an Schulen aussehen kann: «Besorgte Eltern»
haben Angst, die traditionelle Familie aus Mann, Frau und
Kindern könne zersetzt werden, wenn man in der Schule
lehrt, dass Homosexuelle auch Kinder haben können. Sie
befürchten, dass Kinder «übersexualisiert» oder «schwul
gemacht» werden, wenn man ihnen beibringt, dass es über
Sex mehr zu sagen gibt, als wie man ein Kind zeugt.[46] Man
fragt sich, auf welch wackligen Füßen das Familienbild solcher Leute steht – und was für Sex sie haben. Dabei sollte

es in den Projekten, um die es ging, gar nicht um detaillierte Anleitungen für Sex mit Sextoys gehen, sondern um Antidiskriminierungsarbeit.

Die weit verbreitete Ansicht, dass Jugendliche heute immer früher Sex haben, entspricht übrigens nicht den tatsächlichen Zahlen. Es stimmt, dass bis 2005 immer jüngere Menschen sexuell aktiv wurden, aber in den letzten Jahren ist diese Tendenz rückläufig. Heute haben mit 14 Jahren 6 Prozent der deutschen Jugendlichen schon Sex gehabt, mit 17 Jahren 58 Prozent und mit 21 Jahren 89 Prozent, wobei der Herkunft eine zentrale Rolle spielt: Mädchen mit Migrationshintergrund fangen zum Beispiel später an als solche ohne Migrationshintergrund.[47]

In ihrem Buch *Come as You Are* beschreibt die Sexualpädagogin Emily Nagoski, dass ein Großteil ihrer Arbeit darin besteht, verschiedene Varianten der Frage «Bin ich normal?» zu beantworten – und fast immer ist die Antwort: Ja, bist du. Das Defizit im Wissen über weibliche Sexualität liegt laut Nagoski daran, dass «weibliche Sexualität in der westlichen Wissenschaft und Medizin» lange Zeit als «Light-Version der männlichen» gesehen wurde: «im Grunde genommen das Gleiche, nur nicht ganz so gut.»[48]

Nur wer überhaupt eine Ahnung hat, was möglich wäre, kann Phantasien und Wünsche entwickeln. Charlotte Roche hat mal in einem Interview mit Nina Power erzählt:

> «Ich habe da diese Theorie. Wenn du irgendeinem Mann sagen würdest: ‹Heute bin ich deine Sexsklavin. Du kannst alles von mir verlangen, und ich werde es für dich tun›, würden jedem Mann sofort ein Dutzend Sachen einfallen. Männer haben Fantasien, sie haben für alles Worte. Sie können einer Frau sagen: ‹Leg dich hin, mach das, leck dies.› Aber wenn ein Mann zu mir sagen würde: ‹Ich bin dein Sexsklave, was soll ich machen?›, hätte ich keinen Schimmer. Ich habe überhaupt

nichts im Kopf, was mir erlaubt, darüber nachzudenken, was mir eigentlich gefällt.

Ich wirke wie eine moderne, selbstbewusste Frau, und die Leute halten mich für die Sorte Frau, der ein Dirty Talk gefällt, High Heels, Drogen, Rumfickerei. Aber wenn es um die verborgen gehaltene Intimität geht, wird es ganz dünn.»[49]

Vielleicht muss nicht jeder Mensch konkrete Vorstellung für den Einsatz eines «Sexsklaven» haben. Aber etwas im Kopf zu haben, «was mir erlaubt, darüber nachzudenken, was mir eigentlich gefällt», das wird ganz sicher niemandem schaden. Im Gegenteil: Es ist eine Voraussetzung für sexuelle Freiheit.

It's a new page in the same book
It's a new game with the same rules
...
I'd run away
But there is nowhere to go
So I'll stand and fight

TRACY CHAPMAN

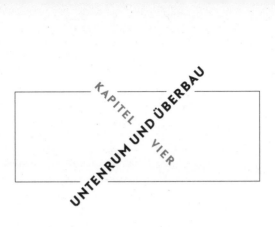

KAPITEL VIER

UNTENRUM UND ÜBERBAU

Sex ist kein neutrales Thema. Man redet über Sex nicht auf die Art, wie man über das Wetter redet oder darüber, ob man eine Lieblingsfarbe hat: Sex ist interessanter als das Wetter und intimer als eine Lieblingsfarbe. «Sex» und «Sexualität» sind, wie es bei Michel Foucault heißt, «intensive, überladene, ‹heiße› Begriffe».[50] Sie strahlen etwas aus und lenken die Aufmerksamkeit auf sich. Wo es um Sex geht, hören wir hin – oder halten uns die Ohren zu. Das ist immer noch so, obwohl man meinen könnte, dass wir diesbezüglich inzwischen abgehärtet sein dürften.

Die fünf Wörter, die in unserem Jahrzehnt am häufigsten in Popsongs auftauchen, sind:

we – hell – yeah – die – fuck

Während in den sechziger Jahren noch niedliche Begriffe wie *baby*, *twist* und *little* dominierten, waren es in den Siebzigern dann *rock*, *music*, *woman*, in den Achtzigern *love* und *fire* und in den Neunzigern viel *you* (und *u*). Heute sind wir also beim Ficken und Sterben angelangt.[51] Was soll danach

noch kommen? Andererseits: Das «fuck» in dieser Daten-
analyse steht da jedes Mal als «f**k». Doch nicht so offen,
womöglich.

Wie offen gehen wir mit Sex um? Und was ist Sex überhaupt?

Wer «Sex» sagt, meint damit oft das, was man auch Geschlechtsverkehr, Beischlaf, Koitus oder Kopulation nennt
und das darin bestehen kann, einen Penis und eine Vagina
zusammenkommen zu lassen – aber nicht unbedingt. Was für
die einen «Vorspiel» heißt, ist für andere schon der eigent-
liche Sex, und was für die einen «Skypen» heißt, ist für die
anderen Sex in einer Fernbeziehung.

Das, was wir Sex nennen, ist umgeben von einer ganzen Reihe
von Konstrukten, die sich je nach Kultur unterscheiden. Der
Koitus findet nicht im Vakuum statt, heißt es bei Kate Millett.[52] Denn wenn wir von Sex sprechen, verknüpfen wir damit immer auch Wertungen und Regeln: Was ist richtig, was
ist falsch, was ist schön, was ist eklig, was ist pervers, wo sind
die Grenzen? Jede Gesellschaft hat ihre Vorstellungen davon,
was beim Sex angemessen ist und was nicht. Wir können von
Sexual*moral* oder Sexual*politik* sprechen: In beidem spiegeln
sich Ideen, die über einzelne Individuen hinausgehen und
die wir als Teil der Gesellschaft in uns tragen.

Das Untenrum hat einen Überbau.

Jeder Mensch hat etwas, das sich Sexualität nennt. Sexualität – eigentlich ein seltsamer Begriff. Als gäbe es eine irgendwie zusammenhängende Einheit, die man benennen könnte,
und nicht eine Fülle von Bedürfnissen, Neigungen, Wünschen, Phantasien, erträumten oder realen Begegnungen,
Zeiten von Rausch und Begehren und Zeiten von Fragen und
Verwirrungen, alles in einem Menschen und immer wieder
im Wandel.

Wenn wir von Sexualität, Sexualmoral, Sexualpolitik reden,

liegt zwar jeweils der Fokus auf etwas anderem – einer Person, der Frage nach richtig oder falsch, nach gesellschaftlichen Übereinkünften, Debatten und Kämpfen – aber immer schwingt mit, dass es hier etwas zu erzählen gibt, dass es kulturelle Phänomene und gesellschaftliche Regeln gibt und wir uns letztlich auch unseren eigenen Sex erzählen.

Sex kommt uns heute nicht mehr vor wie etwas, das man befreien müsste, sondern wie eine Selbstverständlichkeit: Man hat ihn halt. Wer zu viel darüber redet, macht sich verdächtig, wer partout nicht darüber reden will, aber auch.

Doch eine typische Diagnose unserer Zeit lautet, wir seien «oversexed and underfucked»: Überall geht es irgendwie um Sex, aber wir haben keinen oder nicht den, den wir wollen.

Einerseits können wir mit ziemlicher Sicherheit sagen, dass wir in sexueller Hinsicht heute so frei sind wie nie. Wir können ohne schlechtes Gewissen Dinge tun, die früher als pervers galten (Oralsex, Masturbation, reichen Männern Körbe geben), und wir können sie tun, mit wem wir wollen, solange alles im rechtlichen Rahmen bleibt.

In Deutschland ist Sex mit Tieren und Kindern verboten, Erwachsene können aber alles Mögliche miteinander machen, solange es einvernehmlich ist, sie niemanden stören, einander nicht töten, nicht nah verwandt sind und bestimmte Machtpositionen nicht ausnutzen (zum Beispiel weil sie in einem Beratungs-, Behandlungs- oder Betreuungsverhältnis zueinander stehen).

Wir sind im Großen und Ganzen überzeugt, dass es uns freisteht, unser Leben so zu gestalten, wie wir wollen.

Andererseits hat es jahrzehntelange Kämpfe gebraucht, bis die Ehe im Sommer 2017 endlich auch für gleichgeschlechtliche Paare möglich wurde. Eine längst überfällige Entscheidung. Abtreibung ist ohne medizinische oder kriminologische Gründe immer noch rechtswidrig nach der 12. Schwangerschaftswoche. Vorher muss sich eine abtreibungswillige Person einer Zwangsberatung aussetzen, um nicht strafbar zu werden. Prostituierte und Sexarbeiter*innen kämpfen nach wie vor für ziemlich grundlegende Rechte.

Sexuelle Selbstbestimmung gilt bei uns als zu schützendes Gut: Jede*r soll das Recht haben, über die eigene Sexualität zu bestimmen, und vor Übergriffen geschützt sein. Aber wie genau, das ist keineswegs klar und Gegenstand heftiger Debatten. Erst im Sommer 2016 wurde eine Reform des Sexualstrafrechts beschlossen, damit sexualisierte Gewalt leichter geahndet werden kann.

Doch natürlich ist sexuelle Freiheit nicht nur eine Frage der Rechtslage. Gesetze können unsere Selbstbestimmung schützen, aber innerhalb der Freiheit, die hier gesichert werden soll, liegt es an uns, zu wissen, was wir wollen, was uns gefällt, und möglichst ungezwungen zu entscheiden, was wir uns erlauben.

Dabei ist einigen Menschen schon die Formulierung «sexuelle Freiheit» zu viel. Warum Freiheit?, fragen sie – Bettdecke drüber, und gut ist. Sex ist für sie Privatsache, vielleicht sogar *die* Privatsache schlechthin. Andere hätten gern mehr Freiheit und leben doch jahrzehntelang in Beziehungen, in denen die Hoffnung auf sexuelle Befriedigung sich in einsamen Momenten hinter dem Duschvorhang erledigt.

«Das sexuelle Elend war immer groß», hat der Sexualwissenschaftler Volkmar Sigusch mal gesagt.[53] Es habe nie eine Art «goldenes Zeitalter» der Sexualität gegeben, in dem alles frei und gut gewesen wäre. Auch heute sei das nicht der Fall: «Geschlechtsverkehr ist bei uns immer noch: rein, raus, fertig. Es ist ein Trauerspiel.»

Für Sigusch liegt das vor allem daran, dass viele Leute nicht fähig sind, miteinander über ihre Wünsche zu reden. Uns fehle eine Sexualkultur, an der wir uns orientieren könnten:

«Es ist eine Tatsache, dass wir es im Westen nicht geschafft haben, eine *ars erotica* zu entwickeln, wie es sie ansatzweise in Asien gibt. [...] Das Elend fängt doch schon mit der Sprache an: Schwanz, Scheide, Brust-Warze, Hoden-Sack, verkehren, poppen. Das ist doch grauenhaft.»

Wenn man das so hört, denkt man tatsächlich: Uh, ja, stimmt. Wenn ich die hässlichsten Wörter der Welt wählen müsste, wären «Petting» und «Bumsen» auf jeden Fall dabei.

Eine *ars erotica* würde schönere Begriffe kennen, kunstvollere Wendungen und phantasievollere Vergleiche. Foucault hat beschrieben, wie die westliche Gesellschaft stattdessen von einer *scientia sexualis* geprägt ist. Für ihn sind *ars erotica* und *scientia sexualis* zwei Verfahren, «die Wahrheit des Sexes zu produzieren».[54] Die *ars erotica*, die Foucault etwa in China, Japan, Indien oder arabischen Ländern verortet, ist eine Kunst der Erotik, in der «die Wahrheit aus der Lust selber» gezogen wird und in der Lehrmeister*innen «geheimes» Wissen behutsam weitergeben.

Im Gegensatz dazu betreibt der Westen eher eine *scientia sexualis*, in der es nicht um Geheimnisse, sondern um Geständnisse geht: Foucault beschreibt die Beichte von sündigem Verhalten als einen Ausgangspunkt unserer Sprache über Sexualität. Damit ist in unser Sprechen über Sex die Strenge der katholischen Kirche eingeschrieben, einer Institution, die ihre Ideen von sexueller Freiheit nur mühsam ins aktuelle Jahrhundert schleppt. Langsam erkennt sie, dass Frauen, Homosexuelle und Geschiedene vollwertige Menschen sind.

Der Philosoph Alain de Botton findet, dass an der Strenge der Kirche auch etwas Gutes ist: «Religionen werden wegen ihrer Prüderie gern verhöhnt, aber wenn sie mahnend auf die Gefahren der Sexualität hinweisen, geschieht das mit dem Wissen um den Zauber und die Macht des Begehrens.»[55]

Blöd nur, wenn der Zauber damit in weite Ferne rückt.

Mit sechzehn gehe ich zur Firmung, ein Sakrament, auf das man von der Gemeinde ein Jahr lang vorbereitet wird: Man geht mehr oder weniger jeden Sonntag in die Kirche, verbringt pro forma einen Nachmittag zwecks «sozialen Engagements» in einem Altenheim und geht einmal im Monat zum Firmkurs, wo man mit zehn Gleichaltrigen einem Firmhelfer zuhört, der in unserem Fall Günther heißt, pensionierter Religionslehrer ist und gern Pullunder trägt. Mit ihm sitzen wir um einen großen Holztisch in einem Nebenraum der Kirche und reden, beziehungsweise meistens redet hauptsächlich er.

Günther will nicht viel von uns. Wir sollen am Ende des Jahres ein Gebet an den Heiligen Geist auswendig können, und ansonsten geht es einfach bei jedem Treffen um irgendein Thema: Pfingsten, die Ökumene, die Sakramente. Günther teilt Zettel aus, auf denen Gebete stehen, ich male Herzchen daneben und Hello Kittys, oder ich schreibe «Punk's not dead» drauf und male die Buchstaben einzeln aus. Beim Thema Familie spricht Günther erst ein bisschen über die Liebe Gottes, die alles durchdringt. Das ist der offizielle Teil. Dann sagt er, dass er ja weiß, wie es uns geht. «Ihr stellt euch natürlich auch die praktischen Fragen, nicht wahr? Mit fünfzehn, sechzehn, da denkt man über diese Sachen nach...» – Er schmunzelt, und elf pubertierende Jugendliche fragen sich innerlich, ob der pensionierte Pullunder jetzt ernsthaft mit uns über Sex reden will. Was wird er uns erzählen? Wie beim Sex der Heilige Geist in uns dringt? «Nun», sagt Günther, «ich weiß, man soll das heute nicht mehr so formulieren. Aber wenn ich eines von meiner Großmutter gelernt habe, dann das: Mischehen sind Mistehen. Ich weiß! Man soll es nicht sagen. Aber die Erfahrung lehrt uns, dass da was dran ist.» Er erkennt an unseren Gesichtern, dass wir nicht wissen, wovon er spricht. Mischehen? So was wie ein Harem? «Eine Mischehe ist die Ehe zwischen katholischen und evangelischen Partnern», erklärt er. «Oder sogar mit einem konfessionslosen Partner. Das kann am Anfang gutgehen, aber ich kann euch sagen, auf Dauer ist das nichts. Früher oder später geht so etwas in die Brüche.»

Dass man «Mischehen» in den deutschen Kolonien auch Ehen zwischen Deutschen und Einheimischen nannte und im Nationalsozialismus Ehen zwischen «arischen» und jüdischen Menschen, erzählt er uns nicht. Nur, dass wir als Katholik*innen uns besser niemand Evangelisches aussuchen sollen. Günthers Geheimtipp. Voilà, Beziehungsberatung beendet. Als ich an diesem Abend nach Hause gehe, frage ich mich, warum ich das Wort «Mischehe» noch nie gehört habe, wenn das so ein wichtiges zu vermeidendes Ding ist. Meine Mutter ist katholisch, mein Vater Atheist. Würden sie sich besser verstehen, wenn beide katholisch wären? Gedanken einer Sechzehnjährigen.

Es ist eine komische Zeit. Die Firmung ist ein Sakrament, bei dem man seinen Glauben bekräftigen soll, indem man sich bewusst für die Kirche entscheidet, aber bei mir funktioniert es genau umgekehrt: Ich gehe zur Firmung, *obwohl* mir das alles unerklärlich ist und immer verdächtiger scheint. Ich kann nur nicht genau sagen, was ich falsch finde und warum.

Mir ist zum Beispiel klar, dass ich als Frau in der Kirche nicht die gleichen Rechte habe wie mein Bruder – aber warum? Keine Ahnung. Ich fühle mich im Glauben wohl, aber nicht im kirchlichen Drumherum. Ich glaube damals sehr überzeugt an Gott und bete viel, hauptsächlich, indem ich Fragen stelle. Dabei stelle ich mir Gott als Mann vor – was könnte ein eindeutigeres Zeichen für die Schieflage sein, die ich bis in mein Innerstes übernommen habe? Aber wie sollte es anders sein? Alle, die in der Kirche etwas zu sagen haben, sind Männer. Jesus war ein Mann, seine Jünger waren Männer, alle Päpste, Bischöfe, Pfarrer und Kaplane: Männer.

Die einzigen wichtigen Frauen sind Maria, deren Hauptverdienst es war, auf magische Art schwanger zu werden, Ordensschwestern, die wie Pinguine aussehen und komische Namen haben, und ein paar Heilige. Immerhin, unter den Heiligen gibt es Männer und Frauen gleichermaßen.

Von diesen Heiligen muss man sich für die Firmung eine oder einen aussuchen, in Form des Firmnamens: Es soll jemand sein, dessen Lebensgeschichte wir gut oder inspirierend finden und dessen Namen wir deswegen annehmen möchten. Ich entscheide mich für den heiligen Valentin, Patron der Liebenden. Er hat Leute verheiratet, die eigentlich nicht heiraten durften. Einer, der Gesetze bricht, für die Liebe: Er ist mein Mann. «Geht nicht», sagt Günther beim nächsten Treffen. «Warum?», frage ich. «Na ja», sagt Günther, «du musst eine Frau finden.» Ich frage dann den Pfarrer, und der Pfarrer sagt: «Günther hat recht, eine Frau braucht eine Heilige. Das ist doch klar.»

Ich suche mir dann die heilige Felicitas aus. Eine Sklavin, die schwanger war und zum Tode verurteilt wurde, weil sie Christin war, und trotzdem noch im achten Monat das Kind gebar, und die dann auch noch den Angriff der wilden Kuh überlebte, der sie ausgesetzt war. Erst danach wurde sie erdolcht. Das finde ich nicht so toll wie Valentin, aber immerhin bemerkenswert stark.

Ich weiß damals, dass es irgendwie eine Diskrepanz zwischen mir und dieser Kirche gibt, aber ich kann sie nicht benennen. In der Messe singen wir «Fest soll mein Taufbund immer stehen», mit den Zeilen: «Ich bin gesalbt zum heil'gen

Streit / bin Christi Königreich geweiht / ihm will ich leben, sterben.» Leben, ja. Aber sterben?

In den Stunden mit unserer Firmgruppe lachen wir uns darüber tot, dass es in Texten, die wir lesen, heißt, *sie erkannten einander*, wenn Leute Sex haben, aber das Lachen hilft nicht darüber hinweg, dass wir Teil dieser Religion sind und wir dabei sind, uns aktiv zu einem System zu bekennen, das ein tiefes Misstrauen gegen das hegt, wonach wir uns sehnen. Ein System, das ziemlich grundlegende Themen in den Mantel des Schweigens hüllt, aber dieser Mantel leuchtet so neonfarben, dass man kaum wegesehen kann. Wir kennen die Redewendungen über Frauen, deren Ehre «befleckt» ist, und Menschen, die «ihre Unschuld verlieren», so als seien sie jetzt schuldig. Sex wird für uns Heilige und Hure: fernes, glorreiches Ziel und ausgegrenzte, schmutzige Geheimsache. Himmel und Hölle.

Ich habe das Gefühl, ich verstehe das eben nicht alles, genau wie ich die lateinische Messe nicht verstehe, die einmal im Monat stattfindet. Ich denke mir, Theologie kann man studieren, und da lernt man das dann vermutlich. Und wenn es seit Jahrhunderten so ist, dass Frauen nicht Pfarrerin sein können und man über Sex nur in komischen Schuld-und-Fleck-Metaphern spricht, wer wäre ich und wäre ich nicht hoffnungslos naiv, zu fragen, warum das anders sein könnte? Religion ist ohnehin ein Bereich, in dem es auch um Übernatürliches geht, um Glauben und Dinge, die man per Definition nicht verstehen kann, weil sie sich uns entziehen. Gott zum Beispiel. Passt nicht ins Gehirn. Die Regeln, die für Sex oder die Geschlechtertrennung gelten, erscheinen mir genauso übernatürlich wie Erzählungen vom Heiligen Geist – natürlich *kann* Maria nicht schwanger geworden sein ohne Sex, aber *irgendwie* wird es schon *irgendeine* Geschichte gegeben haben, die *irgendwelche* Menschen veranlasst hat, das so zu erzählen.

Gleichzeitig denke ich, dass es so schlimm insgesamt nicht sein kann, dass Frauen in diesem einen Lebensbereich anscheinend Menschen zweiter Klasse sind. Ansonsten sind Frauen ja heute nicht mehr das Eigentum von Männern, sie dürfen zur Schule gehen, studieren und Geld verdienen, sie können Flugzeuge fliegen und Staatsoberhäupter sein, und was den Sex betrifft, so habe ich eine diffuse Vorstellung von «sexueller Revolution», die es mal gab und die doch irgendwas viel besser gemacht hat. So vage ist mein Bild damals.

Damit bin ich nicht allein. Die Idee, dass es in den sechziger und siebziger Jahren eine sexuelle Revolution gab, die den Sex befreit hat, ist weit verbreitet. Aber sowohl das Wort «sexuell» als auch das Wort «Revolution» sind erklärungsbedürftig, und nicht zuletzt die Frage, was genau da für wen und von wem eigentlich befreit wurde.

Wenn wir heute denken, die 68er hätten dafür gekämpft, die Sexualität zu befreien, die in den Jahrzehnten zuvor unterdrückt worden war, folgen wir einer Selbstbeschreibung der 68er, die nicht ganz richtig ist und sich dennoch durchgesetzt hat, weil sie schön einfach ist.

Die Historikerin Dagmar Herzog zeigt in *Die Politisierung der Lust,* wie Erzählungen über Sexualität dazu dienen, das Selbstverständnis von Gesellschaften zu erschaffen und gleichzeitig auch Erinnerungen an andere Zeiten zu formulieren und zu manipulieren.[56] So war es unter den 68ern verbreitet, die Zeit des Nationalsozialismus und die darauf folgenden beiden Jahrzehnte zusammengenommen als sexuell repressive Zeit zu deuten. Die «sexuelle Revolution» sollte nicht nur den Sex befreien, sondern zugleich antifaschistisch sein. In Wirklichkeit handelte es sich, was die Sexualmoral betraf, eher um eine «anti*post*faschistische Bewegung». Denn entgegen der heute immer noch gängigen These waren die Nazis nicht insgesamt prüde oder irgendwie «gegen Sex»: Sie wollten aber sehr genau regeln, wer ihn mit wem hatte. Rassismus hat, weil es um die «Reinheit» der «Rasse» und damit um Fortpflanzung geht, notwendigerweise auch mit Sex zu tun. Man kann, wie Herzog, das «Dritte Reich [...] als ein gewaltiges Unterfangen zur Steuerung der Fortpflanzung beschreiben»: Gesunde, heterosexuelle Arier ohne Behinderung sollten sich fleißig vermehren, alle anderen nicht.[57] Adolf Hitler bekam nicht wenige Liebesbriefe, in denen Frauen sich danach verzehrten, der «liebe Führer» möge ihnen ein Kind machen.[58]

Nach dem Zweiten Weltkrieg waren die Deutschen nicht nur militärisch und politisch geschlagen, sie waren auch sozial im Ausnahmezustand: Viele konnten sich durch Kriegstraumata bedingt nur noch schwer auf zwischenmenschliche Bindungen einlassen, es gab «Frauenüberschuss» und etliche Scheidungen, aber sehr bald auch den Willen, alles wieder in geregelte Bahnen zu leiten – allerdings ohne die alten Ideale zu bemühen. Die Heldengeschichte vom wehrhaften, deutschen Mann konnte nicht einfach weitererzählt werden, trotzdem sollte das männliche Ego wiederhergestellt werden; ebenso wie Weiblichkeit eine Variante finden musste, in der es nicht darum ging, dem Volk möglichst viele kleine Arier zu schenken. In romantisierter Häuslichkeit fand man die Lösung. Hier konnte man einerseits den Rückzug ins Private vollziehen und andererseits in klaren Geschlechterrollen Sicherheit finden. Es entstand ein sozialer und auch sexueller Konservatismus, in dem sich alles normal und unauffällig anfühlen sollte. Sicherheit, Stabilität, Sauberkeit waren die Antwort auf das Chaos des Krieges. Waren im Nationalsozialismus Nacktheit und Freizügigkeit noch etwas gewesen, worauf der ordentliche, gottgleiche Arier stolz sein konnte, sollte nun im wahrsten Sinne des Wortes all das bedeckt werden, wobei es

auch half, sich auf christliche Werte und einen Gott zu besinnen, der nicht Deutscher war.

Erst in diesem Klima konnte im Westdeutschland der sechziger Jahre der Gedanke entstehen, unterdrückte Sexualität sei die Wurzel allen faschistischen Übels gewesen. 1966
war man dann schon so weit, in einer Titelstory im *Spiegel*
über Sexualität in Deutschland nicht nur über die neuen Mi-
niröcke und die Wildheit der Jugend zu schreiben, sondern
auch vom «Sex-Kritiker Hitler» zu sprechen.[59] Nur durch
diese Verknüpfung von Nationalsozialismus und Sex wird
verständlich, warum die «Sexwelle» der 68er in Deutschland so eine Wucht entwickeln konnte: Es ging um einiges.
Hier versuchte eine Generation zu zeigen, dass sie anders
war als all diejenigen, die sich am größten Verbrechen der
Menschheitsgeschichte beteiligt hatten, und es bot sich an,
das anhand des eigenen, nackten und liebenden Körpers
zu tun. Sprüche wie «Make love, not war», die man aus der
US-amerikanischen Antikriegsbewegung übernahm, sollten
klarmachen, dass Sex das Gute war, das man nun befreite, um
gegen das Böse vorzugehen.

Natürlich spielten nicht alle dabei mit. Der Philosoph Theodor W. Adorno hatte 1963 noch geschrieben, die «Befreiung des Sexus» sei «bloßer Schein», und «sexuelle Freiheit
ist in einer unfreien Gesellschaft so wenig wie irgendeine
andere zu denken»: Sex sei dann «gleichsam eine Variante
des Sports», aber der Sport einer weiterhin verdrängenden
Gesellschaft.[60]

Zu lernen, dass ein erigierter Penis keine krankhafte Schwel-
lung ist und dass vom Onanieren weder das Rückenmark
schwindet noch die Hände abfaulen, war für viele damals
sehr erleichternd. Aber *revolutionär* war die «Sexwelle»
nicht, wenn Revolution etwas sein soll, das für alle da ist. Damit war man in Deutschland nicht allein. In den USA schrieb

Shulamith Firestone: «[Das] Gerede von der sexuellen Revolution erwies sich als sehr wertvoll für die Männer, wenn es
keine Verbesserung für die Frauen brachte.»[61]

Frauen brachte die «sexuelle Revolution» zunächst vor allem
neue Formen von Zwang. Der Satz «Wer zweimal mit derselben pennt, gehört schon zum Establishment.» war primär
an Männer gerichtet; Frauen waren diejenigen, die sich mal
locker machen und verfügbar sein sollten. Sie ergriffen bei
Versammlungen seltener das Wort, sollten lieber Flugblätter
tippen, statt zu sprechen, oder waren nur «die Freundin von».
Wenn man heute liest, was die Frauen, die damals dabei waren, über die sexuelle Freiheit dieser Zeit sagen, ist das ziemlich ernüchternd. Die Journalistin Ute Kätzel hat in ihrem
Buch *Die 68erinnen* einige Stimmen gesammelt. Sie beschreiben ihre Generation als «total männerbestimmt», vielfach
überfordert und gehemmt. Man habe zwar ständig über Sex
geredet, aber deswegen noch längst keinen guten oder auch
nur besonders viel Sex gehabt: «Die sexuelle Befreiung lässt
sich eben nicht ausrufen und dann ist sie da», sagt die spätere
Politikerin Annette Schwarzenau. Und Sigrid Fronius, die
1968 AStA-Vorsitzende der FU Berlin war, erzählt: «Die sexuelle Revolution hat uns alle überfordert.» Auch in den Kom-
munen ging es nicht so frei zu, wie man meinen könnte: «Niemand konnte ahnen, dass wir alle ein ziemlich verklemmter
Haufen waren», sagt Dagmar Przytulla, Mitbegründerin der
Kommune 1.[62]

Eines der Hauptprobleme lag darin, dass die Revolution zwar
sexuell sein sollte, das Geschlechterverhältnis aber nicht
in Frage gestellt wurde. Man war der Meinung, die «Frau-
enfrage» sei ein Nebenwiderspruch, der sich mit der Auflö-
sung des Hauptwiderspruchs – der Klassenfrage – von allein
lösen werde, also sollten alle politischen Kräfte sich darauf
konzentrieren.

Schon die Umdeutung der Geschlechterfrage zur *Frauen-frage* zeigt, dass die Mehrheit der Männer nicht das Bedürf-nis äußerte, in dieser Hinsicht eine Emanzipation zu durch-laufen.

Viele hofften, sich «sexuell» befreien zu können, während sie die Themen, die mit Sexualität verknüpft sind, sie er-möglichen und beschränken, weniger kümmerten: Selbstbe-stimmung über den eigenen Körper, Schönheitsnormen, das Recht auf Familienplanung, die Neuorganisation von Kinder-erziehung und Hausarbeit, Gewalt gegen Frauen. Dies wur-den in Deutschland wie auch in anderen Ländern zur selben Zeit die Schwerpunkte der Frauenbewegung der siebziger Jahre.

Die Filmemacherin Helke Sander gründete 1968 mit ande-ren Frauen den «Aktionsrat zur Befreiung der Frauen» und stellte die Forderungen bei einer Tagung des Sozialistischen Deutschen Studentenbundes (SDS) vor. Weil die Männer danach ohne Diskussion zum nächsten Punkt übergehen wollten, warf Sigrid Rüger Tomaten Richtung Podium, eine davon traf einen der SDS-Männer. Dieser Tomatenwurf gilt als Beginn der «zweiten Welle» der Frauenbewegung in Westdeutschland.*

Ein Großteil der Kämpfe dieser Frauen bestand darin, das Wort zu ergreifen: Es ging darum, die eigene Stimme zu er-heben und sie zugleich als Teil eines Chors wahrzunehmen;

---

* Als erste Welle galt – nicht nur in Deutschland, sondern in Europa, Amerika und Australien – die Frauenbewegung ab dem Ende des 19. Jahrhunderts bis etwa in die 1920er Jahre. Im Zentrum der Forderungen stand vor allem das Frauenwahlrecht, aber auch andere Bereiche männlicher Vorherrschaft, wie etwa der Zugang zu Bildung und Beruf. Die Einteilung in «Wellen» wird oft verwendet, wenn es um die Geschichte des Feminismus geht, aber sie ist um-stritten, denn das Wellenmodell ist eine vereinfachende Form von Geschichts-schreibung, die Kämpfe und Entwicklungen, die zwischen den einzelnen Wel-len oder jenseits davon stattfanden, unsichtbar macht.

für sich zu reden, *als Frau*. Gruppen von Frauen trafen sich ohne Männer zum *consciousness raising* (Bewusstseinsbildung).[63] Sie sprachen über sich und erkannten, wie viele ihrer Probleme keine Einzelfälle waren, sondern immer wieder ähnlich auftraten, egal ob es um Familien-, Geld- oder Körperfragen ging. In einer solchen Gruppe war in New York auch Carol Hanisch, die in ihrem Essay *The personal is political* von 1969 erklärte, besagte Frauengruppen seien keine privaten Therapietreffen, sondern politische Gruppen, die über Macht verhandeln wollten, weil es für die Unterdrückung der Frau keine private Lösung geben kann.[64]

Auch die Aktion «Wir haben abgetrieben!», bei der 374 Frauen im *stern* 1971 öffentlich erklärten, abgetrieben zu haben – also gegen geltendes Recht verstoßen zu haben – war ein solches Aussprechen und Einfordern: Der Abtreibungsparagraph sollte geändert werden.[*]

1975 erschien Alice Schwarzers Buch *Der kleine Unterschied*.[65] «Sexualität ist zugleich Spiegel und Instrument der Unterdrückung der Frauen in allen Lebensbereichen», heißt es in der Vorbemerkung zu dem Buch, das eigentlich ein sehr schlichtes Programm hatte: Frauen reden über sich. Aber genau das war der Punkt. Sie sprachen selbst über sich und über all die dunklen Themen, die plötzlich öffentlich wurden: Vergewaltigung, Misshandlung, Suizidversuche, Abtreibungen und Fehlgeburten, Schmerzen beim Sex und Hass auf den Ehemann.

Die Schlüsse, die Schwarzer daraus zog, waren hart: Sie habe durch die Interviews erst verstanden, «wie makaber die Sexwelle für Frauen ist». Frauen müssten «die nicht vorhandene

---

[*] In Frankreich war kurz zuvor eine ähnliche Erklärung im *Le Nouvel Observateur* erschienen («Je me suis fait avorter»). Alice Schwarzer, die lange in Frankreich gelebt hatte, organisierte die Kampagne dann in Deutschland.

Lust nun auch noch vorspielen». Es ging um «sexuelle Ver-
elendung der Frauen», «Gehirnwäsche von Jahrtausenden»,
«Zwangsheterosexualität» und «Orgasmusterror». Im ganzen
Buch erzählen die Frauen fast ausschließlich von schlechtem
Sex und viel Gewalt. Penetration kommt sehr schlecht weg
(«Was spricht für die Penetration? Nichts bei den Frauen,
viel bei den Männern!»), Penisse auch, und, na ja, Männer
(«Zipfelträger») insgesamt. Dabei sollte es eigentlich nicht
gegen sie gehen: «Nicht der biologische Unterschied, aber
seine ideologischen Folgen müssen restlos abgeschafft wer-
den!»

Der Ton wurde schärfer. Nazi-Vorwürfe gab es in beide Rich-
tungen: Feministinnen erklärten, Faschismus sei «Ausdruck
der schlimmsten Männerherrschaft» gewesen, und konservative Historiker meinten, Hitler sei nur an die Macht gekommen, weil hysterische und irrationale Frauen ihn dahin
gebracht hätten.

In der DDR versuchte man indessen, sich auf eine möglichst
«natürliche» Sexualität zu besinnen. Die Liberalisierung
der Sexualität fand, so heißt es bei Dagmar Herzog, eher als
Evolution denn als Revolution statt: schrittweise und ohne
Umbrüche, aber immer unter sozialistischem Vorzeichen.
«Anders als im Westen», schreibt Herzog, «diente im Osten
die Diskussion über Sex [...] weniger der Vergangenheitsbe-
wältigung als vielmehr dazu, die Menschen auf die Zukunft
vorzubereiten [...].»[66]

Was die Frauenbewegung betrifft, so gab es sie zwar auch
in der DDR, aber in ganz anderem Ausmaß als im Westen.[67]
Einerseits war Protest schwieriger, und andererseits stellten
sich bestimmte Fragen gar nicht erst. Berufstätige Frauen
waren eine Selbstverständlichkeit, die Kinderbetreuung gesichert. Die «Befreiung» im Westen hatte die DDR-Führung
sehr wohl im Blick und zog zum Beispiel nach, indem sie

die öffentliche Aufklärungsarbeit in Sexfragen vorantrieb. Ab 1972 gab es die Pille kostenlos. Zwar war die DDR nicht das feministische Glücksbärchiland, als das sie bisweilen dargestellt wird – Frauen waren trotz Berufstätigkeit diejenigen, die primär für Haushalt und Kinder zuständig waren (sie bekamen pro Monat einen «Haushaltstag» frei), und sie verdienten weniger als Männer – aber für die finanzielle und sexuelle Unabhängigkeit der Frauen war besser gesorgt als im Westen.

Dort stellte man nach 1968 fest, dass die gesamtgesellschaftliche Revolution irgendwie doch nicht gekommen war, und gleichzeitig wurden die Kämpfe derer, die weitermachten, spezifischer: Homosexuelle kämpften für Gleichberechtigung, Pädagog*innen bemühten sich um eine neue Sexualerziehung für Kinder und Jugendliche. Der Teil der Frauenbewegung, der sich auf das Recht zur Abtreibung konzentrierte, war noch von einigen Männern mitgetragen worden, der Rest der Bewegung jedoch nicht – die Frauen radikalisierten sich in ihren Forderungen nach Unabhängigkeit, während viele Männer der Meinung waren, die Revolution sei doch schon gewesen oder gescheitert. Wer als Frau nicht dieser Meinung war, wurde für lesbisch oder frigide befunden, was etwa dasselbe bedeutete: für Männer nicht brauchbar und definitiv nicht cool.[68]

Obwohl die «sexuelle Revolution» und die Frauenbewegung nicht zu einer freien und gleichen Gesellschaft geführt hatten, hatte sich dennoch viel verändert. Die Frage nach einem gerechten Geschlechterverhältnis und nach sexueller Freiheit war öffentlich gestellt worden – wenn es auch keine einstimmige Antwort gab.

Es tut uns nicht gut, wenn heute über 1968 und die darauf folgenden Jahre so geredet wird, als habe tatsächlich eine Revolution stattgefunden, die irgendwie *abgeschlossen* wurde. Die Vorstellung, die Sache mit der sexuellen Freiheit sei im letzten Jahrhundert geklärt worden, führt dazu, dass wir einen traurigen Rest an Unfreiheit mitschleppen, der dadurch fast so aussieht, als wäre er «natürlich». Aber nur fast.[*]

Wenn Unterdrückung weniger wird oder sich verändert, ist sie schwerer zu benennen. Viele haben zudem das Bedürfnis, es möge jetzt doch endlich mal gut sein mit dem sexuellen Befreiungskram. Das ist doppelt verständlich. Denn erstens sind wir heute so überzeugt davon, individuell zu sein, dass der Hinweis auf strukturelle Probleme oft etwas antiquiert wirkt. Gerade bei so persönlichen, körperlichen Themen scheint es schwer vorstellbar, dass etwas Gesellschaftliches quasi mit im Bett liegen soll. Und zweitens ist Sex etwas so Intimes, dass viele nicht darüber reden wollen, weil sie finden, dass es niemanden etwas angeht, wie sie sexuell drauf sind – und natürlich ist das ihr gutes Recht.[**]

Doch die Frage bleibt: Wie wurde die Diskussion um freie und gleichberechtigte Sexualität fortgesetzt? Wie offen sind wir heute, und wo liegen die Probleme und Unfreiheiten? Denn auch wenn die Frage nach der sexuellen Freiheit in den achtziger, neunziger und nuller Jahren nicht mehr so radikal in der breiten Öffentlichkeit gestellt wurde, gingen die Diskussionen und die Kämpfe darum natürlich weiter, und die Sprache darüber veränderte sich.

[*] Während ich das tippe, sitze ich auf der Terrasse vor unserem Haus, und nebenan hören die Nachbarjungs sehr laut Videos von einem YouTuber, der erklärt, dass man ja wohl nicht groß drüber zu reden braucht, «dass man Schlampen in die Fresse wichsen muss», weil das ja wohl zum «gesunden Menschenverstand» gehöre.

[**] Zusätzlich wird das Sprechen über die «sexuelle Revolution» dadurch erschwert, dass einige damals dachten, man müsse Kinder zu Sexualität ermutigen, was in den schlimmsten Fällen zu Übergriffen führte.

Das Glück und das Drama unserer Zeit ist es, dass wir heute die verschiedensten Ideen von Sex kennen, eine vermeintlich unendliche Freiheit der Möglichkeiten: Wir kennen zwanghafte Prüderie auf der einen Seite und kämpferische Slogans auf der anderen; wir kennen das düstere Gerammel aus schlechten Pornos, die lässigen Plaudereien aus *Sex and the City* und die Lack-und-Leder-Prinzessinnenträume aus *Fifty Shades of Grey*; wir kennen geistreiche Annäherungen an Fragen von sexueller Identität und Begehren; wir kennen Fragen und Antworten in akademischer und popkultureller Form – und wir kennen alles davon in ernst gemeinter und ironischer Version. Es liegt an uns zu entscheiden, welche dieser Sicht- und Redeweisen uns entspricht oder ob wir neue erfinden müssen, von denen wir bislang nichts ahnten.

Angesichts der Vielfalt des bisher Bekannten ist es vielleicht die größte Herausforderung für unser Nachdenken über sexuelle Freiheit, eine Form des Sprechens über Sexualität zu finden, die unserer bis heute erreichten Freiheit gerecht wird, aber unsere Unsicherheit und Verwundbarkeit nicht ausblendet.

Zur Öffnung des Diskurses in ein so vielfältiges Nebeneinander der Erzählungen haben die Neunziger wohl den größten Teil beigetragen. Einerseits gingen die Kämpfe der Frauenbewegung weiter. Es war die «dritte Welle», in der Feminist*innen daran erinnerten, dass die Ziele der «zweiten Welle» längst nicht erreicht waren. Sie brachten Gender Studies und Queer Theory an die Unis und die *Riot-Grrrls* verbanden feministische Politik mit Punk.

Andererseits etablierte sich eine Mischung aus Ironie und Lässigkeit als Haltung. Hatte die «zweite Welle» der Frauenbewegung noch dagegen gekämpft, dass Frauen als Sexobjekte behandelt werden, fanden nun viele nichts dabei, sich ironisch zum Sexobjekt zu machen. Alles war in Plastik käuflich und auf Drogen ohnehin halb so wild und noch bunter. Die Vermarktlichung war seit der «Sexwelle» so weit vorangeschritten, dass Pornoästhetik und Popkultur eine lustige Liaison in Barbiepink eingehen konnten. Die *Girlies* brauchten für ihren persönlichen Fun keine Politik: Luci van Org von Lucilectric sang: «keine Widerrede, Mann, weil ich ja sowieso gewinn, weil ich 'n Mädchen bin», und Lene von Aqua wurde zum Barbie Girl: «You can brush my hair / undress me everywhere.» Es waren nicht nur Frauen, sondern auch Männer, die sich zum Sexobjekt machten – Shaggy war Mr. Lover Lover: «She call me Mr. Boombastic / say me fantastic / touch me on me back / she says I'm Mr. Ro... Smooth just like silk.»

So smooth wurde dann auch der Übergang zwischen dem, was genau so gemeint war, und dem, was gar nicht so gemeint war.

Von den Fotos, die der Fotograf Daniel Josefsohn für MTV-Plakate machte, ist das bekannteste das, auf dem eine dunkelhaarige Frau mit vor den Brüsten verknotetem Hemd in die Kamera guckt, das Wort «Miststück» überm Dekolleté. Bald darauf entstanden «Zicke»-, «Bitch»- und «Schlampe»-T-Shirts für Frauen und damit auch die zunehmende Unfähigkeit, eindeutig zu sagen, ob das jetzt der Triumph oder der Untergang des Feminismus war oder nichts von beidem.

Es ist kompliziert geworden, und es gibt kein Zurück. Zwischen all den ironisch, halb ironisch und ernst gemeinten Varianten von Sexismus ist es schwieriger geworden zu sagen, *was genau* das Problem sein soll, wenn eine Fünfzehnjährige sich Playboy-Bettwäsche zu Weihnachten wünscht. Können wir Vermarktlichung annehmen und trotzdem die feinen Differenzen sehen zwischen dem, was es heißt, wenn eine Frau eine Handyhülle mit der Aufschrift «Bitch» benutzt und wenn ihr Exfreund sie so nennt?

Ob es dabei weiterhin immer nur vorwärtsgeht mit der Befreiung, ist keineswegs ausgemacht.

Natasha Walter hat für ihr Buch *Living Dolls* das Selbstverständnis britischer Frauen untersucht und kam zum Ergebnis: «Ein Leben als Puppe zu führen ist für viele junge Frauen offenbar erstrebenswert geworden.» In einer Gesellschaft, in der Mädchen versuchen, wie Barbies auszusehen, und Popsängerinnen Barbiepuppenversionen von sich selbst herausbringen, ist die Verschmelzung von Mensch und Puppe schwer zu leugnen.[69] Während Mädchen in den Neunzigern davon *träumten*, Arielle die Meerjungfrau zu werden, gibt es heute «Mermaiding»-Schulen, in denen Mädchen und Frauen zur Meerjungfrau *werden* können, unter anderem angeregt durch die Serie *H_2O – plötzlich Meerjungfrau*. Die Berliner Schwimmbäder bieten Workshops an, in denen man lernen kann, mit den Beinen in einer Flosse zu schwimmen und zu tauchen, inklusive passender Choreographie, Make-up sowie Unterwasser-Fotoshooting. Wer sich als «Miss Mermaid Germany» bewerben will, sollte 18 bis 32 sein und unter Wasser die Augen aufhalten können.

Das Schlimme ist nicht, dass es das alles gibt. Das Problem ist, wenn es so scheint, als sei so etwas *das* Ergebnis von Emanzipation und *der* Weg, Weiblichkeit zu leben, als sei «erotisches Kapital» die wahre Macht der Frau und als gäbe es ziemlich genau zwei Varianten, das auszuleben: wahlweise als Kopie einer Disneyfilmfigur (die ihre Schwanzflosse online bestellt hat) oder einer Sexarbeiterin (die nicht für ihre Arbeit bezahlt wird).

Natasha Walter zitiert die Webseite eines Anbieters für Poledancing-Wochenenden, der schreibt: «In Poledance-Kursen geht es darum, sich selbst von den Einschränkungen zu befreien, die Ihnen im Alltag auferlegt sind, und neue Kräfte in sich zu wecken.»[70] Klingt super.

Es kann sein, dass eine Frau durch Poledance frei und bestärkt wird. Es kann aber auch sein, dass die Massenmedien ein einziges, sehr beschränktes Bild von ausgelebter weiblicher Sexualität zeigen: Wenn du sexy und selbstbewusst sein willst, dann trag doch hohe Schuhe, kurze Röcke, Hairextensions, kein Problem! – Nur kann «sexy und selbstbewusst» tausend Varianten haben, und die 999 anderen werden dabei vergessen.

Hätte es wirklich eine sexuelle Revolution gegeben, dann wäre die Palette breiter und das Bild der sexuell attraktiven Frau wäre nicht auf eine reine, junge, glatte und «unverbrauchte» Version beschränkt.

Es gäbe dann nicht das traurige Dilemma, dass Frauen, sobald sie ein Kind bekommen haben, schleunigst versuchen, ihren «After Baby Body» wieder in Form zu bringen, weil sie ansonsten entwertet sind wie ein Kurzstreckenticket und fortan als «Mutti» gelten oder als undisziplinierter Pudding.

Es gäbe auch nicht das Problem, dass junge Frauen zwar in Werbung und Medien konsequent sexualisiert werden, aber «Schlampe» genannt werden, wenn sie «zu billig» aussehen oder «zu viel» Sex haben. Wenn sie mit ihrem Körper auch noch Geld verdienen, werden sie als «Nutte» beschimpft. Wir haben immer noch kein öffentliches Bild von Frauen, die sexuell aktiv sind, das nichts mit Schande zu tun hat.

Die Revolution ist an dieser entscheidenden Stelle steckengeblieben.

Es hängt an uns wie ein postmoderner Klotz am Bein, dass unser Selbstverständnis als freie, aufgeklärte Individuen sich damit widerspricht, kollektive Schieflagen dieser Art zu erkennen. Es wirkt wie ein Einknicken, auf strukturelle Ungleichheiten hinzuweisen. «Waren wir nicht schon weiter?», heißt es dann und: «Haben wir nicht alle die Wahl?» – Ich fürchte, nicht.

Wir können nicht untenrum frei sein, wenn wir es obenrum nicht sind, und umgekehrt. Das «Untenrum» ist der Sex und das «Obenrum» unser Verständnis von uns selbst und den anderen – und beides gehört zusammen: Untenrum frei zu sein bedeutet Freiheit im sexuellen Sinne. Es bedeutet zu wissen, was uns gefällt und was wir uns wünschen, und es bedeutet, uns das Begehren zu erlauben, das in uns ist – immer so weit, dass die Freiheit der anderen respektiert bleibt. Obenrum frei zu sein bedeutet Freiheit im politischen Sinne: frei von einengenden Rollenbildern, Normen und Mythen.

Letztlich sind beide Freiheiten nur Nuancen ein und derselben Freiheit, in der wir uns als Subjekte anerkennen und uns erlauben, immer wieder auch zum Objekt zu werden, wenn wir wollen – und wieder zurück.

Dabei soll Freiheit nicht bedeuten, alle Schranken aufzuheben, die es im Bereich des Sexuellen gibt. Niemand will das. «Nichts von dem, was sexy ist, ist nicht auch abstoßend – nämlich dann, wenn es mit der falschen Person geschieht», sagt Alain de Botton.[71]

Sex braucht Grenzen. Wir wollen Regeln haben und eindeutig sexfreie Zeiten, zum Beispiel wenn wir arbeiten oder schwimmen gehen. Wie scheußlich wäre es, ins Schwimmbad zu gehen, wenn es nicht die gesellschaftliche Übereinkunft gäbe, dass wir einander nicht anstarren und anspringen, wenn wir uns nackt sehen? Es würde schlicht keine Schwimmbäder geben können, nicht zuletzt wegen des ganzen Schmodders, der im Wasser schwämme und permanent rausgefischt werden müsste.

Genau wie wir nicht überall nackt sein wollen, wollen wir nicht überall mit Sex zu tun haben. Dass es Schamgefühle gibt, ist menschlich. Was genau wir aber als Intimität oder Tabu empfinden, ist verschieden: Ob wir uns schämen, weil uns jemand in die Augen sieht oder weil man unseren Bauch-

nabel sehen kann oder weil wir zwei Hunde ficken sehen,
hängt davon ab, wo und wie wir leben.

Zu viel Offenheit ist Belästigung. Wir wollen nicht von allen
alles hören, und wer allzu offen ist, scheint kein Geheimnis
mehr zu haben.

Das Bedürfnis, *bitte nicht* über Geschlechterdifferenzen zu
sprechen, habe ich mit achtzehn, neunzehn Jahren am häufigsten im Physik-Leistungskurs. Während wir im Mathe-
Leistungskurs ähnlich viele Mädchen wie Jungs sind, bin
ich die Einzige in unserem Jahrgang, die sich für Physik entschieden hat.

Auf meinem Schreibtisch steht damals ein kleiner Leucht-
turm mit einer Möwe, die nur mit der Schnabelspitze oben
auf dem Turm aufliegt und sich mit ihren ausgestreckten
Flügeln im Gleichgewicht hält. Man kann sie auch abnehmen
und auf dem Finger balancieren. Es ist ein typisches kleines Plastikding aus einem Tourishop an der Nordsee, aber
eines, das eine große Magie auf mich ausübt. Ich habe mir
die Möwe mit acht Jahren von meinem Taschengeld gekauft,
mein Vater sagte: «Das ist Physik!» – und ich dachte, hmm,
interessant.

Spätestens, seit ich mit zwölf die Biographie von Marie Curie
gelesen habe, habe ich fest vor, später Physikerin zu werden.
Neben dem, was im Unterricht passiert, lese ich Bücher über
Relativitätstheorie und Quantenphysik und rechne freiwillig
Aufgaben durch. Ich könnte den ganzen Tag Gleichungen lö-
sen, so befriedigend finde ich das.

In den Physikstunden sitzen die Jungs zusammen an Dreier-
tischen; ich sitze allein an einem Tisch dahinter und will
hauptsächlich meine Ruhe haben. Einmal höre ich, wie mich
einer von ihnen eine «linke Zecke» nennt. Ich halte das für
ein Kompliment von jemandem, der im Polohemd mit hoch-

geklapptem Kragen rumläuft, bin aber auch froh, nicht mehr
als nötig mit den Jungs zu tun zu haben.

Der Physiklehrer ist ein lustiger Mann, ich mag ihn. Einmal
rechnet er nach einer Klausur mit uns die Aufgaben noch mal
durch, bevor er uns die Arbeiten wieder austeilt. Er schreibt
die Gleichung an die Tafel, unterstreicht die Lösung doppelt
und dreht sich um. «Das hatte keiner von Ihnen raus», sagt
er, und dann grinst er: «Kein*er* – aber ein*e*!» Alle drehen sich
zu mir. *Sie nun wieder*. Einerseits finde ich diese Art von Son-
derstatus charmant; aber ich habe andererseits auch das Gefühl, der einzige Weg, mich für meine Anwesenheit in diesem
Kurs zu rechtfertigen, ist, die besten Noten zu haben. Dass
ich mich rechtfertigen muss, steht für mich außer Frage. Ich
denke, wenn ich scheitere, dann ist es irgendwie der Beweis,
dass Mädchen es doch nicht können.

Kurz vor dem Abi bin ich zwar immer noch überzeugt, danach Physik studieren zu wollen, aber je konkreter die Vorstellung wird, desto mehr Zweifel kommen mir. Ich überlege,
Physik mit Philosophie zu kombinieren, weil ich den Philoso-
phieunterricht fast genauso mag, mit dem Unterschied, dass
ich mich da immer viel unwissender fühle. Unsere Religions-
und Philosophielehrerin ist einer der faszinierendsten Menschen, die ich je getroffen habe. Eine kleine Frau mit grauen
Haaren, stets in zu großen Männerhemden, immer ein paar
Bücher oder eine Zeitung unterm Arm, immer die Stirn in
Falten. Sie kann ihre Stirn auf eine Art bewegen, dass man
meint, dahinter zu sehen, wie sich Gedanken durch ihr Hirn
schieben. Sie gibt uns Aufgaben wie: «Lauft mal auf dem Hof
rum und überlegt euch den Unterschied zwischen Unend-
lichkeit und Ewigkeit.» Oder: «Malt auf, was Zeit für euch
ist.» Weil sie die *Zeit* liest, fange ich auch an, die *Zeit* zu lesen. Obwohl – oder gerade weil – sie eine tief gläubige Frau
ist, gibt sie uns einen Text von Bertrand Russell, in dem er

mit einer Kiste Orangen die Existenz Gottes widerlegen will. Das ist nicht nur ihr Humor, uns den zu geben, sondern vor allem ihr Verständnis von Freiheit. Sie liest viele Texte von Holocaust-Überlebenden mit uns, von Elie Wiesel und Viktor E. Frankl, und wir lernen vielleicht mehr daraus als aus hundert Stunden Geschichtsunterricht.

Einmal erzählt sie uns, Aggression sei ein wichtiger Antrieb. Selbst um eine Matheaufgabe zu lösen brauche man ein bisschen Aggression. Ich denke in meinem kleinen Hippiegehirn: So ein Quatsch, ich bin doch nicht aggressiv, pah, ich werde sie widerlegen, ich werde ihr zeigen... und noch während ich so denke, merke ich: Sie hat recht.

Überhaupt frage ich mich damals ständig, wie Menschen «recht haben» können, egal ob in Diskussionen oder in der Zeitung: Woher weiß man, dass das stimmt, was man sagt? In Mathe und Physik scheint es klar, aber wenn es um die Gesellschaft geht? Es ist mir ein Rätsel.

Ich fahre zur Uni, um mir den Fachbereich Physik anzugucken, und rede mit ein paar Jungs, die dort rumlaufen. Sie alle raten mir ab, Physik mit Philosophie zu kombinieren, weil man da Physik nur halb lerne, und halbe Sachen machen keinen Sinn. Am nächsten Tag fahre ich zum Institut für Philosophie und finde einen Flur, auf dem Leute rumsitzen, die Kaffee trinken und rauchen, eine von ihnen hat rosa Haare, eine andere ist barfuß. Sie sagen, sie warten auf eine Vorlesung über Kant, und ich kenne damals genau einen Satz von Kant: «Habe Mut, dich deines eigenen Verstandes zu bedienen!» Es klingt gut.

Die Vorstellung, mit Physik weiterzumachen, kackt dagegen ab. Obwohl ich weiß, dass auch Frauen Physik studieren, ist die Möglichkeit, weitere fünf Jahre ein «wir hier – du dort» zu erleben, zu beengend und zu wenig aufregend. Ich stelle es mir so vor, als würden darin alle Aspekte der Schule wei-

tergehen: Vereinzelung, Leistungsdenken, ständige Wiederholung. Gleichungen zu lösen scheint mir immer mehr wie
masturbieren. Man weiß meistens schon ganz gut, worauf
es am Ende hinausläuft, der Rahmen der möglichen Über-
raschung ist begrenzt. Ich möchte aber überrascht werden.

«Freedom's just another word for nothing left to lose», singt
Janis Joplin, und ich habe in dieser Zeit ein außerordent-
liches Gefühl von «nothing left to lose». Ich weiß, dass es
schwer ist, mit Philosophie Geld zu verdienen, aber ich gehe
damals sowieso davon aus, dass ich mich umbringen werde,
bevor ich dreißig bin.

In ihrer Abi-Rede sagt eine meiner Freundinnen, sie habe
gehört, die Allgemeinbildung sei nie umfassender als zum
Zeitpunkt des Abiturs. Ich weiß nicht, ob das für den Durchschnitt der Leute stimmt, ich hoffe damals aber dringend,
es stimmt nicht für mich: Ich fühle mich gemästet mit un-
nützem Wissen und verarscht von den Kreuzworträtseln, in
die wir die Namen ehemaliger deutscher Kolonien eintragen
mussten. Ich will so schnell wie möglich weg von diesem Ort,
der sich Schule nennt und in dem es immer stinkt, entweder
nach Putzmittel oder nach Leuten, die vom Sport kommen
und nicht geduscht haben.

Ich schreibe mich in Philosophie und Sozialwissenschaften
ein, Letzteres ist eine Fachrichtung, von deren Existenz ich
nichts geahnt habe, bis ich alle Fächer, die man in Berlin studieren kann, durchguckte und die, die mir unbekannt waren,
im Lexikon nachschlug.

Ich ziehe in das nächstbeste Wohnheim, das ein schäbiges
kleines Zimmer frei hat, in einem schimmligen Neubau mit
türkis gestrichenem Treppenhaus und dunklen Fluren mit
klebrigen Kühlschränken. Ich sehe darin vor allem: Freiheit.
Was für eine unglaubliche Freiheit, ein Zimmer zu haben, in
das niemand reinkommt, wenn ich es nicht will, und in dem

kein Vater das Internet ausschaltet, wenn ich zu lange wach bleibe. Es gibt überhaupt kein «zu lange wach bleiben» mehr, das Phänomen ist abgeschafft. Links neben mir wohnt ein griechischer Jurastudent, der das deutsche Wetter bekloppt findet und schon im Oktober eine Daunenjacke trägt, die er «mein Panzer» nennt. Ab und zu klopft er an meine Zimmertür und ruft: «Margarita! Wir müssen weggehen!», und es ist die einzige Form von «müssen», die sich mir erschließt. Dann gehen wir in eine Shishabar und bleiben da, bis die S-Bahn morgens wieder fährt.

Rechts neben mir wohnt Matthis und macht, dass alles perfekt wird. Nach einem der Shishaabende gehe ich mit zu ihm, es ist faszinierend unkompliziert, seine Tür liegt ja direkt neben meiner und wir bald jede Nacht beieinander. Matthis weiß, wie schöner Sex geht, und nach dem ersten Mal Sex mit ihm habe ich einen Lachanfall, weil alles so einfach ist. Wir sitzen auf seinem Bett und trinken Pfefferminztee aus Apfelmusgläsern, denn Matthis hat keine Tassen, aber Tassen waren noch nie wichtig.

Irgendwann schläft er ein, nackt, halb auf die Seite gedreht, die Haare im Gesicht. Die Decke liegt hinterm Bett. Nie zuvor hatte ich Zeit, einen nackten Mann so gründlich anzugucken. Wie schön er ist. Ich streiche ihm die Haare aus dem Gesicht und fahre ganz leicht mit den Fingern über seine Schulter, den Rücken, die Hüfte, er schläft weiter, meine Finger streichen weiter, in die Schamhaare rein, Penisansatz, Penis. Ganz weich. Wie ein Molch. Darf man Molch sagen? Ich darf ihm nicht sagen, dass ich das denke. Ein leichtes Zucken. Ich lege mich so neben Matthis, dass mein Gesicht vor seinem Gesicht liegt, er macht die Augen auf und lächelt. Wir schlafen noch mal miteinander. Warum ist es so einfach? Es ist kein Vergleich zu dem schamvollen Aneinanderrubbeln damals in der Schule.

An der Uni lerne ich noch im ersten Semester Mariella kennen, die jeden Tag in Rosa, Weiß oder Hellblau rumläuft und wie eine Prinzessin aussieht. In der Schule hätte ich mich nie mit ihr angefreundet: Alle meine Freundinnen sahen mir irgendwie ähnlich. Äußerlich sind Mariella und ich sehr verschieden. Sie redet den ganzen Tag, ich schweige die meiste Zeit, sie schminkt sich immer, ich nie, sie ist immer perfekt frisiert, ich nie, sie lernt Hebräisch, ich lerne Schwedisch, ihre Schrift ist ordentlich, meine verschnörkelt, sie liebt Hitze, ich liebe Kälte, sie findet die Logikvorlesung nervig, ich liebe sie. Aber irgendwie kommen wir zueinander. Wir haben Lerngruppen zusammen, sitzen im Seminar nebeneinander und verlieben uns für die Dauer unseres Bachelorstudiums in denselben Tutor. Abends liege ich im Wohnheim auf meinem Bett und schreibe in mein Tagebuch, zwei Tage vor meinem 20. Geburtstag:

> «Gestern festgestellt, dass jeder Mensch sich selbst erschafft. In der Philo-Bibliothek ein Buch über Gender-Konstruktion gelesen (Gender-Paradoxien, Judith Lorber). Stand drin, dass Geschlecht von der Gesellschaft gebildet wird, es hat gar nicht so viel damit zu tun, wie der Körper ist. Interessant. Will mehr drüber nachdenken. Eine Reihe weiter saß Mariella und hat gelernt. Sie sieht aus wie eine Porzellanpuppe, außer dass sie so viel lacht und so schlagfertig ist. Mag sie und denke viel über sie nach. Sie ist so eine, die sich selbst erschafft. Machen eigentlich alle, aber manche nicht so geschickt.»

An der Uni passiert es auch das erste Mal, dass ich bewusst mit queeren Menschen rede, und ich stelle fest: Sie sind gar keine Außerirdischen.

Alles wird anders in der Uni, die ganze Scheißstimmung aus der Schulzeit ist vorbei, das Enge, das Ängstliche. Im dritten Sommer meines Studiums arbeite ich auf einem polnischen Friedhof mit einem Haufen anderer Freiwilliger. Wir restaurieren alte Gräber, stellen umgefallene Grabmale wieder auf, kratzen Schriftzeichen frei und entfernen Gestrüpp und Bäume. Abends Lagerfeuer, Rotwein, Singen, Sex. An einem freien Nachmittag laufen wir zur Grenze und klauen ein Grenzschild von einem Pfosten, es lässt sich sehr leicht mit einem Taschenmesser abschrauben, vorne steht «Polska» drauf und hinten unterschreiben wir alle mit Edding und schenken es abends Jana zum Geburtstag. Happy Birthday, Jana, die Welt gehört uns.

Nachts liege ich im Bett, denke, dass polnische Mücken genauso scheiße sind wie deutsche und dass Freiheit das Beste ist.

Im selben Sommer schlafe ich mit Lora. Sie ist die erste Frau, mit der ich Sex habe, sie hat rote Haare und wenn sie gerade nicht raucht, dann dreht sie eine Zigarette. Lora ist in einem der Lesekreise, die bei mir zu Hause stattfinden und in denen wir Marx lesen oder Shakespeare und Goethe, besoffen mit verteilten Rollen, und manchmal bleibt sie danach noch länger da. Sie schläft dreimal bei mir, bevor sie mit mir schläft; die ersten Nächte sind gefüllt mit Kiffen, Rosétrinken und Reden, aus meinem Laptop singt Gisbert zu Knyphausen:

«Doch im Taumel, da fühlen wir uns wohl
ein Hoch auf den Alkohol
komm, einen noch, ich kann dich noch sehen
und wir labern immer viel zu viel
doch wir sehen gut dabei aus
ja, was wir tun, das hat Stil»

Und Lora lacht und sagt: «Wir labern immer viel zu viel.» Beim dritten Mal lassen wir das Kiffen weg und liegen die meiste Zeit da und gucken uns an, und erst beim vierten Mal lassen wir alles weg und nichts ist mehr zwischen uns.

Ich stelle fest, dass Sex mit einer Frau nicht so viel anders ist als mit einem Mann, außer dass kein Penis vorkommt und man nicht schwanger werden kann. Beides können Vor- und Nachteile sein, ich empfinde das Erste als egal und das Zweite als sehr erleichternd. Solange man keine Krankheiten hat, kann nichts schiefgehen, und das hebt die ganze Sache auf ein Level von entspannter Schönheit, die mir kaum in den Kopf geht.

Als wir danach nebeneinanderliegen, schräg auf dem Bett, um nicht in der riesigen feuchten Pfütze liegen zu bleiben, streckt Lora die Hand nach hinten, wühlt irgendwo in der Lücke zwischen der Matratze und der Wand und holt eine Packung Tabak raus. Ich bin irritiert, weil ich nicht wusste, dass sie in meinem Bett Tabak deponiert hatte, und weil ich mir so sicher gewesen war, dass Menschen nur in Filmen nach dem Sex rauchen. So, wie sie danach auch immer in ein dünnes Laken gehüllt sind, obwohl niemand außer im heißesten Hochsommer ein Laken im Bett liegen hat. Lora raucht und schweigt und lächelt und ist schön dabei. Sie sieht perfekt aus, und ich denke, so viel, wie sie sonst raucht, ist es fast ein Wunder, dass sie nicht *beim* Sex geraucht hat.

Inzwischen bin ich aus dem gammligen Wohnheim ausgezogen und wohne nun in einem Haus, in dem viele Partys stattfinden. Auf einer dieser Partys gibt es eine Willkommensbowle in einem riesigen Topf. Irgendwas Rotes, mit Beeren und vielen Litern Schnaps. Alle, die im Innenhof ankommen, müssen aus einem Pokal von der Bowle trinken. Ich stellte mich dreimal in die Reihe. Später sitzen wir alle unter der riesigen Linde und kiffen. Die Liegestühle kommen von einer benachbarten Strandbar, manche mit Ampelmännchen drauf, manche mit Bierwerbung, und die beiden Jungs, deren Geburtstag es ist, sind stolz, alles so gut organisiert zu haben. Es ist Sommer und gerade noch der dunkle Teil der

Nacht, kurz vor Sonnenaufgang. Irgendwer beschließt, man müsse baden gehen, und alle ziehen zur Spree. An dem kleinen Flussabschnitt zwischen Weidendammer Brücke und Museumsinsel ziehen wir uns aus, jedenfalls die meisten. Ich springe Hand in Hand mit einer Frau, die ich an diesem Abend kennengelernt habe, ins Wasser, es ist kalt, und wir lachen noch bekloppter, als man eh schon lacht, wenn man besoffen ist. Diejenigen, die nicht gesprungen sind, müssen uns am Ende aus dem Wasser ziehen, denn das Ufer ist höher als eine Armlänge, und wir finden keinen Aufgang. Am nächsten Morgen habe ich blutige Striemen an den Füßen, mir ist etwas flau, und einer der Jungs von der Party liegt neben mir und erzählt, dass er noch nie so rosafarbene Kotze gesehen hat wie meine. Ich kann danach eine Weile nichts mehr essen, wo rote Beeren drin sind und noch heute erinnern mich Tiefkühlbeerenmischungen an diese Nacht.

Lange Zeit hatte ich das Gefühl, solange alles Private angenehm ist, muss man es nicht durch politischen Schnickschnack kompliziert machen.

An der Uni treffe ich zum ersten Mal Leute, die sich Feminist*innen nennen, und bin irritiert. Sie passen nicht zu dem Bild, das ich im Kopf habe, nach dem Feminismus ungefähr so etwas ist wie die RAF: früher mal wichtig, jetzt nicht mehr so, insgesamt vorbei. Irgendwelche Leute fanden das gut, aber ziemlich viele andere fanden das nicht gut. Ich habe Assoziationen von wütenden Frauen auf Demos, und Demos mochte ich noch nie, weil ich mich in Menschenmassen nicht wohl fühle und unter lauten Menschen auch nicht. Es ist ähnlich wie mit dem Humor von Loriot: Ich sehe den Witz nicht. Ich denke, das hat mit mir nichts zu tun, sondern ist irgendwie deutsche Geschichte oder Identität, aber nicht meine.

Die Autorin bell hooks schreibt darüber, wie viele Leute dieses Bild einer radikalen und destruktiven Bewegung haben, obwohl es beim Feminismus nicht darum geht, gegen Sex zu sein, sondern darum, selbst zu entscheiden, wann man wie Sex haben will: «Anders als das von den Massenmedien präsentierte Bild suggeriert, fing die feministische Bewegung nicht damit an, dass Frauen BHs auf einem Miss-America-Wettbewerb verbrannten und bald darauf Abtreibungen forderten. Eines der ersten Themen, die als Katalysator der Bewegung dienten, war Sexualität – die Forderung, es möge das Recht der Frauen sein zu entscheiden, wann und mit wem sie sexuell sein würden.»[72]

Die Leute, die sich an der Uni als Feminist∗innen bezeichnen, mag ich, aber ich bleibe skeptisch. Wenn jemand «Frauenpower» sagt, denke ich an die Spice Girls, und die höre ich nicht mehr.

Ich denke damals, Feminismus bedeutet, dass Frauen besser sein sollen als Männer, und ich habe auch die Sache mit den brennenden BHs im Kopf, wobei ich das noch am interessantesten finde, denn ich kokel gern.* Aber es ist leichter,

---

* Die Sache mit der BH-Verbrennung kam so. Es ging gar nicht um BHs generell, sondern um unbequeme BHs und die Pflicht, sie zu tragen: Zum Beispiel hatte Germaine Greer, die später *Der weibliche Eunuch* schrieb, 1966 bei einer Universitätsveranstaltung erklärt, es könne keine wirkliche Freiheit für Frauen geben, egal wie gebildet sie seien, solange sie ihre Brüste in BHs stopfen müssen, die nicht ihrer Anatomie entsprechen.

Gegen diese Art von BHs gab es Protestaktionen, die manchmal schlicht darin bestanden, dass Frauen oben ohne herumliefen. Bei der Miss-America-Wahl in Atlantic City im September 1968 stellten Feministinnen eine Blechtonne auf, nannten sie «Freedom Trash Can» und warfen Symbole von Frauenunterdrückung hinein: falsche Wimpern, Playboy-Hefte, Haushaltsgegenstände – und eben BHs. Die Tonne wurde allerdings nicht angezündet (weil es verboten war, dort Feuer zu machen). Stattdessen wurde ein Schaf zur Miss America gekürt. Die Schlagzeile «Bra Burners and Miss America» wurde trotzdem gedruckt. Als Reaktion darauf soll es zwar vereinzelte BH-Verbrennungen gegeben haben, aber die ursprünglich geplante große Aktion war so nie passiert.

sich davon zu distanzieren. Es ist immer leichter, sich von einer sozialen Bewegung oder Ideologie zu distanzieren, als sich dazuzuzählen. Es ist so viel praktischer, sich selbst als neutrales Individuum zu betrachten und sich immer nur im Einzelfall zu etwas zu verhalten. Ich denke, das war doch der Witz mit der Aufklärung, dass wir alle selbst denkende Individuen sein wollen, oder?

Ich lebe, ich feiere, ich habe wunderbare Freund*innen und guten Sex. Ich habe von Feminismus keine Ahnung, aber glaube auch nicht, dass mir etwas Grundlegendes fehlt. Ich denke, ich habe das alles nicht nötig, bis ich durch eine Sommernacht beginne, meine Meinung zu ändern.

Eine meiner Freundinnen hat Geburtstag, wir trinken Cocktails und feiern danach im Magnet Club. Irgendwann bin ich müde und will nach Hause, ich hole mir an der Bar noch eine Flasche Wasser, die ich auf dem Heimweg trinken will. Es ist nicht besonders weit, eine halbe Stunde zu Fuß, eigentlich ein schöner Weg in einer Sommernacht und nichts, was mir Angst machen würde.

Als ich ein paar Minuten unterwegs bin, spricht mich jemand von der Seite an. «Guten Morgen», sagt er. Ich gucke nur kurz hin, es ist ein Mann zwischen dreißig und vierzig, ein ganzes Stück größer als ich. Ich denke, «nerv nicht», murmle «n'Abend» und gehe weiter. «Wie heißt du?», fragt er und greift nach meiner Hand. Ich hätte schlechte Energien, die er mir wegmassieren könne. Ich ziehe die Hand weg, sage, «Mann, geh weg», und gehe weiter. Er fängt an zu erzählen: wie er heißt, dass sein Name «Vollmond» bedeutet und er hier um die Ecke über der Wäscherei wohnt, und ich könne ihn mal besuchen. Ich gehe schneller und versuche, ihn zu ignorieren.

Er sagt, meine Energien seien wirklich schlecht, und ich solle aufpassen, weil ich in den nächsten Monaten schwanger werden könnte. Ich überlege, ob ich rennen soll, aber es macht keinen Sinn, er wäre schneller als ich in meinen hohen Schuhen, die ich so gern mag, im Moment aber verfluche. Hohe Schuhe sind eine fiese Sache: Wenn ich sie trage, werde ich erfahrungsgemäß öfter belästigt, und ich kann im Zweifel auch schlechter weglaufen, ja sie sind überhaupt nur erfunden worden als Statussymbol für Leute, die es nicht nötig haben zu rennen. Ich hätte es aber gerade verdammt nötig.

Der Typ läuft weiter neben mir, ich hoffe immer noch, dass er einfach weggeht. Als wir an einer Parkbank vorbeikommen, die an der Straße steht, packt er meine Hand und drückt sie, bis meine Gelenke knacken, ich kriege Panik, sage, «Mann, lass mich», er zieht mich zur Bank, hält mich mit der einen Hand fest und fängt mit der anderen an, mich überall anzufassen: meine Arme, Bauch, Brust, Rücken, Hüfte, Oberschenkel, er streicht und drückt und sagt, er will mich massieren, er drückt seinen Körper an mich und schiebt seine Hand unter mein Oberteil, ich rufe «ey!». Er will mich auf die Bank drücken, ich rufe immer wieder «ey» und «lass das». Niemand hört mich. Ich winde mich aus seinem Griff, er fragt ganz ruhig: «Warum willst du nicht?» Ich renne zur Straße, wo gerade ein Taxi vorbeifährt, halte es an und steige ein.

In dieser Nacht weiß ich, dass eine Grenze überschritten ist. Ich halte im Taxi immer noch die Wasserflasche in der Hand, mit der ich losgelaufen bin, jetzt starre ich sie an und frage mich, warum ich nicht damit zugeschlagen habe, aber ich weiß natürlich die Antwort: Ich bin einfach kein Mensch, der andere mit Glasflaschen schlägt.

Als das Taxi vor meinem Haus stehen bleibt, drücke ich dem Taxifahrer zehn Euro in die Hand – zu viel für die kurze Strecke – und noch auf dem Weg nach oben in meine Wohnung werden meine Beine immer schwerer. Ich gehe langsam und muss mich am Treppengeländer festhalten. Es ist etwas passiert. Mir ist übel, aber nicht auf die Art, wie mir von Alkohol übel wird, sondern eher auf die Art, wie wenn man plötzlich erfährt, dass jemand einen Unfall hatte. Ich schließe meine Haustür auf und setze mich im Flur auf den Boden. Ich atme und denke immer wieder diesen einen Satz:

Was war das?

Ich ziehe meine Schuhe aus und fasse meine Füße an und bin auf eine komische Art froh, dass er meine Füße nicht angefasst hat. Die Beine bis zu den Knien auch nicht. Das ist alles sauber. Der Rest fühlt sich schlecht an. Er hat meine Haare angefasst, meinen Nacken, meinen Rücken, das ist alles meins. Wer war dieser Typ? Ich sitze auf dem Boden und taste mich ab. Fast wundere ich mich, dass noch alles da ist.

Dann stehe ich auf, ziehe mich aus und dusche so lange und so heiß, bis meine Haut rot ist. Ich überlege, meinen Freund anzurufen, will ihn aber nicht wecken und weiß nicht, was ich sagen sollte, ohne dass er sich Sorgen macht. Später sitze ich im Bademantel am Schreibtisch und fülle ein Formular für eine Online-Anzeige aus. Es ist das erste Mal in meinem Leben, dass ich jemanden anzeige, und ich weiß, es ist nicht das erste Mal, dass ich einen Grund dazu habe.

Ich trage alles ein, beschreibe genau, was passiert ist, wo der Typ mich überall angefasst hat, welchen Vornamen er mir genannt hat und vor welcher Bar er Leute gegrüßt hat, dass er einen von ihnen Franz oder Frank genannt hat und dass er mir gesagt hat, wo er wohnt. Dann lege ich mich ins Bett und mache ein Hörbuch von Max Goldt an, um mich abzulenken.

Eine Woche später rufe ich beim «Bürgertelefon» der Polizei an, sieben Mal, bis beim achten Mal jemand rangeht. Ich frage, wann sich wegen meiner Anzeige jemand bei mir meldet und wie das Ganze überhaupt weitergeht, weil ich mich mit den Abläufen nicht auskenne. «Was haben Sie denn angezeigt?», fragt der Beamte. «Einen sexuellen Übergriff», sage ich. Ich weiß nicht, wie der Fachbegriff ist. «Na, was glauben Sie denn? Sie leben hier in der Bundeshauptstadt, es gibt hier außer Ihnen noch dreieinhalb Millionen andere Leute, da kann so was schon mal dauern.» – «Wie lange?», frage ich. «Keine Ahnung», sagt er. Ich lege auf. Über zwei Monate später bekomme ich einen Brief: «Betrifft: Ihre Anzeige wegen Beleidigung. Der Täter wurde leider nicht ermittelt, das Verfahren wurde eingestellt.» Ich wusste bis dahin nicht, dass ein Übergriff dieser Art tatsächlich juristisch gesehen nur eine Beleidigung ist, und fühle mich verarscht. «Beleidigung».

Noch in derselben Woche kaufe ich in einem Outdoorladen ein kleines Klappmesser und ein Pfefferspray, das eigentlich dazu da ist, Füchse oder Wildschweine fernzuhalten.

Füchse. Oder Wildschweine.

Nicht 1,80 Meter große Männer, die nichts Besseres zu tun haben, als mir nachts den Heimweg zu versauen.

Ich weiß nicht, was ich mit dem Messer will, ich würde nie jemanden mit einem Messer verletzen wollen. Auch das Pfefferspray kommt mir absurd vor, aber ich fange an, es bei mir zu tragen.

Etwas ist kaputt.

Ich rede mir ein, dass alles gut ist, dass dieser Vorfall in der Nacht kein besonders krasser Fall war – ich wurde nicht verletzt, es waren nur wenige scheußliche Minuten und ich ging am Tag danach ganz normal zur Uni und arbeiten. Aber ich fühle, dass es ein riesiges Problem gibt, dessen Ausmaße ich gerade erst anfange zu erahnen.

Somewhere along the line you gave up asking
When it got a little too complex
But if you don't question what has been
Does it mean that you don't care what's coming next?
You got no one to follow
And no one will follow you
Ain't that a relief
That everything and everyone must grow in opposition
To resistance and contradiction,
This ain't no time to go to sleep

TINA DICO

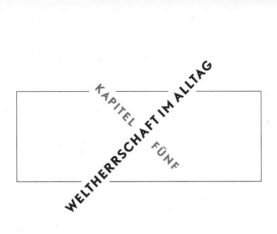

KAPITEL FÜNF

WELTHERRSCHAFT IM ALLTAG

Pinky und Brain versuchen es jede Nacht. «Hey, Brain, was wollen wir denn heute Abend machen?» – «Genau dasselbe wie jeden Abend, Pinky. Wir versuchen, die Weltherrschaft an uns zu reißen!» So beginnen alle Folgen der Zeichentrickserie über zwei Labormäuse, die große Pläne haben. Einmal versuchen sie zum Beispiel, die Menschheit mit vergifteten Pfannkuchen zu hypnotisieren, und alles läuft wie am Schnürchen, bis sie feststellen, dass die Menschen die Pfannkuchen nur deshalb so gern essen, weil Pinky das bittere Gift nicht in den Teig gemischt hat. Sie scheitern immer wieder und fangen jeden Abend von vorne an.

Spätestens, wenn man ein paar dieser Folgen gesehen hat, weiß man, dass Welteroberung eine komplizierte Sache ist. Menschen stellen sich dabei nicht viel schlauer an als Pinky und Brain. Es hat nie einen König gegeben, der die gesamte Welt regierte, und eine Königin auch nicht.

Dafür gibt es viele Filme, Theorien und Witze über Weltherrschaft. Mal sind es Katzen, die NSA oder Roboter, mal Kakerlaken oder Bösewichte mit Sonnenbrillen, die die Welt erobern wollen. Auch über Feminismus gibt es solche Sprüche: als wäre das Ziel des Feminismus, das starke Geschlecht der Männer durch das neue starke Geschlecht der Frauen zu ersetzen und eine «Weiberherrschaft» zu etablieren.

Aber feministische Weltherrschaft ist keine Option. Erstens, weil Weltherrschaft generell keine Option ist, und zweitens, weil es um die Abschaffung von Herrschaft geht und nicht um ihre Umkehr.

Um Weltherrschaft geht es trotzdem, aber anders.

Einige Menschen sehen ihr Verhältnis zu Politik so: Bringt nichts, zu faul, die Welt ist schlecht und kompliziert, und Politik soll mich in Ruhe lassen. Die Welt aber besteht aus dem um uns herum – und Herrschaft aus dem, wie Menschen sich verhalten: auch wir selbst.

In diesem Sinne geht es bei politischem Handeln immer um Formen der «Weltherrschaft»: Wer nimmt welchen Teil der Welt für sich in Anspruch, mit welcher Begründung, welchen Zielen und welchen Folgen? Das gilt im Großen wie im Kleinen. Wir können versuchen, da wo wir sind, Unterdrückung abzuschaffen – und wir können versuchen, unsere eigene Welt zu beherrschen.

«Herrschaft wandert in die Menschen ein», heißt es bei Adorno.[73] Es ist mühsam, sie da rauszupulen, denn Herrschaft ist nichts, was man immer auf den ersten Blick erkennt. Sie wirkt innerlich in unserem Denken und Handeln und äußerlich in der Politik, in Gesetzesänderungen und Gerichtsurteilen, in den Medien, in Bildung und Erziehung, in der Wirtschaft, im Gesundheitsbereich, in der Sprache, in der Kunst, in der Ernährung und im Sport, in der Technik, in den Religionen. In all diesen Bereichen kann Veränderung stattfinden, was ein wichtiger Gedanke ist, wenn wieder jemand sagt, der Unterstrich oder die Frauenquote werden die Welt nicht retten.

Genau wie Wissen über Sex hilft, guten Sex zu haben, hilft Wissen über die Welt, in ihr klarzukommen. Und manchmal ist es Wissen, das verdrängt wird. Über Anarchismus und Feminismus lernt man selten etwas in der Schule – vermutlich, weil man dann aufhören würde, zur Schule zu gehen.

Bei all den sexuellen und geschlechterbezogenen Fragen sind wir weit von einer flächendeckenden Aufklärung mit Mindeststandards entfernt. Wir wissen, dass wir uns täglich die Zähne putzen sollen, wie man ein Bankkonto eröffnet oder wie man jemanden in die stabile Seitenlage bringt, aber wie wir uns verhalten sollten, wenn wir in eine Situation von sexualisierter Gewalt oder Belästigung geraten, wissen wir nicht unbedingt.

Frauen haben immer noch nicht alle Freiheiten, die sie haben könnten – Männer auch nicht –, aber sie bekommen heute ihren Platz in der Gesellschaft nicht mehr zugewiesen, indem sie angeherrscht werden: «Zurück in die Küche, Weib!» Stattdessen wird ihnen zugezwinkert: «War doch nicht so gemeint, komm, hab dich nicht so.» Der Ton ist ein anderer, die Machträume sind andere, aber die Fragen sind dieselben: Wie viel Selbstbestimmung darf sich ein Mensch erlauben?

Ungerechtigkeiten zwischen den Geschlechtern aufzuzeigen wirkt manchmal so, als wolle man die Gräben zwischen ihnen vertiefen, obwohl man sie auf Dauer abschaffen will: Ein nerviges Dilemma, aus dem man nicht rauskommt, solange man Probleme benennen will. Wir *müssen* zeigen, nach welchen Kriterien sich Reichtum und Erfolg, Gesundheit und Lebensdauer, Gewalt und Leid verteilen, wenn wir wollen, dass alle dieselben Chancen auf ein glückliches Leben haben – auch wenn oder gerade weil diese Kriterien das sind, was wir auf Dauer abzuschaffen versuchen.

Es kann sein, dass wir uns sexuell komplett frei fühlen, selbstbestimmt und nicht nach Geschlecht diskriminiert – aber wenn das daran liegt, dass wir zu dem Teil der Menschen gehören, die heterosexuell sind, nie Gewalt erfahren haben und außerdem in einer steuerbegünstigten Ehe leben, dann ist das eine trügerische Freiheit, denn sie beruht auf Glück und Zufall.

Wir ignorieren gern alles, was unserem Selbstbild widerspricht. Wir wissen aus Studien, dass es Frauen in unangenehmen Situationen oft schwerer fällt, sich zu wehren, als sie zugeben würden: Im ersten Teil einer Untersuchung von 2009 wurden Studentinnen gefragt, wie sie sich verhalten würden, wenn ein Kommilitone sie in einem Chat sexuell belästigen würde; im zweiten Teil passierte die Belästigung tatsächlich. Obwohl fast zwei Drittel der Teilnehmerinnen im ersten Teil gesagt hatten, sie würden den Chat abbrechen und sich bei der Chatleitung beschweren, tat dies im zweiten Teil der Studie nur eine einzige von 78 Frauen.[74]

So ein Zwiespalt zwischen (Selbst-)Wahrnehmung und Realität ist einerseits menschlich und andererseits gefährlich. Menschlich ist er, weil wir Verdrängung brauchen, um zu leben, genau wie wir vermeintliche Gewissheiten brauchen. Wir können nur überleben, wenn wir uns ein Weltbild schaffen, in dem wir klarkommen: Wir müssen Probleme ausblenden und Fragen ignorieren, spätestens seit es Massenmedien gibt. Wir wären handlungsunfähig, wenn uns alles Leid der Welt stets präsent wäre, oder wenn wir ständig alles anzweifeln würden, denn dann wüssten wir nicht mal, ob die Straße noch da ist, wenn wir das nächste Mal vor die Tür treten, und das wär ein schlechtes Gefühl.

Gefährlich ist das, weil uns dann das Leben auf die Fresse gibt und wir mit Dingen konfrontiert werden, die wir vorher nicht sehen wollten.

Es hilft, sich zu informieren und nachzufragen, wenn uns

etwas merkwürdig erscheint oder uns verunsichert, sei es in kleinen oder in großen Fragen. Was dabei rauskommt, ist eine Haltung, die uns dazu bringt, uns seltener verarschen oder unterdrücken zu lassen. Denn solange nichts passiert, brauchen wir keine Haltung; aber sie zu entwickeln, wenn wir in Schwierigkeiten stecken, kann zu spät sein.

Es können auch mikroskopisch kleine Situationen sein wie die folgende.

Ein einziges Mal in meinem Leben habe ich mit einem BWLer geschlafen. Miro, aus der WG über uns. Der Sex war okayer Sex nach einer Party, die bei uns im Haus stattgefunden hatte; nichts zu meckern. In den Monaten danach war er ein bisschen anhänglicher als nötig; er fragte oft, wann wir uns wiedersehen, und ich sagte meistens, «keine Zeit», außer einmal, da waren wir Falafel essen. Irgendwann zog er aus der WG aus, der Kontakt brach ab.

Ein oder zwei Jahre später treffe ich ihn beim Einkaufen wieder. Smalltalk. Er erzählt, dass er einen neuen Job hat. Ich frage, was das denn ist, so ein Sales Management Recruiter, dann fragt er, ob ich noch diese Philosophie-Lesekreise mache, und ich sage ja, mehrere: einen zu Hegel, einen zur Antike, und außerdem überlege ich gerade mit ein paar anderen, einen Feminismus-Lesekreis zu gründen. Er lacht: «Feminismus, komm. So schwanz-ab-mäßig?» Ich sage: «Haha, ja, genau.»

Wir sind gerade dabei, uns wieder zu verabschieden, da fragt er: «Soll ich dir mal verraten, was ich echt bereut habe? Ich hätte dich damals einfach mal so vom Markt nehmen sollen!» – «Vom Markt nehmen?» – «Ja, vom Single-Markt.» – «Ja, schon verstanden», sage ich, «ich weiß gar nicht mehr, ob ich damals Single war.» – «Ich hätte einfach mit dir gehen sollen, für 'ne gewisse Zeit.» – «Okay», sage ich, und jetzt muss ich lachen.

Auf dem Weg nach Hause vom Einkaufen frage ich mich, warum ich das so bizarr finde. «Vom Markt nehmen», okay, er ist BWLer. Aber das ist es nicht. Das Komische ist, dass er denkt, es hätte in seiner Macht gelegen, dabei war ich ja diejenige, die ihm ständig abgesagt hat.

Ich weiß nicht, ob es ironisch war oder unbeholfen oder ob er wirklich denkt, er hätte die geheime Superkraft, mich irgendwo wegzuschnappen, obwohl ich offensichtlich nicht so interessiert war. Er hätte ja auch sagen können: Schade, dass wir uns damals nicht öfter gesehen haben. Aber offenbar hat er ein klares Bild davon, wer erobert und wer erobert wird. Als ich zu Hause bin, schreibe ich Miro: «Sag mal, wie nimmt man jemanden vom Markt?», und er antwortet: «Man sagt: Du bist jetzt mein Girl!» – «Uh, verstehe. Hatte mich das gefragt.» – «Aber versteh mich nicht falsch, ja? Ich mag aktive Frauen!» Ich habe eine Ahnung, auf welchen Bereich sich dieses Aktivsein bezieht. Er schreibt: «Finde gut, dass du fragst! Frechsein ist sexy.» So endet unser Chat.

Weil ich – genau wie Miro – immer noch keine konkrete Vorstellung davon habe, was Feminismus und diese ganze Gendersache ist, fange ich bald darauf ein Soziologieseminar über Geschlechterverhältnisse an, mein erstes Gender-Studies-Seminar und für die nächsten Jahre vorerst das letzte, denn ich fühle mich da so unwohl, dass ich am liebsten schreiend rausrennen würde. Inhaltlich finde ich alles interessant, aber gefühlsmäßig will ich abhauen.

Ich halte ein Referat über «hegemoniale Männlichkeit», etwas, worüber ich vorher nie nachgedacht hatte: Die Idee ist, dass es in einer Gesellschaft nicht einfach nur Männlichkeit (und Weiblichkeit) gibt, sondern verschiedene Formen davon. Unter den Varianten von Männlichkeit gibt es dominante, unterdrückte und komplizenhafte, und sie ändern sich im Laufe der Zeit, wobei in Westeuropa und den USA traditionell heterosexuelle und weiße Männer die dominante Gruppe bilden.[75]

Wir lesen Aufsätze des Soziologen Georg Simmel, der 1911 schrieb, dass «alle Äußerungen der Frauen [...] nicht als allgemein menschlich, sondern zugleich als spezifisch weiblich empfunden werden, gegenüber den als rein sachlich charakterisiert empfundenen Wesensäußerungen des Mannes.»[76] Ich schreibe an den Rand: *Geht's noch?* Dabei hat Simmel sogar heute noch recht: Es ist weit verbreitet, Frauen als Menschen mit Geschlecht zu betrachten und Männer als Menschen: Chefinnen haben einen «weiblichen Führungsstil», Männer einen eigenen.

In einem anderen Aufsatz gibt es eine Tabelle mit Merkmalen, die häufig mit Männern oder Frauen verbunden werden.

> *Männer:* Außen, Weite, öffentliches Leben, Aktivität, Energie, Kraft, Willenskraft, Festigkeit, Geist, Vernunft, Verstand, Tugend, Würde...
>
> *Frauen:* Innen, Nähe, häusliches Leben, Passivität, Schwäche, Ergebung, Hingebung, Bescheidenheit, Liebe, Güte, Gefühl, Keuschheit, Taktgefühl, Schönheit...[77]

Wir lesen einen Artikel aus der *Zeit*, der «Ihr Verlierer!» heißt – ich schreibe neben die Überschrift: *Chill mal.* Die Autorin sieht eine «Krise der Männer», für die «harte, objektive Fakten» sprechen: Jungs stottern viermal so oft wie ihre Schwestern, Männer werden zwölfmal so oft des Raubmords verdächtigt wie Frauen, es gibt immer weniger Jobs, für die man Körperkraft braucht, und immer weniger Schauspieler, die wie Stierkämpfer aussehen.[78] Und dann lesen wir wieder Texte über die Diskriminierung von Frauen in der Arbeitswelt. In meinen Notizen steht: *Scheiße für alle.*

Die Wirkung dieser Texte ist bei mir paradox: Ich fühle mich magisch angezogen und gleichzeitig beleidigt und provoziert. Das alles soll immer noch gelten? Ich rumvögelndes Hippiemädchen soll davon betroffen sein? Und dennoch weiß ich: Es ist nicht so falsch, es ist vermutlich sogar ziemlich richtig.

Die Sache wird zusätzlich dadurch erschwert, dass in dem Seminar ein paar Leute sitzen, die die Diskussion dominieren und mir Angst machen. Unter ihnen ist eine Person, die immer wieder schimpft, dass ihr diese ganze Zweigeschlechtlichkeit auf den Sack gehe, ihr auch im Seminar hier alles zu lasch sei und man endlich anerkennen müsse, dass ein Großteil von Babys mit nicht eindeutigem Geschlecht geboren und dann «heimlich umoperiert» wird. Sie sagt, es gebe so viele Menschen, die mit einem Mikropenis oder einer Megaklitoris geboren werden, und ich denke immer nur «was, was, was?» und schreibe mir Begriffe auf, die ich zu Hause googeln will, weil ich mich nicht traue nachzufragen. (So viel zu weiblicher Schwäche und Häuslichkeit.)

Weil ich die Atmosphäre im Seminar so unangenehm finde, gehe ich nicht mehr hin, sobald ich die Leistungsanforderungen erfüllt habe. Ich will diese ganzen Sachen wissen, aber ich will sie in Ruhe lernen.

Die Sache mit den Mikropenissen bleibt mir hartnäckig im Kopf hängen, ähnlich wie ich mir aus dem Proseminar «Soziologie des Essens» gemerkt hatte, dass Ameisenigel kein Arschloch haben.[*]

Was auch bleibt, ist die Feststellung, dass das Wort «Gender» überhaupt nicht einheitlich definiert ist. Es gibt zwar die aus

---

[*] Ameisenigel und Schnabeltiere haben anders als andere Säugetiere eine Kloake, also ein einzelnes Loch, in das wie bei Vögeln die Ausscheidungs- und Geschlechtsorgane münden. Und ein Mikropenis ist ein äußerst kleiner Penis, wobei der Übergang zur Megaklitoris – einer ungewöhnlich großen Klitoris – fließend ist.

dem Englischen stammende Unterscheidung zwischen «sex» und «gender» («sex» beschreibt die biologischen Aspekte von Geschlecht und «gender» die sozialen). Aber es gibt zwischen denen, die sich wissenschaftlich damit beschäftigen, völlig unterschiedliche Meinungen dazu, was von der Unterscheidung zu halten ist und wie «sex» und «gender» zu definieren sind: Während einige finden, «sex» sei natürlich festgelegt und «gender» gesellschaftlich konstruiert, sagen andere, dass beides konstruiert sei, oder sie bezweifeln, ob die Trennung überhaupt einen Sinn ergibt.*

Im öffentlichen Diskurs hingegen ist «Gender» ein Sammelbegriff für alles von Frauenquote bis Federboa.

Die «Anti-Gender»-Streitschriften, die auch im feinsten Feuilleton stehen, richten sich dabei gar nicht in erster Linie gegen Frauen oder queere Menschen an sich (in zweiter Linie teilweise trotzdem), sondern vor allem gegen die Vorstellung einer akademisch-verschwörerischen Elite, die neue Regeln diktiert, die aufgrund ihrer fremdartigen Sprache in Verbindung mit Gerüchten über die «Verschwulung» von Kindern als bedrohlich und bekloppt zugleich wahrgenommen werden.

Die Sexualpädagogin Karla Etschenberg sprach in einem Radiointerview über Aufklärung im Unterricht davon, «Propaganda für verschiedene Lebensweisen» sei nicht Aufgabe der Schule. Sie sei zwar für Akzeptanz, aber es gäbe immerhin «sehr viele Menschen, die ohne Kontakt und ohne Beschäftigung mit sexueller Vielfalt sehr zufrieden ihre Sexua-

---

* Erst seit den sechziger Jahren unterscheiden Feminist*innen zwischen *sex* und *gender*. Seit den neunziger Jahren wird der Sinn der Sex/Gender-Unterscheidung jedoch zunehmend bezweifelt, vor allem von Poststrukturalist*innen, die es ablehnen, das körperliche Geschlecht im Gegensatz zu Gender als etwas Festgelegtes, Ahistorisches zu sehen. Sie betrachten beides als kontingent und konstruiert und stellen daher die Unterscheidung in Frage.

lität leben.»[79] In einem Interview mit der *taz* erklärte sie, es gebe ja «neuerdings die ernstgemeinte These, das biologische Geschlecht sei kulturell gemacht. Aber der Fortbestand der Menschheit ist auf zweigeschlechtliche Fortpflanzung angewiesen.»[80] Als müsse man nichts Geringeres als den Untergang der Menschheit herbeiphantasieren, nur weil festgestellt wurde, dass nicht alle Menschen exakt weiblich oder männlich sind – die Fruchtbarkeit von Menschen ändert sich ja nicht dadurch.

Wenn etwas als Bedrohung beschrieben wird, muss es hinreichend Unsicherheit erzeugen. Das Traurige ist, wie selten versucht wird, diese Unsicherheit mit Informationen zu füllen. Stattdessen wird sie durch Begriffe wie «Gender-Wahn», «-Ideologie» und «-Propaganda» verstärkt. Wenn in der *Welt* erklärt wird, «wie der Genderwahn deutsche Studenten tyrannisiert» und es in der *FAZ* heißt, «Die Gender-Ideologie spaltet das Land», dann liest sich das nicht so, als sei hier noch eine Diskussion auf Augenhöhe möglich, sondern als arbeite hier tatsächlich ein Haufen Irrer an einer perversen Weltherrschaft.[81]

Bei anderen Wissenschaften, die die Grenzen zu überschreiten suchen, sind die Leute irgendwie gnädiger. Würden wir Astrophysik so behandeln wie Gender Studies, würde uns schneller auffallen, wie dämlich das ist: «Ihr wollt zum Mars? Die Erde reicht euch wohl nicht! Seit Tausenden Jahren leben Menschen auf der Erde, und jetzt werden Milliarden an Steuergeldern dafür verschwendet, dass ein paar größenwahnsinnige Verrückte im All rumtoben. Das ist gegen die Natur!»

Oft wird versucht, Leuten, die Gender Studies betreiben, ihre wissenschaftliche Expertise abzusprechen, weil sie ja «betroffen» und «nicht neutral» seien, wenn sie nicht nur forschen und publizieren, sondern «auch noch» genderqueer, transgeschlechtlich, homo- oder bisexuell sind und mit ihrer Arbeit politische Ziele verfolgen. Was für eine Vorstellung ist das, Außenseiter könnten nicht über die Gesellschaft forschen? Was für eine Vorstellung, sie könnten nicht lesen, Daten erheben, rechnen, schlussfolgern, fragen, denken, all diese Dinge, die Forschung ausmachen? Was für eine Vorstellung, der heterosexuelle, verheiratete Politikprofessor hätte im Gegensatz zu geschlechtlich nonbinären Lehrbeauftragten in irgendeiner Weise eine «neutralere» Position? Eine bequemere, ganz sicher. Aber keine richtigere oder «ungefärbte». Studiert denn der Unternehmersohn «neutral» BWL? Studiert das Kind einer Lehrerin und eines Gefängniswärters «neutral» Sozialpädagogik? Forscht die Medizinerin, deren Vater an seinem Alkoholismus starb, «neutral» an Psychopharmaka? Setzt der Chemiker, der sich für leichtere Prothesenmaterialien begeistert, weil er dann eines Tages vielleicht Volleyball spielen kann, sich aus den falschen Gründen dafür ein? Wollen sie alle nicht die Welt in einer Weise mitgestalten, die völlig berechtigt ist?

In der Theorie bekennen wir uns alle zu Gleichberechtigung und Freiheit, aber der Weg dahin ist steinig, und jeder Tag, an dem Menschen Rechte verwehrt werden, ist ein Tag zu viel. Wer so tut, als wäre es übertrieben, zu erforschen, warum das immer noch so ist, macht sie unsichtbar.

Starke Frauen, die im Leben klarkommen und erfolgreich sind, werden gern nicht nur als Beleg für die Nutzlosigkeit von Gender Studies gesehen, sondern auch als Beweis dafür, dass die, die über Diskriminierung sprechen, kindisch rumheulen und sich nur zum Opfer machen. Denn wir Menschen mögen Geschichten von Menschen, die es *trotzdem* schaffen, weil wir Heldengeschichten mögen. Wir klicken *YouTube*-Videos von kopftuchtragenden Metalgitarristinnen oder schlagzeugspielenden Kindergartengören und finden sie geil, aber eben auch, weil wir gleichzeitig fühlen, dass da jemand etwas Besonderes tut, das unsere Erwartungen durchkreuzt.

Wenn mich heute jemand fragt, ab wann ich mich als Feministin bezeichnet habe, kann ich das nicht genau sagen, aber irgendwann bekam ich den Verdacht, dass die Gleichberechtigung sich doch nicht von allein ergibt, wenn alle so weitermachen wie bisher, mich eingeschlossen. Dass es nicht reicht, individuelle Freiheiten trotz Ungerechtigkeit zu erlangen, sondern dass die Gründe für die Ungerechtigkeit wegmüssen.

In den ersten Semestern an der Uni bin ich sehr froh, dass es im Gegensatz zur Schule nicht so etwas gibt wie «mündliche Mitarbeit». Ich muss nichts sagen, ich kriege sowieso einen Schein, und die Note hängt nur von der Hausarbeit, Klausur oder dem Referat ab. Also kann ich die ganze restliche Zeit einfach nur zuhören.

Ich bin sehr ehrfürchtig, als ich anfange zu studieren. Die Bibliotheken, die Fachbegriffe, die Fremdwörter, alles beeindruckt mich. Mich irritieren die Jungs, die sich nach einem halben Proseminar zu Hegel als Hegelianer bezeichnen, genau wie mein Freund Maurizio, der irgendwann in einem Nebensatz sagt, er sei ja Poststrukturalist. Ich höre das und denke, wow, ich weiß noch nicht mal, ob es nicht anmaßend ist, mich in den ersten Semestern als *Studentin* zu bezeichnen. Ich habe doch gerade erst angefangen. Die Jungs um mich herum sprechen mit einer Selbstverständlichkeit von sich als Philosophen, als hätte Platon persönlich sie getauft, und ich frage mich, warum das Wort «Philosophin» für mich so komisch klingt.

Aber mit der Zeit bröckelt die Ehrfurcht. Leute, die sich im Seminar melden und wiederholen, was schon mehrfach gesagt wurde, oder den Text nachlabern, fangen an, mich zu nerven. Ich merke, dass selbst einige der Leute, die sich auf Kant beziehen – «Habe Mut, dich deines eigenen Verstandes zu bedienen!» –, sich gern damit begnügen, Zitate rauszuballern, aber nichts eigenes. Was für eine absurde Ironie.

In mein Tagebuch schreibe ich: «Alter, die labern *sogar Kant nach*.» Das ist ungefähr so, als würde jemand durch ein Megaphon rufen: «Wir müssen alle selber denken!», und eine Menge von tausend Leuten wiederholt: «Wir müssen alle selber denken!» Es ist zum Umfallen, denn es ist Copy-Paste-Denken, und ich habe das Gefühl, es verschwendet meine Zeit. Das ist doch der Witz am Denken, sich nicht nur an den Gedanken anderer festzuhalten wie an einem Geländer, sondern sie als Sprungbrett zu benutzen. Andererseits: Ich halte selbst die meiste Zeit die Klappe, aus mir kommt auch nichts Neues.

Als ich nach ein paar Semestern überlege, mich bei einem der Professoren als Hilfskraft zu bewerben, merke ich, dass das mit dem Schweigen dumm war: Fürs Zuhören kriegt man keinen Job. Der Professor spricht die Studenten, die sich oft melden, mit Namen an: «Herr Garber, Sie hatten sich gemeldet?» Wenn er mich rannimmt, sagt er: «Bitte.» Kein Name – wie auch? Er kennt meinen Namen nicht. Es beginnt mich zu stören, und es fühlt sich idiotisch an, irgendwo arbeiten zu wollen, wo man nicht mitredet.

Ich schreibe trotzdem Bewerbungen und bin genervt von mir selbst und von den labernden Kommilitonen, die sich zu Kopien der Dozenten aufplustern und damit auch noch ankommen, denn ich sehe, wie sie alle nacheinander Stellen bekommen und ich nicht.

Bei einem der Professoren sieht das fast schon lustig aus. Der Professor trägt eine runde Brille und hat nur noch wenige Haare. Ich mag, wie er redet, eine angenehme Mischung aus Präzision und Pathos. Irgendwann besuche ich ein Seminar

beim wissenschaftlichen Mitarbeiter dieses Professors. Er
ist geschätzte zwanzig Jahre jünger als der Professor, aber
das Verrückte ist, dass er genauso aussieht und auch genauso
spricht. Er zieht die Sätze in die Länge, indem er genau dieselben kleinen Floskeln verwendet, und stellt auf die gleiche Art Fragen, nach denen er ein paar Sekunden lang die
Augenbrauen hochzieht und durch den Raum guckt, damit
die Weisheit einsickern kann. Der studentische Mitarbeiter
des Professors sieht den beiden ebenfalls ähnlich, nur ist er
weitere zwanzig Jahre jünger und redet etwas hektischer.
Die Brille ist die gleiche. Optisch ähneln sie einander wie
ein Ei dem anderen, sie sind wie akademische Matrjoschka-
Puppen.

In Philosophie erscheint mir das Ungleichgewicht zwischen
männlichen und weiblichen Studierenden wesentlich größer
als in den Sozialwissenschaften, aber es ist auch kein Wunder: Zu Beginn meines Studiums sind alle Lehrstühle am
Institut für Philosophie von Männern besetzt, außer eine
Juniorprofessur. Man weiß inzwischen, dass Frauen in den
Fachbereichen unterrepräsentiert sind, in denen es scheint,
als brauche man natürliches Genie dafür.[82] Philosophie ist
definitiv eines dieser Fächer. Man weiß auch, dass Studentinnen häufiger das Wort ergreifen, wenn ein Kurs von einer
Frau geleitet wird.[83]

Ich merke, dass ich anfangen muss zu reden, und es geht besser, je weniger ich mich beeindrucken lasse. Nach fünf oder
sechs weiteren Bewerbungen bekomme ich eine Stelle als
Tutorin und später eine als Hilfskraft.

Frauen unterschätzen sich und werden unterschätzt, immer
noch. Es gibt eine Studie, die besagt, dass sogar Stürme mit
Frauennamen unterschätzt werden: Hurrikane mit Frauennamen töten mehr Menschen als solche mit Männernamen,
weil Leute sich vor ihnen seltener in Sicherheit bringen.[84]

Auch die größten Schriftstellerinnen sind davor nicht sicher: Von Agatha Christie und Alice Munro ist bekannt, dass sie sich selbst sehr lange nicht als Schriftstellerinnen bezeichnet haben. Agatha Christie schrieb noch nach ihrem zehnten Buch in Formulare, die nach ihrem Beruf fragten: Hausfrau. Wenn Journalisten sie am Schreibtisch fotografieren wollten, musste sie immer wieder sagen, dass sie gar keinen hatte. Sie schrieb am Esstisch oder am Waschtisch. Und Alice Munro traute sich nicht, vorbeikommende Nachbarn oder Bekannte wegzuschicken, wenn sie gerade arbeitete, weil sie es nicht wagte zu sagen, dass sie schrieb.[85]

Was habe ich in der Schule gelernt über Frauen, die etwas bewegen? Nichts. Oder jedenfalls so gut wie nichts. Mir fällt kein Roman von einer Frau ein, den wir gelesen haben, und ich hätte keine zehn Frauen aufzählen können, die politisch, wissenschaftlich oder kulturell irgendwas Relevantes getan haben.[86] Wahrscheinlich hätte ich damals gesagt: Mutter Theresa, Astrid Lindgren, Rosa Parks, Marie Curie, Jeanne d'Arc, wobei alles, was ich über Jeanne d'Arc weiß, aus dem Film *Jeanne d'Arc – Die Frau des Jahrtausends* kommt, der irgendwann Ende der Neunziger auf RTL lief.*

Wir sind gewöhnt an eine Welt, in der Männer Kultur erschaffen und dazu von Frauen inspiriert und gestützt werden. Sigmund Freuds Frau hat ihm jeden Morgen die Zahnpasta auf die Zahnbürste getan. Gustav Mahler verlangte von seiner Frau, mit dem Komponieren aufzuhören, damit es nur einen Komponisten in der Familie gebe. Zum Arbeiten zog er sich in sein Häuschen im Wald zurück. Da er dort vor der Arbeit niemanden sehen wollte, musste die Köchin einen steilen Pfad hochklettern, um ihm sein Frühstück zu bringen.

---

* Ich dachte lange, es heißt nicht «Räuber und Gendarm», sondern «Räuber und Jeanne d'Arc», weil mutige Frauen ja sicher Räuber jagen.

Später ging er im See schwimmen und pfiff von dort nach seiner Frau, um Gesellschaft zu haben.[87] Was gäbe ich dafür, einen halben Tag das Selbstbewusstsein von Gustav Mahler zu haben, einfach um zu wissen, wie sich das anfühlt.

Die Autorin Rebecca Solnit erzählt in ihrem Essay *Wenn Männer mir die Welt erklären*, wie sie auf einer Party gerade gehen wollte und dann doch noch, gemeinsam mit einer Freundin, vom Gastgeber in ein Gespräch verwickelt wurde. Er hatte gehört, dass Solnit Bücher schreibt, und sie hatte kaum erwähnt, dass ihr letztes Buch vom Fotografen Eadweard Muybridge handelte, da begann er, ihr zu erklären, dass in diesem Jahr ein äußerst wichtiges Buch zu Muybridge erschienen sei, und er redete und redete von diesem Buch in der selbstgefälligen Gewissheit von jemandem, der verdammt gut Bescheid weiß und sein Wissen mit den Bedürftigen teilt. Solnits Freundin versuchte ihn drei- oder viermal zu unterbrechen, indem sie sagte: «Das ist ihr Buch», bis er verstand: Er, der das Buch gar nicht gelesen hatte, sondern nur die Besprechung aus der *New York Times Book Review* kannte, hatte versucht, der Autorin ihr eigenes Buch zu erklären.[88]

Kurz nach der Veröffentlichung von Solnits Essay im Jahr 2008 entstand der englische Begriff «mansplaining» als Bezeichnung für dieses Phänomen: Männer, die gar nicht so viel Ahnung von etwas haben, erklären Frauen, die es nicht nötig hätten, ungefragt Dinge. Der Begriff stammt nicht von Solnit selbst, und sie steht ihm ambivalent gegenüber, denn es geht gar nicht darum, dass Männer nichts erklären sollen – so wird er oft missverstanden –, sondern darum, dass es eine bestimmte Form des selbstbewussten bis hochmütigen Schwadronierens gibt, die eher bei Männern vorkommt. Dem gegenüber steht eine Haltung von Selbstzweifel und Selbstbeschränkung, die Frauen oft dazu bringt, nur zuzuhören und zu nicken. Im Gespräch mit dem Gastgeber der Party dachte Solnit im ersten Moment, es könne tatsächlich ein Buch über Muybridge erschienen sein, von dem sie nichts wusste.

Es ist so ein schönes Gefühl, eine Sache erklärt zu bekommen, aber es gibt ein paar Grundvoraussetzungen: Man selbst muss sich dafür interessieren und gerade Zeit und Lust haben, sich das anzuhören, und die andere Person muss wirklich mehr Informationen oder Erfahrung haben.

Ungefähr zur selben Zeit, als ich anfange, an der Uni zu arbeiten, höre ich abends zum Einschlafen *Schöne neue Welt* von Aldous Huxley. Es ist dieses Bild von zufriedenen, dummen Unterdrückten, das nachhaltig etwas bei mir verändert. Vorher hatte ich gedacht, man würde schon merken, wenn man in einer Unterdrückungssituation ist – aber ich weiß auch: Man bemerkt Gefahr oft zu spät. Ich höre den Roman über diese elenden Figuren, denen Willensfreiheit, Autonomie und Leidenschaft weggezüchtet wurden, und denke mir: Nicht mit mir.

Huxley selbst hätte sich vielleicht totgelacht, wenn er nicht schon tot gewesen wäre, denn ich höre den Roman in einer gekürzten Hörspielfassung im Bett liegend, immer wieder, bestimmt zwanzigmal, und mache damit ziemlich genau das, was bei Huxley «Hypnopädie» heißt und dazu da ist, die Leute zu indoktrinieren, außerdem nehme ich damals ein paar Jahre lang Antidepressiva – wie die Leute in der schönen neuen Welt ihr «Soma».

Ich nehme mir jedenfalls vor, keine bekloppte Unterdrückte zu werden, die so tut, als sei alles in Ordnung.

Dass Frauen mit dem Eintritt ins Berufsleben merken, dass sie nicht die gleichen Chancen haben wie ihre männlichen Kollegen, ist typisch. Das liegt auch daran, dass sie, je höher sie auf der Karriereleiter kommen, weniger andere Frauen um sich herum sehen: Während unter den Studierenden 48 Prozent Frauen sind, sind es unter den Habilitierenden 28 Prozent und unter den C4-Professor*innen nur 11 Prozent. 51 Prozent der Menschen in Deutschland sind Frauen, aber nur 9 Prozent der Bürgermeister*innen, 18 Prozent der Aufsichtsräte der 200 größten Unternehmen, aber 99 Prozent der Sprechstundenhilfen.[89]

Offenbar ist es noch ein bisschen hin bis zur Gleichberechtigung. In Zahlen: Noch über 100 Jahre. Wir wissen aus dem «Global Gender Gap Report 2015», dass es – wenn alles so weitergeht – bis ungefähr 2133 dauern wird, bis Männer und Frauen in der Arbeitswelt gleichgestellt sind.[90]

Vielleicht könnten wir einfach *warten*, bis in den Führungspositionen großer Unternehmen oder im öffentlichen Dienst Männer und Frauen gleich gut an Jobs kommen und Frauen gleich viel verdienen. Es dauert dann nur eben noch so lange, bis wir alle schon tot sind.

Mir persönlich ist das erstens zu langsam und zweitens zu blöd, um es schönzureden. Dass wir das Wort «Karrierefrau» noch verwenden, wenn Frauen etwas auf die Reihe kriegen, zeigt, dass es noch keine Normalität ist. Niemand würde einen erfolgreichen Mann als «Karrieremann» bezeichnen oder als «Powermann».

Und doch – es ist unmöglich, über die Situation «der Frau» in unserer Gesellschaft zu sprechen und Probleme aufzuzeigen, ohne dass jemand auf eine Frau zeigt und sagt: Aber *diese* Frau hat *dieses* Problem nicht! Das ist unser Glück: dass wir mitten im Fortschritt sind. Aber es ist auch unsere Herausforderung: strukturelle Probleme trotzdem zu sehen.

«Es hieß, die Geschlechterbefreiung würde wie der Wohlstand nach unten ‹durchsickern›», schreibt Laurie Penny. «Das ist natürlich völliger Blödsinn. Feminismus sickert wie Wohlstand nicht nach unten durch, und während sich eine kleine Zahl extrem privilegierter Frauen Gedanken über die gläserne Decke macht, füllt sich der Keller mit Wasser.»[91] Ja, wir haben eine kinderlose Frau als Kanzlerin, wir hatten einen schwulen Außenminister, wir haben eine lesbische Umweltministerin und es gibt eine Frauenquote (für die Aufsichtsräte von DAX-Konzernen). In den oberen Etagen gibt es Vertreter*innen von Gruppen, die früher nicht so weit gekommen wären. Für alles, was unten schiefläuft, kann man nach oben zeigen und sagen: Seht, da läuft es doch![92] Doch auch hier hängt die Freiheit «oben» mit der Freiheit «unten» zusammen, diesmal als Klassenfrage: Es gibt keine Gleichberechtigung, solange es ein paar erfolgreiche Frauen in Spitzenpositionen gibt und gleichzeitig Tausende, die noch nicht mal wissen, was ein DAX-Vorstand ist, geschweige denn, wie man da reinkäme, wenn nicht als Putzfrau, Prostituierte oder Einbrecherin.

Es reicht nicht, wenn «Frauen in homöopathischen Dosen», wie Anke Domscheit-Berg schreibt, auf Spitzenpositionen verteilt sind.[93] Denn erfolgreiche Frauen können Vorbotinnen einer grundlegenden Transformation sein, aber sie sind nicht zwingend der Beleg für ihren Abschluss. Feminismus ist kein Businessprojekt, in dem es darum geht, ein paar vorzeigbare Frauen nach vorne zu schubsen und zu sagen: So geht das, Mädels, und jetzt lauft allein.

Selbst Sheryl Sandberg, die in ihrem Buch *Lean In* von 2013 Frauen ermutigte, sich einfach mehr in den Job reinzuhängen, mehr zu verlangen und keine Ausreden zuzulassen, merkt nach dem Tod ihres Mannes, dass es nicht so einfach ist, wenn man Kinder hat und keinen unterstützenden Partner. Zum Muttertag 2016 schrieb sie auf Facebook, sie habe die Probleme alleinerziehender Eltern unterschätzt, als ihr Mann noch lebte.[94]

Das klingt alles bitter, aber wir können gegen all die Widrigkeiten nur vorgehen, wenn wir die Fakten kennen und uns nichts vormachen lassen.

Denn dass so getan wird, als sei alles in Ordnung und Frauen längst mächtiger als Männer, ist nicht neu: Bereits vor fast fünfzig Jahren gab es diese augenzwinkernden Hinweise darauf, die *wahre* Macht liege doch ohnehin bei den Frauen, die Männer um den Finger wickeln könnten, wie immer es ihnen beliebe, oder die im Hintergrund alle Fäden in der Hand halten würden. In der deutschen Ausgabe von Betty Friedans *Der Weiblichkeitswahn oder die Selbstbefreiung der Frau* von 1970 findet sich eine Anzeige für Wertpapiere mit einer Frau, die haufenweise Geld in ihrem Rock gesammelt hat, dazu der Text: «Das meiste Geld geht durch die Hände der Frauen. In sieben von zehn bundesdeutschen Haushalten verwaltet die Frau das gesamte Familieneinkommen; der Mann behält höchstens ein Taschengeld für sich.» – Dazu ein Lob auf die sparsame Hausfrau, «nach wie vor das Idol des deutschen Mannes». Die Frau, die dem Mann «höchstens ein Taschengeld» gibt – niedlicher Quark zu einer Zeit, da Frauen zwar immerhin schon ein eigenes Konto eröffnen durften, ohne dass ihr Mann es erlaubte. Sie durften aber bis 1977 nicht arbeiten gehen, wenn der Mann fand, dass dies nicht «mit ihren Pflichten in Ehe und Familie vereinbar» sei.

Es gibt mindestens drei Bereiche, in denen es immer noch große Missverständnisse gibt, was Gleichstellung im Beruf betrifft.

Erstens: Lohnungerechtigkeit

2015 verdienten Frauen in Deutschland rund 21 Prozent weniger als Männer. Ein Teil des Unterschieds lässt sich dadurch erklären, dass Frauen öfter schlecht bezahlte Berufe wählen als Männer, dass sie seltener in Führungspositionen arbeiten und häufiger in Teilzeit oder in geringfügigen Beschäftigungen. Dann ist die Lücke nur noch knapp 7 Prozent, und man nennt sie eine «bereinigte» Lohnlücke.[95]

Dieser Unterschied zwischen den 21 und den 7 Prozent wird gern angeführt, um zu erklären, dass alles nicht so schlimm sei, kein staatliches Eingreifen durch Quoten nötig sei und sich alles allein regeln werde. Aber erstens sind es immer noch 7 Prozent Unterschied, und zweitens hilft es nicht, die Faktoren auszublenden, derentwegen Frauen schlechter bezahlte Jobs haben. Wenn Frauen sich seltener Führungspositionen zutrauen als Männer, wenn Frauen durch längere Elternzeiten weniger berufliche Erfolge haben, dann sind das Probleme, denen wir uns stellen müssen.

Zweitens: Berufswahl

Es reicht nicht, wenn Frauen einfach «Männerberufe» anfangen: Dann entwickeln sich die Löhne in diesem Bereich schlechter. Frauen bringen ihren Nachteil sozusagen mit, selbst wenn sie versuchen, ihm zu entkommen.[96] Als Frauen begannen, in Gärten und Grünanlagen zu arbeiten oder Designerinnen zu sein, sanken die Löhne in diesen Bereichen, während das Programmieren, das mal eine typisch weibliche Beschäftigung war, mit der Zeit von Männern übernommen und besser bezahlt wurde.[97]

Drittens: Quote

Frauen bekommen durch eine Frauenquote nicht einfach Stellen «wegen ihres Geschlechts». Erst recht nicht, wenn es ein entsprechendes Gesetz gibt, das beinhaltet, dass Unternehmen ihre Quote selbst festlegen: 2016 haben sich mehrere Großkonzerne, darunter Porsche, Commerzbank, Eon, Thyssen-Krupp einfach mal die Zielgröße «null» für ihre Vorstände gesetzt – bis 2022. Kann man nichts falsch machen. Am Ende werden sie, falls sich da doch eine Frau einfindet, sagen können, sie hätten sich selbst übertroffen.[98]

Die Quote wird oft abgelehnt mit der Begründung, es sei

asozial und unmodern, wenn Menschen nur nach ihrem Geschlecht beurteilt werden und nicht nach ihrer Qualifikation. Aber genau das ist ein Argument *für* Quotenregelungen, denn sie alle beinhalten, dass *bei gleicher Qualifikation* der Bewerberinnen und Bewerber die Stellen solange mit Frauen besetzt werden, bis die Quote erreicht ist. Die Quote sorgt nicht dafür, dass wehrlose Hausfrauen von bewaffneten Quotenkommandos vom Herd weg direkt in die Führungsetagen gezerrt werden, sich kaum noch die Schürze ausziehen können, egal, Blazer drüber und zack, erste Teambesprechung, Kaffee, Pressekonferenz, zack, zack – sondern sie besagt, dass Männer kein Vorrecht mehr auf Jobs haben, die Frauen auch machen können.

Ungerechtigkeit entsteht nicht zuletzt oft, weil Frauen auch *aus Liebe* arbeiten, mehr als Männer: Die meiste Care-Arbeit wird von Frauen verrichtet, weil davon ausgegangen wird, dass sie das dank ihres liebenden Wesens sowieso und gern tun. Doch solange wir denken, dass Frauen von Natur aus dazu neigen, sich um andere zu kümmern, werden sie weniger Geld dafür kriegen, denn fürs Atmen wird man auch nicht bezahlt.

Überhaupt, die Natur. Die Natur ist immer ein willkommenes Argument, um Ungleichheit zu begründen.

Hedwig Dohm stellte bereits 1902 fest:

> «Wenn die Antifeministen der Frau die Fähigkeit für höhere kulturelle Leistungen absprechen, so berufen sie sich dabei einmütig auf die Natur des Weibes. [...] Jeder Sekundaner weiß heutzutage, daß nach dem Gesetz der Anpassung durch [...] andauernde Ausübung bestimmter Tätigkeiten auch diesen Tätigkeiten entsprechende Eigenschaften erworben werden, während nicht geübte Fähigkeiten rudimentär werden.»[99]

Das Problem ist, dass wir nicht wissen, wie der Mensch als *natürliches* Wesen wäre, denn er ist es qua Definition nicht: Der Mensch ist das Tier, das Kultur hat und in absehbarer Zeit auch nicht mehr darauf verzichten wird.

Die meisten Tiere essen ungewaschenes Zeug vom Boden, sie vollziehen ihren Stuhlgang im Wald und haben danach Kacke im Fell hängen. Sie lecken nach der Geburt ihr Junges ab und schlabbern dann die Plazenta weg. Das ist alles natürlich, aber wir wollen es trotzdem nicht. Wir wollen unnatürliche Dinge. Es ist unnatürlich, Kaffee zu trinken, statt zu schlafen, es ist unnatürlich, eine Brille zu tragen oder Zahnimplantate zu haben, es ist unnatürlich, Krebs zu behandeln, Bilder zu malen, ein Konto zu haben, einen Ehering zu tragen, Mails zu schreiben oder Nietzsche zu lesen – das gesamte Menschsein ist unnatürlich, sogar über den Tod hinaus, denn wir bestatten unsere Verstorbenen statt sie aufessen zu lassen.

Natur als Begründung für Ungleichheit klingt oft erst mal wie ein gutes Argument: etwas Handfestes. Man beruft sich entweder auf Vergleiche und Versuche mit Tieren (die können ja keine Ideologie haben) oder auf die Vergangenheit und Evolution (oder was wir meinen, darüber zu wissen) oder direkt auf Unterschiede im Gehirn.

Dabei wissen wir, dass die Natur auch schon in ziemlich vielen Fällen für Erklärungen herhalten musste, die sich offensichtlich erledigt haben: Als man Masturbation noch schlimm fand, erklärte man, sie lasse die Hände abfaulen. Als Frauen studieren wollten, hieß es, ihr Rückenmark sei zu kurz, deswegen könnten sie nicht ordentlich denken.[100]

Trotzdem wird Natur verwendet, um bestehende Unterschiede zu begründen und andere Lebensmodelle abzuwehren: Homosexualität sei unnatürlich, heterosexuelle Monogamie dagegen das natürliche Beziehungsmodell. Aber wenn man sich unbedingt an der Natur orientieren möchte, bitte sehr: Homosexuelles Verhalten hat man bisher bei über tausend Tierarten beobachtet; es gibt im Tierreich sämtliche denkbaren Spielarten von Sexualität und Beziehungsverhalten. Schwäne sind einander ein Leben lang treu, Biber auch. Ein Fünftel der Gibbons lebt in Dreierbeziehungen mit zwei Männchen und einem Weibchen. Albatrosse führen Fernbeziehungen, Blaumeisen sind seriell monogam über eine Saison, wobei die Weibchen allerdings insgeheim fremdgehen. Bei Bienenmännchen reißt der Unterleib beim Sex ab, bei der Gottesanbeterin wird der Kopf des Männchens vom Weibchen manchmal abgebissen, manchmal nicht.[101] Bei den Seepferdchen werden die Jungen vom Männchen geboren. Es gibt Tierarten, wo die Eltern regelmäßig ihre Jungen fressen. Welche Beispiele sprechen für *unsere Natur*?

Selbst unsere nächsten Verwandten, die Bonobos, haben alle quer durcheinander Sex, unabhängig von Geschlecht, Alter und Rangordnung. «Also, ich will kein Bonobo werden, das wär mir zu monoton», singt Funny van Dannen, «wir sollten versuchen, Menschen zu werden, denn Affen sind wir ja schon.»

Gerne wird auch die Steinzeit als Argument für die uns eigene Natur angeführt. Der Philosoph Peter Sloterdijk ist sich nicht zu schade, in der Rolle der Frau das direkte Erbe der Urzeit zu erkennen: «In der Konsumentin zeigt sich noch immer diese stille, triumphale Genugtuung der Sammlerin, die in ihrem Korb etwas heimbringt.» Deswegen hätten Frauen auch Handtaschen: «Ein Mann ohne Speer oder ohne Ball, das geht ja noch, aber eine Frau ohne Handtasche, das ist wider die Natur.»[102] Dass Frauen auch deswegen Handtaschen tragen, weil an Frauenhosen und -kleidern oft keine Taschen dran sind, kommt ihm nicht in den Sinn.

Auch die Farbeinteilung «blau für Jungs, rosa für Mädchen» wird für natürlich erklärt mit dem Verweis darauf, dass Frauen in der Steinzeit rote Beeren sammelten und Männer unter blauem Himmel jagen gingen. Allerdings war die Farbzuweisung auch einmal andersrum: Jungs trugen Rosa, weil es das kleine Rot der Könige war, und Mädchen Hellblau wie die Gottesmutter Maria.[103] Und unser Bild von der Steinzeit hat sich inzwischen auch gewandelt: So schwer es ist, sichere Erkenntnisse über das damalige Sozialleben zu erhalten, so gibt es doch klare Hinweise darauf, dass sowohl Männer als auch Frauen in der Steinzeit an Klein- und Großwildjagden teilnahmen und Werkzeug und Kunst herstellten.[104]

Der gesamte Ruhm von Sokrates basiert darauf, dass er die richtigen Fragen gestellt hat und sein Nichtwissen zugab. Warum geben wir nicht zu, dass wir noch nicht wissen, welche Verhaltensweisen angeboren sind? Wir haben keine menschliche Vergleichsgruppe, die ohne das kulturelle «Oberrum» aufgewachsen wäre. In dem Moment, wo wir uns klarmachen, was wir noch nicht wissen, wissen wir mehr als vorher: Wir sehen die Leerstellen.

Natürlich versucht die Forschung, die Lücken zu schließen, aber wozu brauchen wir solche vermeintlichen Sicherheiten im Alltag? Wir sagen, guck, die Mädchen *wollen* Glitzerkram und Ponys, und sie wollen es *alle*, die ganze Schulklasse und die darüber und darunter auch. – Ja, aber Mädchen auf dem Dorf *wollen* auch Frösche köpfen und als Mutprobe Marienkäfer essen, wenn die anderen das auch machen. Wir schrauben ihr Spektrum an Möglichkeiten immer kleiner, je sicherer wir uns wähnen, was alles in ihrer Natur liegt.

Wenn ein System oder eine Hierarchie erst mal etabliert ist, gibt es tausend Möglichkeiten, sie zu rechtfertigen: Da der Ist-Zustand irgendwie geworden ist, findet man für ihn auch immer Begründungen. Sich auf die Steinzeit zu stützen – oder das, was man aus den *Flintstones* über sie weiß – ist praktisch, denn die Vergangenheit hat ja offensichtlich schon mal funktioniert. Als die Vergangenheit war, ist die Welt nicht untergangen. Bei der Zukunft weiß man das noch nicht.

Wie kann die Zukunft aussehen?

Viele Feminist∗innen setzen sich heute nicht mehr nur für Geschlechtergerechtigkeit ein, sondern auch gegen andere Diskriminierungsformen. Die Juristin Kimberlé Crenshaw hat dazu den Begriff der Intersektionalität geprägt: die Überschneidung verschiedener Diskriminierungsformen. Race, Class, Gender ist die bekannteste Trias, aber auch weitere Aspekte wie Alter oder Bildung können dabei eine Rolle spielen.[105] Sie alle wirken sich darauf aus, welche Macht- und Ausschlussmechanismen uns begegnen. Intersektionaler Feminismus bedeutet in Kurzform, dass Feminismus nicht nur für weiße Mittelschichtsfrauen ohne Behinderung da ist, die dadurch einen noch geileren Job kriegen als vorher und sich dann eine türkische Putzfrau leisten können. Denn wer putzt für die Putzfrau?

Wenn wir die Sache mit der Intersektionalität ernst meinen, steht am Ende die Abschaffung von Herrschaft: Anarchie.

Die Idee des Anarchismus kann uns helfen, besser zu verstehen, wo es hingehen sollte mit der Freiheit, für die Feminist∗innen kämpfen. Es mag zwar erst mal widersprüchlich wirken, einen unklaren, klischeebelasteten Begriff durch einen weiteren zu ergänzen, aber tatsächlich verstehen wir beide besser, wenn wir sie zusammendenken.

Obwohl das Anarchiezeichen wohl eines der in den vergangenen Jahrzehnten am häufigsten an Wände gesprayten oder in Tische geritzten politischen Zeichen ist, ist der Begriff des Anarchismus von einem Haufen Mythen umgeben.

Auf der einen Seite gibt es Leute, die Anarchie zwar irgendwie sexy finden, aber zugleich auch für eine ziemlich utopische Idee halten, zu der man sich hingezogen fühlen kann, solange man Punk oder Ton Steine Scherben hört, aber irgendwann wächst es sich aus. «Mir tut jeder leid, der nicht mit zwanzig Anarchist war», hat Georges Clemenceau gesagt.

Auf der anderen Seite gibt es diejenigen, für die Anarchie und Apokalypse Synonyme sind: Anarchie ist für sie ein Zustand, in den alles versinkt, sobald die öffentliche Ordnung nicht mehr aufrechterhalten werden kann; ein Rückfall in vorzivilisatorische Zustände, Willkür und Gewalt.

Beide Seiten stimmen darin überein, dass Anarchie etwas Destruktives und Chaotisches ist. Entgegen dieser Vorstellung geht es im Anarchismus sehr wohl um Ordnung, allerdings eine Ordnung, die nicht auf Herrschaft, Ausbeutung, Konkurrenz und Egoismus basiert, sondern auf Gleichberechtigung, Vereinbarungen, Hilfe und Solidarität. Ziel ist die «Freiheit jedes Einzelnen durch die allgemeine Freiheit», wie Erich Mühsam geschrieben hat.[106]

Während anarchistische Theoretiker*innen eine relativ klare Vorstellung von der Gesellschaftsform haben, auf die sie hinarbeiten, ist das im Feminismus nicht immer klar und auch nicht einheitlich. Es kann leicht passieren, dass man sich als Feminist*in damit verzettelt aufzuzählen, was alles noch wegmuss, und dann vergisst zu sagen – oder sich zu überlegen –, was das Ziel ist. Man weiß dann, *wogegen* man kämpft, aber nicht, *wofür*. Zwar sind feministische Ansichten mit verschiedenen anderen politischen Einstellungen kompatibel – es gibt auch neoliberale, konservative, kapitalistische Feminist*innen und so weiter –, aber wo wir die Sache mit der Intersektionalität schon mal angefangen haben, können wir sie auch zu Ende bringen.

Längst nicht alle Feminist*innen sind zugleich Anarchist*innen – und umgekehrt auch nicht –, aber ihre Geschichte ist seit jeher eng verbunden:

Mary Wollstonecraft, die 1792 die *Verteidigung der Rechte der Frau* schrieb, steht in dieser Tradition, genau wie Louise Michel, die 1871 am Aufstand der Pariser Kommune beteiligt war, oder Emma Goldman, deren Essaysammlung *Anarchism & other Essays* 1910 erschien. Ebenso Erich Mühsam, der 1913 erklärte, die Frauenbewegung seiner Zeit sei ihm nicht radikal genug: «Was ich indessen aufs Ernsteste gegen die ganze Frauenbewegung, wie sie heutzutage geführt wird, [...] einzuwenden habe, ist der Mangel an Radikalismus in ihren Zielen und Absichten.»[107]

Anarchist∗innen haben dabei mit Feminist∗innen gemeinsam, dass sie sich bezüglich der vermeintlichen menschlichen Natur nicht veralbern lassen wollen.

Emma Goldman schrieb 1910:

> «Arme menschliche Natur, welch schreckliche Verbrechen sind in deinem Namen begangen worden! Jeder Narr, vom König bis zum Polizisten, vom engstirnigen Pfaffen bis zum kurzsichtigen Pseudowissenschaftler, nimmt sich heraus, gebieterisch von der menschlichen Natur zu sprechen. [...] Doch wie kann man heutzutage darüber sprechen, da sich jede Seele gefangen findet, jedes Herz gefesselt, verletzt und verkrüppelt ist.»[108]

Weil ihre Forderungen so bedrohlich waren, wurden sowohl Anarchist∗innen als auch Feminist∗innen gelegentlich als hässliche Hexen dargestellt. Sogar in einem wissenschaftlichen Standardwerk des 19. Jahrhunderts wurden Anarchisten definiert als «Idioten oder angeborene Verbrecher, die noch dazu allgemein humpeln, behindert sind oder asymmetrische Gesichtszüge tragen»[109].

Davon sollte man sich nicht irritieren lassen, denn sowohl Anarchist*innen als auch Feminist*innen kämpfen für eine Gesellschaft, in der humpelnde Menschen mit asymmetrischen Gesichtszügen genauso frei sind wie alle anderen.

Love is not the answer
to everything

SOPHIE HUNGER

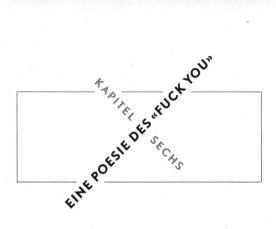

KAPITEL SECHS

EINE POESIE DES «FUCK YOU»

Kurt Tucholsky hat mal geschrieben, «eigentlich» sei gar kein Wort, «eigentlich» sei eine Lebensauffassung: Die Leute leben ihr Leben und gehen ihren Aufgaben nach, aber «eigentlich» sind sie ganz anders – ein Dichter, eine Königin, viel schlauer als der Chef. Sie kommen nur nicht dazu, vor lauter normalem, langweiligem, unterdrücktem Leben, «bis sie eines Tages einsehen, dass dieses Provisorium alles war, und dass nichts mehr danach kommt ...» – und dass es im Übrigen keine gute Sache sein kann, «die Realität zu ignorieren».[110] Tucholsky schrieb den Text 1928.

Es kann sehr verführerisch sein, die Realität zu ignorieren, wenn sie nervt und hässlich ist und uns fertigmacht, aber auf Dauer geht das nicht gut aus.

Wir alle haben Momente, in denen wir stark sind, und solche, in denen wir schwach sind. In den schwachen Momenten neigen wir dazu, unsere Haltung hinter einen Satz zu schieben, der mit «eigentlich» anfängt, und dabei zu vergessen, was unsere Handlungsmöglichkeiten wären, das heißt: was unsere Freiheit ist. Für diese Momente hilft es, eine Poesie des «Fuck you» zu entwickeln und in sich zu tragen wie ein Mantra.[111]

Das klingt ein bisschen esoterisch, ist aber ziemlich pragmatisch und im Übrigen weit verbreitet. Jeder Staat, jeder Fußballverein macht genau das, wenn er bei festlichen Anlässen seine Hymne spielen lässt: Er wiederholt ein Mantra, um sich zu stärken und Zusammenhalt zu beschwören. Sich selbst beieinanderzuhalten kann auch einem einzelnen Menschen nicht schaden, wenn die Dinge ungerecht laufen oder Leute versuchen, einen auseinanderzunehmen. Es geht dabei nicht darum, sich gegen Kritik zu immunisieren, sondern darum, die eigene Handlungsfähigkeit zu erhalten und sich daran zu erinnern, wofür man steht. Nur dann kann man überhaupt vernünftig diskutieren, weil man sich nicht an Verletzungen und Kränkungen abarbeitet, sondern Argumente vertritt.

Wenn wir als Feminist*innen oder Anarchist*innen schon als Hexen verschrien werden, können wir uns auch wehren, indem wir uns selbst magische Formeln zurechtlegen, die uns stärker machen und uns helfen, für unsere Ziele zu kämpfen. «And clenching your fist for the ones like us who are oppressed by the figures of beauty, you fixed yourself, you said, ‹Well never mind, we are ugly but we have the music.»»[*]

Ein Großteil feministischen Handelns besteht darin, sich nicht verarschen zu lassen, und zum Verarschen gehören auch Ablenkung, Beschimpfung und die Verbreitung von Mythen, Vorurteilen und Klischees. Sie zu kennen und zu kategorisieren hilft, um besser auf sie reagieren zu können. Es sind sowieso immer die gleichen.

Es gibt konstruktive Kritik, und es gibt «Fuck-you»-Anwärter*innen. Letztere erkennt man daran, dass sie uns zeigen wollen, in welche Ecke wir gehören: Sie wollen unsere Selbstbestimmung eintauschen gegen Fremdbestimmung, unsere

[*] Leonard Cohen, Chelsea Hotel #2. Die Frau mit der Faust ist Janis Joplin.

Freiheit einschränken, uns zum Objekt und zum Mittel von etwas machen, das anderen Zwecken dienen soll, und sei es der Dekoration. Immer ist die Botschaft: Ich will bestimmen, wie du zu leben hast und welche deiner Worte gehört werden sollen. Das kann sich im Kleinen und im Großen zeigen, und es kann dementsprechend kleine und große «Fuck yous» geben, sanfte und harte, laute und leise, ein «nö» oder ein «Alter, bitte komm klar» oder ein «Never ever lasse ich das durchgehen».

Das ist nicht immer einfach, denn wir wollen geliebt werden. Wenn wir Frauen sind, haben wir eventuell sogar gelernt, dass darin unsere Bestimmung liegt. Aber wir haben sowieso schon verloren, wenn wir denken, wir könnten es allen recht machen. Niemand kann das. Selbst die Leute, die im Disneyland als Winnie Puh rumlaufen, werden von manchen Kindern gefürchtet und von deren Eltern nervig gefunden. Wir müssen uns entscheiden, auf wessen Anerkennung es uns ankommt. Wenn die Dinge, die wir für Anerkennung von anderen tun, uns einschränken, dann sollten wir sie ersetzen durch Dinge, die wir aus Liebe zu uns selbst tun. Es bringt mehr Fun und ist ehrlicher und aussichtsreicher.

Wenn jemand mich beleidigt, belästigt oder volllabert, dann kann ich schweigen und lächeln und drüberstehen, das kann ein schützender Reflex sein. Aber ich sollte nicht dabei lächeln. Mein Lächeln ist schön, es belohnt den, der es sieht, er schüttet Endorphine dabei aus, und die gönne ich ihm nicht, kein einziges verfucktes Endorphin. Ich muss ihn nicht gleich anspringen und ihm ein Stück aus der Schulter beißen, aber ich kann auch meinem persönlichen «Fuck you» huldigen und zurück beleidigen, denn beleidigen kann ich inzwischen sehr gut, und Kompetenz ist Kompetenz.

Man muss nicht «Fuck you» sagen, auch wenn es eines der allereinfachsten poetischen »Fuck yous» ist, einen Ohrwurm von Lily Allen zu haben.* Es kann viel edler sein: «Lieber noch mit dornzerkratzten Händen / als mit manikürter Seele enden!», schreibt Mascha Kaléko. [112]

Es mag diese unangenehmen Situationen geben, in denen es das Einfachste ist, nichts zu sagen. Ich mache das selbst auch oft genug. Wir alle müssen unsere Kraft einteilen, aber auf Dauer bringt weglächeln nichts. Mir ist kein einziger Fall in der Weltgeschichte bekannt, in dem ein schweigendes Lächeln eine Ungerechtigkeit abgeschafft hätte.

Eine Haltung zu haben bedeutet auch, dass man nicht «eigentlich» für etwas ist, sondern wirklich. Dass man seine Werte im Konfliktfall verteidigt und nicht ausblendet. Das heißt nicht, dass man den ganzen Tag mit Leuten streiten muss, denn das hält keine Sau aus, und man stirbt dann an einem Magengeschwür, bevor die Revolution fertig ist. Genau wie Wissen ist Gesundheit eine Ressource, die man braucht, um im Leben klar- und weiterzukommen, egal was für große Ziele man hat.

Dass wir mit den Zielen, die wir haben, übertreiben, werden wir weiterhin hören.

Wir hören dann entweder, dass wir uns unrealistisch viel vorgenommen haben und es ein solches Maß an Freiheit nie geben wird. Fuck it, geschenkt. Niemand weiß, was in zehn oder hundert Jahren sein wird. Alle politischen Kämpfe wirken unrealistisch, wenn man keine Phantasie hat.

Oder wir hören, es sei vielleicht ein bisschen übertrieben, für Gleichberechtigung zu kämpfen, im 21. Jahrhundert, in Europa, denn so schlimm ist es hier ja wohl auch nicht. «Wozu braucht man heute überhaupt noch Feminismus?» ist eine sehr schlichte, naheliegende Frage, die Feminist•innen oft gestellt wird, und ich beantworte sie gern ausführlich. Aber

---

* «Fuck you / Fuck you very, very much»

wenn die Frage so gemeint ist, dass doch eigentlich längst alles okay ist, dann lässt sie sich am besten mit einer Gegenfrage beantworten: Wenn du glaubst, dass wir keinen Feminismus mehr brauchen, heißt das, du glaubst, *das hier* ist der Endzustand? Der Rest ist irgendwie natürlich, und göttlicher Wille bedingt die sieben Prozent Lohnunterschied, weil sieben eine heilige Zahl ist? Ist es denkbar und wünschenswert, dass die Art, wie wir heute leben, das abschließende Ergebnis aller Kämpfe und Diskussionen um Gleichberechtigung ist? Ich glaube nicht. Ich will nicht, dass Olympe de Gouges ihren Kopf dafür hergeben musste, dass wir uns heute umschauen und sagen: Mehr geht nicht. Wir würden damit alle verarschen, die uns hierhergebracht haben, und ich verarsche nicht gern Menschen, die etwas für mich getan haben.

Es kann auch sein, dass die Frage, «Wozu noch Feminismus?», nicht suggerieren soll, dass der jetzige Zustand das Paradies der Gleichheit ist, sondern dass sich das bisschen Ungleichheit mit der Zeit geben wird. Aber auch das glaube ich nicht. Was ist das für ein Bild von Geschichte, in dem Ungerechtigkeiten *von allein* weggehen? Das wird nicht passieren, solange nicht ein Virus oder ein Meteorit die Menschheit auslöscht.

Also machen wir weiter, und wir brauchen keine Erlaubnis dafür.

Es ist das «I need no permission, did I mention» von Beyoncé, das «You don't own me» von Lesley Gore, oder ihr «It's my party, and I'll cry if I want to». Sie alle erinnern uns daran, dass wir uns nicht erzählen lassen müssen, wir würden übertreiben.

Ein wunderschönes Beispiel dafür, dass man sich Mäßigung und Zurückhaltung als Wert nicht aneignen muss, stammt von der Schriftstellerin Lucy Duggan. Sie erzählt in ihrer Kurzgeschichte *Would you like a forklift truck for that?*, wie ihr Vater sie manchmal beim Frühstück, wenn sie ihr Brot seiner Ansicht nach zu voll geladen hatte, fragte: «Möchtest du einen Gabelstapler dafür?» Die Geschichte ist ihre Antwort. Sie schreibt:

> «Ja. Ich möchte einen Gabelstapler für Butter und einen weiteren für Marmelade. Und ein lächerlich kleines Stück Toastbrot, damit die gigantische Menge Butter noch gewaltiger wirkt, und die Marmelade sich darauf türmen kann wie ein Gebirge. Ich möchte, dass ein hilfsbereiter, schweigsamer Mann draußen wartet, während ich frühstücke, um im richtigen Moment seinen Gabelstapler anspringen zu lassen und einen ansehnlichen Batzen Butter aus einem bereitgestellten Fass zu holen und ihn behutsam auf mein Toast zu laden.»[113]

Sie steigert sich hinein in Phantasien von einer Party, auf der Häppchen gereicht werden, die sich als gigantische Sandwiches erweisen, die man mit beiden Händen greifen muss, die Beine weit auseinandergestellt, um das Gleichgewicht zu halten. Sie erschafft damit ein Gegenbild zu dem ihres Vaters, der vielleicht nur sagen wollte, dass sie ein etwas gieriges Mädchen ist. Nun steht sie da, als feine, gefräßige, britische Lady, und es ist kein Widerspruch, sondern ein Bild von seltener Anmut und Schönheit.

Solche Bilder brauchen wir.

Sie eröffnen uns die Möglichkeit, die Dinge anders zu sehen, die Perspektive zu drehen wie ein Fernrohr, das jemand auf uns richtet und das unsere Nase abartig groß erscheinen lässt, das wir aber umdrehen können, um im Meer eine Insel zu entdecken.

Es geht hier um Aneignung. Nicht in dem Sinne, dass man anderen etwas wegnimmt, sondern in dem Sinne, dass man sich mit den guten Dingen umgibt, mit Geschichten und Ideen. Man macht sich dadurch nicht unangreifbar, aber man übernimmt Verantwortung für sich und schützt die eigenen Grenzen.

Manchmal geht es dabei nicht nur darum, entspannt frühstücken zu können, sondern um Leben und Tod. Eines der beeindruckendsten poetischen «Fuck yous» der heutigen Zeit stammt von Nadja Tolokonnikowa. Sie wurde bekannt, als sie mit ihrer Punkband *Pussy Riot* 2012 in der Christ-Erlöser-Kathedrale in Moskau mit dem Punk-Gebet «Muttergottes, jage Putin weg» auftrat und dafür zu zwei Jahren Lagerhaft verurteilt wurde. «Wenn ich meine Schuld eingestehen muss, um rauszukommen, bleibe ich hier», sagte Tolokonnikowa zu Beginn ihrer Haft. Vielleicht hätte sie vorzeitig aus der Haft entlassen werden können, hätte sie an einem Schönheitswettbewerb im Gefängnis teilgenommen – wollte sie aber nicht. Bald nach ihrer Entlassung schrieb sie ein Buch: *Anleitung für eine Revolution*.[114] Sie erzählt darin, wie sie als Mittezwanzigjährige es geschafft hat, von Straflager und Hungerstreik nicht gebrochen zu werden, obwohl sie gefoltert wurde und um sie herum Menschen starben.

«Wenn du den Knast schon nicht loswirst, dann schöpfe aus ihm – nimm dir wütende Hartnäckigkeit und Erfahrung mit», schreibt sie. «Versuche, aus jeder Scheiße Pralinen zu machen.» Sie könnte sich zurückziehen mit ihrem Mann und ihrer kleinen Tochter, aber stattdessen kämpft sie weiter. Sie hat sich im Arbeitslager durch den Finger gesteppt, sie könnte nie wieder eine Nähmaschine anfassen wollen. Stattdessen macht sie eine Kunstaktion auf einem Platz in Moskau, wo sie in Häftlingskleidung eine Flagge näht. Denn nähen kann sie ja jetzt. «Der Scheiß verwandelt dich. Hege ihn.»

Sobald wir anfangen, das Wort zu ergreifen und unsere eigene Geschichte öffentlich zu erzählen, geschieht etwas. Wir geben etwas nach außen, das in uns war. Damit werden wir etwas los, und gleichzeitig werden andere etwas mit unseren Erzählungen anfangen: Sie werden sie hören, fortsetzen, kommentieren oder ignorieren. Alles ist möglich.

Es ist ein paradoxer Akt. Einerseits ist es sehr intim, von sich zu sprechen: Meine Erlebnisse, meine Gefühle, alles ist meins, meins, meins. Aber die Sprache, mit der ich das alles formuliere, ist nicht meine, ich habe die Worte nicht erfunden, ich leihe sie mir nur aus und gebe sie an die Welt zurück. Weil es diese unüberbrückbare Differenz gibt, muss ich Worte finden, die sich richtig anfühlen.

Aber gerade weil Sprache das ist, was wir teilen, kann sie der Zugang sein, durch den wir erkennen: Andere haben ähnliche Erfahrungen.

«Ich habe gelernt, eine hinnehmende Projektionsfläche zu sein», schreibt #Aufschrei-Mitinitiatorin Nicole von Horst über die Zeit, bevor sie über ihre Erlebnisse sprach. Sie hatte sich lange gewöhnt an Männer, die sie ungefragt volllabern, anfassen, küssen, und die sie gewähren ließ, weil sie nicht unhöflich oder verletzend sein wollte oder weil sie Mitleid hatte. Sie hatte gelernt, dass ein Übergriff auch «bestimmt nicht so gemeint» gewesen sein kann.[115]

Weil die Perspektive zählt.

Aber als sie begann, auf Twitter über solche Fälle von Alltagssexismus zu schreiben, folgten Tausende ihrem Beispiel und sagten: Mir ist das auch passiert, danke, dass du erzählst.

Wenn wir über Ungerechtigkeit oder Verletzungen sprechen, wird es immer auch solche geben, die sagen: «Ich glaube dir nicht. / War gar nicht so. / Selbst schuld. / Pech.» Sie versuchen, uns unsere Geschichte wegzunehmen oder sie kleinzureden, aber sie werden scheitern. Denn sobald wir selbst sprechen, gestalten wir mit. Wir nehmen etwas in die Hand. Es wird Leute geben, die sagen: Lass das wieder los. Aber wir lassen nicht los. Wir sind viele, die nicht loslassen. Das Aussprechen war nur der erste Schritt. Im zweiten Schritt schmeißen wir etwas um.

Frauen, die Geschichten von Ungerechtigkeit, Diskriminie-

rung oder Gewalt erzählen, wird oft vorgeworfen, sie würden sich – und andere Frauen gleich mit – zu bloßen Opfern
machen. Opfer der Umstände, Opfer des Patriarchats, Opfer
einzelner Männer, Opfer der Medien.

Das ist ein tückischer Vorwurf, aus zwei Gründen. Erstens ist
«Opfer» bei uns ein Schimpfwort. «Opfer» ist wie «Trottel».
Vielleicht nicht unter Akademiker∗innen, aber auf Schulhöfen ganz sicher. Und zweitens – und damit zusammenhängend: Was heißt es, ein Opfer zu sein? Opfer einer Tat, eines
Unfalls oder einer Katastrophe zu sein bedeutet, dass einem
etwas passiert. Man war passiv und unschuldig. Man war
schwach und konnte sich nicht wehren, und nun wälzt man
sich – so der Vorwurf – im Elend und winselt, und alle sollen
hingucken. Was willst du jetzt, fragen die Leute. Aufmerksamkeit, Mitleid, Schmerzensgeld, Ruhm? Dabei sollten sie
wissen, dass man für Geschichten von Verletzlichkeit selten
die geile Form von Aufmerksamkeit bekommt – und sie selbst
sind der beste Beweis, wenn sie so fragen.

Erst mal bekommen wir überhaupt gar nichts, sondern wir
nehmen etwas, wir ergreifen das Wort. Freiheit, schreibt
Erich Mühsam, ist «nichts, was gewährt werden kann: Freiheit wird genommen und gelebt.»[116]

Indem wir öffentlich sprechen, machen wir uns nicht zu Opfern, im Gegenteil:

Wir ent-opfern uns.

Opfer waren wir vorher, in dem Moment, in dem etwas passiert ist. Aber sobald wir erzählen, wechseln wir den Status:
Wir werden vom Objekt zum Subjekt. Wir erlangen ein Stück
Kontrolle zurück, wenn wir von einem «nein, frag nicht, alles
okay» zu einem «Scheiße, mir ist etwas passiert» gelangen.
Es ist ein Schritt aus der Ohnmacht heraus.

Ein Schritt. Es kann nicht der letzte sein. Zu beschreiben,
dass man einmal ein Opfer geworden ist, kann nicht der

Schritt sein, indem man eine neue Identität annimmt – «die Verwundete» –, in der man dann verbleibt. Damit würde man sich wieder unfrei machen, denn sich über Wunden zu definieren bedeutet, von ihnen abhängig zu sein.

Daniele Giglioli hat seinen Essay *Die Opferfalle* «jenen Opfern gewidmet, die keine mehr sein wollen». Er schreibt darin über die Gefahren, die es birgt, sich als Opfer zu bezeichnen: Man macht sich unanfechtbar und unschuldig und bleibt im Vorwurf verhaftet: «Die Wiederholung der Vergangenheit im Blick, schließt die Opferposition jegliche Vision der Zukunft aus.»[117] Wer in der Wiederholung des einzelnen Erlebnisses verbleibt, erstarrt in Handlungsunfähigkeit, schreibt Giglioli.

Die Leute sagen: Oh, du willst dich über Diskriminierung definieren, na das ist ja mal so mittelcool, hm? Aber ich will mich nicht über Diskriminierung definieren. Ich will zeigen, dass es Probleme gibt, die wegsollen.

Das größte Gesundheitsrisiko von Frauen weltweit ist Gewalt.[118] In Europa erlebt jede dritte Frau als Erwachsene körperliche oder sexuelle Gewalt.[119] In Deutschland erlebt jede vierte Frau Gewalt durch den Partner oder Expartner.[120] Man würde sehr lange brauchen, jeder dieser Frauen zu erklären, dass sie ein Einzelfall ist, und wahrscheinlich würde man irgendwann merken, dass man jedes Mal dasselbe sagt.

Eine Frau, die glaubt, ein unglücklicher Einzelfall zu sein, wird keine Revolte starten, aber sie wird erleichtert sein zu erfahren, wenn andere es tun. Denn Schweigen war noch nie Macht. Das ganze «Reden ist Silber, Schweigen ist Gold» gilt im Politischen nicht.

Politisch zu handeln heißt, wie Hannah Arendt schreibt, «den eigenen Faden in ein Gewebe zu schlagen, das man nicht selbst gemacht hat».[121] Und wenn wir dafür kämpfen, dass alle Menschen unabhängig von ihrem Geschlecht, ihrer Sexualität und ihrem Körper die gleiche Freiheit haben sollen, dann heißt dieses Gewebe Feminismus. Dann schließen wir uns mit anderen zusammen. Wir nennen uns Feminist∗innen, weil wir wissen, wir kämpfen für all die Dinge, für die schon Simone de Beauvoir und Shulamith Firestone und all die anderen gekämpft haben.

Leute fangen an, am Begriff «Feminismus» rumzunörgeln, bevor wir zwei inhaltliche Sätze gewechselt haben. Sie sagen: Nennt es doch Humanismus. Als wäre damit irgendwas klarer. Es reicht dann oft, zu fragen, welche Definition von Humanismus sie denn haben außer der, dass es «irgendwie um Menschen» geht. Meistens haben sie keine. Aber es stört sie. Sie denken, Feminismus heißt, dass alles für Frauen besser werden soll und für Männer nicht oder dass Frauen generell die besseren Menschen sind.

Als ob es nur um Frauen geht. Entschuldigung, aber geht es bei der «Anti-Atom-Bewegung» nur um Atome oder «gegen Atome»? Macht auch nur ein Mensch auf der Welt bei der Anti-Atom-Bewegung nicht mit, weil der Name die Sache nicht richtig darstellt? Der Name ist komplett irreführend, denn es geht der Bewegung ja nicht darum, Atome abzuschaffen, sondern die Nutzung von Atomkraft, aber sagt irgendwer «Ich gehe nicht zur Anti-Atom-Demo, weil ich selbst aus Atomen bestehe!»? Eben.

Natürlich könnte man sagen: Wir lassen den Begriff fallen, wir sind drüber hinweg, er verwirrt, wir kämpfen ohne ihn weiter. Ich könnte mich nur noch Anarchistin nennen und den Begriff des Feminismus aufgeben, aber ich weigere mich, die Definition von Feminismus denjenigen zu überlassen, die ihn abschaffen wollen und die Frauen am liebsten mögen, wenn ihnen Sperma vom Kinn tropft.

Die Klischees, die mit Feminist∗innen verbunden werden – laut, nervig, schlecht gelaunt –, verfolgen uns, sobald wir beginnen, uns Feminist∗innen zu nennen. Wir sollten uns nicht von ihnen irritieren lassen, denn das Problem ist, dass man ziemlich bald schlechte Laune kriegt, wenn man die ganze Zeit erklären muss, dass man keine schlechte Laune hat, und dass man wütend wird, wenn einem ständig Leute sagen: «Beruhig dich mal», nur weil man alltägliche Dinge kritisiert.

Die Schriftstellerin Chimamanda Ngozi Adichie erzählt in *We should all be feminists*, wie sie sich am Anfang, als sie begann, sich Feministin zu nennen, sicherheitshalber eine «fröhliche Feministin» nannte, um nicht mit mürrischen verbitterten Ziegen verwechselt zu werden, bis sie feststellte, dass sie sich eigentlich eine «fröhliche, afrikanische Feministin, die keine Männer hasst und die gerne Lipgloss trägt und High Heels für sich selbst und nicht für Männer trägt» nennen müsste, um allen Vorurteilen zuvorzukommen.[122]

Es ist ein unendliches Unterfangen, und wir werden nicht damit fertig, Klischees zu entkräften, indem wir erklären, dass sie *für uns speziell* nicht zutreffen. Wir werden nur mit ihnen fertig, in dem wir sagen: Fuck it.

Die Klischees entkräften sich mit der Zeit allein, weil immer mehr Menschen sich als Feminist∗innen bezeichnen. Dann sieht man, dass da sehr verschiedene Menschen hinter stehen, und man müsste schon einen enorm engen Schönheitsbegriff haben, um die alle hässlich zu finden.

Gleichzeitig werde ich nicht behaupten, dass Feminist∗innen alle wunderschön und cool sind. Wozu? Natürlich gibt es Menschen, die sagen, dass Feminist∗innen hässlich wie die Nacht sind, aber wir haben nie versprochen, für sie hübsch zu sein. Sie sagen, dass wir keinen Sex hätten, aber wir haben nur keinen Sex mit ihnen. Sie sagen, dass wir unlustig sind, aber politische Bewegungen müssen nicht lustig sein. Zumba ist eine lustige Bewegung; wenn sie das wollen, dann sollen sie auf YouTube Zumba-Videos gucken.

Sie sagen, dass wir von Hass getrieben sind, weil sie sich wundern, dass da Frauen mal keine Harmonie und Liebe versprühen, sondern Forderungen haben. Aber Wut ist nicht dasselbe wie Hass. Hass will Zerstörung, Wut will Veränderung. Hass ist destruktiv, Wut ist produktiv.

Wenn ihnen gar nichts mehr einfällt, sagen sie, wir hätten psychische Probleme und würden die Gesellschaft dafür verantwortlich machen wollen. Aber je größer eine Bewegung, desto unwahrscheinlicher wird es, dass man sie auf diese Art kleinreden kann.

Ich will nicht sagen, dass Feminismus ein Antidepressivum ist, aber feministische Ansichten ins eigene Denken aufzunehmen kann eine*n zumindest davor bewahren, zu glauben, man sei der einzige Mensch auf der Welt, der beim Anblick von Junggesellenabschieden zu Staub zerfallen möchte.

Das ist entlastend.

Ich bin trotzdem sehr skeptisch, wenn ich Texte von Feminist*innen lese, die schreiben, dass Feminismus ein «pretty amazing thing» ist, das das Leben besser macht, ja uns geradezu verpflichtet, ein besseres Leben zu haben: «Feminism says that you have a right to enjoy yourself. An obligation, even», schreibt Jessica Valenti.[123] Aber Antifaschismus macht auch nicht unbedingt dein Leben besser, wenn du in Sachsen aufm Dorf lebst. Ich sträube mich dagegen, Feminismus zu huldigen wie einer Marke, von der man nur die neuesten goldenen Turnschuhe braucht, um glücklich zu sein. Ich würde auch kein «this is what a feminist looks like»-T-Shirt anziehen wollen, außer ich wär nackt und hätte nichts anderes. Es ist dasselbe alte «wir sind nämlich gar nicht so hässlich». – Aber was, wenn doch? Ich möchte mir das Recht herausnehmen, nicht rumlaufen zu müssen wie eine frisch frisierte und gepimperte Grinsekatze, nur um irgendwelchen Leuten zu zeigen, wie geil mein Leben als Feministin ist. Ich möchte mir sogar offenhalten, jederzeit einen Heulkrampf zu kriegen, weil mich etwas fertigmacht, und ich würde es den Fuckern nicht gönnen, dass sie mich dabei sehen, wie ich in einem «this is what a feminist looks like»-T-Shirt heulend an der Bushaltestelle sitze.

Feminismus bedeutet nicht, dass ich meinen Körper lieben und schön finden *muss* und guten Sex haben *muss*. Feminismus bedeutet, dass ich mir die Zeit sparen kann zu überlegen, ob ich mit meinem Körper rausgehen kann und ob er schön genug für die anderen ist. Bei mir stellt sich von Empfehlungen wie «Have orgasms»[124] ein gewisses Entsetzen ein, was nicht zuletzt damit zu tun hat, dass wir die Idee, Frauen müssten durch regelmäßige Stimulation bei Laune gehalten werden, um nicht hysterisch zu werden, eigentlich schon gekickt hatten.[✗]

Es wird trotzdem Leute geben, die meinen Körper unaufgefordert kommentieren oder die mich, sobald sie erfahren haben, dass ich feministische Texte schreibe, als Erstes nach meinen Schamhaaren fragen. Wie mein ehemaliger Nachbar, der Texte von mir gelesen hatte und dann beim nächsten Treffen im Treppenhaus sagte, er finde das ja spannend, wenn so eine junge Frau Feministin ist, man kenne ja sonst nur Alice Schwarzer. «Und?», fragte er, «shaved, trimmed, or natural?» Ich verstand ihn erst gar nicht, bis ich checkte, dass das die einzige Frage war, die ihm zum Thema «junge Feministin» einfiel: Bist du rasiert?

Er hat es bis heute nicht erfahren, aber er weiß inzwischen, dass es nicht sein fucking business ist.

[✗] Es gibt dieses Bild von wütenden Frauen, das sehr alten Ursprungs ist: Das Wort «Hysterie» komm von hystéra, Gebärmutter. Im antiken Griechenland stellte man sich vor, die Gebärmutter, die nicht oft genug mit Spermien gefüttert wird, wandert im Körper umher und beißt sich am Hirn fest.

Wir sind nur an wenigen Orten sicher davor, auf unser Aussehen angesprochen zu werden, und wir sind nicht immer gewappnet.

Vor ein paar Jahren war ich bei meiner Frauenärztin, eine Routineuntersuchung morgens um acht. Es war eine furchtbar stressige Zeit, ich stand kurz vor Abgabe meiner Masterarbeit, hatte den ganzen Sommer am Schreibtisch verbracht, Simone de Beauvoir gelesen und mich von Spinatpizza und Jasmintee ernährt, und dann hatte ich diesen Arzttermin. Die Frauenärztin untersuchte mich wie immer, danach kletterte ich vom Untersuchungsstuhl. Ich wollte gerade meine Unterhose wieder anziehen, da fragte sie mich, halbnackt, wie ich war: «Sagen Sie mal, wie viel wiegen Sie eigentlich?»

Ich wusste es nicht. Ich hatte mich seit Jahren nicht mehr gewogen, es war mir egal, ich war gesund, und mein Gewicht war das Letzte, was mich störte. Die Frauenärztin ließ mich im Vorzimmer messen und wiegen und dann sagte sie: «Ich habe heute leider kein Foto für dich.» Nein, Scherz. Sie sagte: «Tja, damit haben Sie ja schon leichtes Übergewicht, und das muss mit 27 ja auch nicht sein, ne?»

Ich sagte nur «äh» und «kann sein», weil ich nicht wusste, was man auf so was antworten soll. Ich dachte, ich kriege den Muttermund gecheckt und nicht meine Modeltauglichkeit.

«Sie sollten einfach mal fünf Kilo abnehmen», sagte sie.

Ich war damals nicht schlagfertig genug, ich ging nach Hause und guckte mich im Spiegel an und dachte, hallo, geht doch. Aber ich schwöre bei meiner Seele, wenn ich noch einmal in so eine Situation komme, werde ich halbnackt, wie ich bin, auch noch mein T-Shirt hochreißen und singen: «I am the walrus, goo goo g' joob!»[*]

---

[*] The Beatles, I am the Walrus.

Ich werde ein stolzes, lachendes Walross sein.

Sie wird denken, ich bin verrückt. Vielleicht wird sie fragen, was los ist, und ich werde sagen: Das ist das «Fuck you» des Walrosses.

Wenn wir stärker werden, versuchen Leute uns zu beleidigen, indem sie sagen, wir seien Radikale. Aber was heißt radikal sein? Es heißt nichts anderes, als eine Sache ernst zu meinen. Es heißt, nicht ins «eigentlich» zu rutschen. Und es heißt, es so ernst zu meinen, dass man genau sagt, was ist. Denn Radikalität ist keine Keule, sondern eine Frage der Präzision.

Es bedeutet zunächst, sich selbst zu untersuchen: Wo sind in meinem Denken, Sprechen und Handeln noch Reste von dem, was ich abschaffen will? Politisches Detox. Ich habe früher haufenweise sexistische Witze und Sprüche gemacht, weil es gut ankam. Ich habe Frauen «Nutte» und «Fotze» genannt. Ich mache es nicht mehr, und ich verzichte auch darauf, Männer zu beleidigen, indem ich sage, sie hätten einen kleinen Penis, denn ich denke, der Feminismus kämpft auch für ihre Würde, und ich mache mir ungern meine eigene Arbeit kaputt.

Radikal zu sein bedeutet nicht mit dem Panzer durch den Wald zu brettern und zu sagen, man hätte durchgeforstet, sondern mit einer guten Motorsäge in den Wald zu gehen und jeden Baum einzeln zu betrachten und zu entscheiden, was weg muss.

In diesem Sinne kann es ein dummer Move feministischer Kritik sein, Leuten einfach nur «Sexismus» vorzuwerfen. Es ist ungefähr so, wie wenn man zu Starbucks geht und sagt, man will einen Kaffee: Man wird nicht verstanden. Denn es gibt ähnlich viele Definitionen von Sexismus wie Möglichkeiten, bei Starbucks ein Getränk zu bestellen. Genau wie es einen Unterschied macht, ob ich einen Espresso will oder einen Java Chip Chocolate Cream Frappuccino Blended Beverage, macht es einen Unterschied, ob man mit Sexismus die bloße Einteilung in Geschlechter meint oder eine Benachteiligung aufgrund des Geschlechts, oder dass irgendein Werbeplakat einen schmierigen Humor hat.[125]

Dass das Wort «Sexismus» etwas Schlechtes ausdrücken soll, ist das Einzige, was allen klar ist (ähnlich wie mit Rassismus). Deswegen wird die Person, die ich sexistisch nenne, wahrscheinlich finden, ich hätte sie missverstanden. Wenn ich aber konkret frage: «Okay, du willst, dass die Frau X tut, aber würdest du dasselbe von einem Mann erwarten, oder würdest du von ihm Y erwarten?», kommen wir womöglich besser ins Gespräch. Natürlich kann es sein, dass niemand von uns ein Gespräch will. Aber sobald es mir irgendwie auf Kommunikation mit der Person ankommt, vermeide ich zu sagen: «Hallo, ich denke, du bist böse.» Denn so klingt es für viele, wenn sie hören: «Das ist sexistisch.»

Es ist, als sage man: Guck, du machst alles falsch, du stehst für das Gegenteil aller Werte, für die ich kämpfe – du und ich, wir sind wie die Dinos aus *In einem Land vor unserer Zeit*, als die Erde auseinanderbricht und manche bleiben auf einer Seite und manche auf der anderen. Verstehst du? Es ist zum Heulen.

Doch wenn wir unsere Worte präzise wählen und geschlechtergerechte Sprache verwenden, werden wir es mit Leuten zu tun bekommen, die uns «Political Correctness» vorwerfen.

Sie versuchen uns mit allen Mitteln Veränderung auszureden, aber ihre Mittel sind mies.

Sie sagen, Wörter wie «Studierende», «BürgerInnen» oder «Arbeiter*innen» seien nicht *schön*. Solche Argumente sind, gelinde gesagt, verdächtig, wenn sie nicht gerade von Dichter*innen kommen. Leute, die sich nie im Leben um die Schönheit von Sprache geschert haben, bemühen ein plötzlich erwachendes ästhetisches Empfinden bezüglich der Anmut von Wörtern? Wie sehr kann man sich selbst verarschen? Weigern sich solche Menschen auch, jemanden Horst zu nennen, weil es so ein unästhetischer Name ist? Treffen sie sich heimlich bei Walther-von-der-Vogelweide-Lesekreisen, weil sie so scharf auf alte Sprache sind?

Jemand, der mir erklärt, es heiße nicht «wegen dem Wetter» sondern «wegen des Wetters» und sich im nächsten Satz darüber echauffiert, dass es anstrengend sei, «Polizistinnen und Polizisten» zu sagen, will vielleicht gar nicht mich veralbern, sondern veralbert sich selbst.

Sie sagen, «Gender» ist kein deutsches Wort, aber Begriffe wie googeln, snoozen und liken übernehmen sie problemlos.

Sie sagen, wir würden es mit der Korrektheit übertreiben, wenn wir keine diskriminierenden Begriffe benutzen, dabei haben sie selbst sehr genaue Vorstellungen davon, was sie für korrekt halten, und stören sich an jeder Abweichung.

In Deutschland wirkt die Debatte um politische Korrektheit auf kuriose Art fehl am Platz. Ein Land, das so stolz ist auf seine Pünktlichkeit und Präzision, das Land der Dichter und Denker, will bei Sprache lieber rumschludern und einfach mal Frauen in der Sprache unsichtbar machen und rassistische Begriffe mit ins 21. Jahrhundert schleppen?

Political Correctness will nichts anderes als Anstand, Höflichkeit, Respekt, Genauigkeit. Sind das nicht die Werte, auf die man hier stolz ist – und mit Recht?

Und Güte. Es ist Anteilnahme am Leben anderer, sich anzuhören, wie sie behandelt werden wollen, und ihnen entgegenzukommen.

Wenn darüber diskutiert wird, dass es übertrieben politisch korrekt sei, Unisextoiletten einzurichten, weil ja in Deutschland höchstens 0,1 Prozent der Bevölkerung nicht ins Frau-/Mann-Schema passten, dann betrifft das immerhin 80 000 Menschen, denen man die Möglichkeit verwehrt, in öffentlichen Gebäuden entspannt aufs Klo zu gehen, einfach nur, weil andere nicht umdenken wollen.

Vieles im Feminismus hat damit zu tun, solche Entweder-oder-Fälle aufzulösen: Frau / Mann, homo / hetero, richtiger / nichtrichtiger Sex, ficken / gefickt werden.

Leute machen sich über die 60 Gender-Einstellungen bei Facebook lustig – «androgyn», «Drag», «nicht-binär», «intersexuell», «XY-Frau», «Femme», «Trans*Mann» und so weiter, doch jede dieser Möglichkeiten wird von irgendwem in der Welt benutzt, um die eigene Identität auszudrücken. Die Liste könnte auch 50 oder 100 Varianten haben, und man kann lange darüber streiten, welche Zahl genug wäre, aber immer wird man eingestehen müssen, dass die Vielzahl dieser Konzepte in krassem Gegensatz dazu steht, was bisher die Norm war: «Mann», «Frau».

Wenn wir fragen, wo das auf Dauer hingehen soll, können wir sagen: Zurück! Entscheidet euch alle, dies oder das, fertig. Aber das hatten wir schon, und es hat Leute unglücklich gemacht. Oder wir sagen: Mehr davon! Siebzig, siebenhundert, sieben Milliarden Geschlechteridentitäten! Oder wir sehen ein, dass es am besten wäre, die Etiketten eines Tages wieder wegzulassen, wenn wir uns daran gewöhnt haben, dass Menschen sehr verschieden sind.

Inzwischen ist zwar den meisten klar, was Homosexualität ist, aber daneben sind Bi-, A-, Trans-, Cis- und Intersexualität immer noch erklärungsbedürftig und «irgendwas mit Sex», auch wenn es bei Homo-, Bi- und Asexualität darum geht, auf wen man steht oder nicht steht, und bei Trans-, Cis- und Intersexualität darum, welches Geschlecht man selbst hat.

Auch bei der Frage nach der Orientierung sind wir an eine Zweiteilung gewöhnt: Hetero- oder Homosexualität. Dazwischen gibt es irgendwo noch Bisexuelle, die aber oft wahlweise als rollige Extrovertierte gesehen werden oder als Unentschlossene, die sich noch entscheiden müssen, und die manchmal sogar von Homosexuellen angefeindet werden als Verräter∗innen, die sich nicht konsequent genug auf die richtige Seite stellen.

Als müsste sich irgendjemand von uns entscheiden.

Wäre «queer» eine geläufigere Alternative, würde man viel Zeit sparen. Auf Dauer kann von mir aus auch der Gegensatz straight / queer weg, dann geht es einfach nur noch darum, dass Menschen Menschen lieben und begehren.

Diese ganze abgefuckte Labelsuche. Wie viel Energie verschwenden wir darauf, genau zu definieren, wie jemand begehrt?

Als wäre Begehren nicht etwas, das von unendlichen Feinheiten geprägt ist und sich im Laufe des Lebens immer wieder wandelt. Wir tun uns nicht gut, wenn wir das alles in zwei, drei Begriffe packen. Welche Form von Sicherheit gewinnen wir dadurch – und was verlieren wir?

Da ist zum Beispiel meine Freundin Billa, die vor ein paar Jahren bei einem Abendessen sagte, sie würde schon gern mal mit einer Frau schlafen – «Aber ich bin nicht lesbisch und will es auch nicht werden» –, was ist mit solchen Wünschen? Ich weiß, dass Billa das bis heute nicht getan hat. Weil der Begriff «Lesbe» davor steht. «Bi» sein will sie auch nicht, denn alle ihre Beziehungen waren mit Männern. Sie will ja – erst mal – nur *einmal* mit einer Frau schlafen. Billa ist eine warmherzige, abenteuerlustige und bildschöne Frau, und ich bin sicher, sie würde eine andere Frau finden, die ihr nach allen Regeln der Kunst die Seele aus dem Leib vögelt. Aber es kann gut sein, dass sich ihr Wunsch nie erfüllen wird, einfach weil sie in einer Schublade wohnt, und Frauen, die Frauen lieben, in einer anderen. Wie viele Billas gibt es?[126]

Auch die Mythen über den Gegensatz von aktiver, animalischer, männlicher Sexualität und passiver, versteckter, weiblicher Sexualität sind nichts, was wir behalten müssen. Wir können sie überall sehen: im Interview mit einem Fußballer, der gefragt wird, wie er es schafft, «als einer der berühmtesten Spieler der Welt den weiblichen Versuchungen zu widerstehen»[127], im *Cicero*-Magazin über Sex und Macht, das auf dem Cover einen Unterleib mit übergroßem Ständer in der Hose zeigt, in Büchern, die *Die versteckte Lust der Frauen* heißen, und in Spam-Mails, die uns erzählen, dass Männer häufig Sex wollen und Frauen lange.

Wir müssen das nicht glauben. Wir brauchen uns Sex nicht so vorzustellen, dass Männer in Frauen «eindringen» wie Verbrecher. Die Autorin Bini Adamczak schlägt ein neues Wort als Gegenbegriff zur Penetration vor: Circlusion, das Umschließen oder Überstülpen. Der Begriff soll dazu dienen, das Verhältnis von Aktivität und Passivität von der Frage zu lösen, wer einen Penis oder Dildo hat.[128]

Susan Sontag schrieb in ihrem Tagebuch: «Fucking vs. being fucked. The deeper experience – more gone – is being fucked.»[129] Wenn wir aufhören, Männlichkeit mit Aktivität gleichzusetzen, gönnen wir damit Männern diese «deepe Experience» – und was spricht dagegen, allen dieselbe Erfahrung zu ermöglichen?

Angela Merkel hat mal in einem Interview gesagt, sie beneide Männer eigentlich nur um zwei Dinge: ihre tiefen Stimmen und ums Holzhacken.[130] Dabei ist Stimmtraining möglich und Holzhacken erst recht.

Ich habe vor ein paar Jahren einen Motorsägenschein gemacht, weil wir in unserem Haus in Brandenburg Brennholz brauchen. Wir könnten das Holz auch fertig gehackt kaufen, aber es ist billiger und macht mehr Spaß, Bäume selbst zu fällen: Der Motor, der loswrummt, die Sägekette, die sich in den Stamm reinzieht, die Späne, die fliegen, das Knacken, das Kippen, das Krachen des Baumes, der im Wald gerade noch weit über mich ragte und nun vor mir liegt.

Ich glaube, letztlich kommt meine Faszination für Feminismus, Whisky und Bäumefällen aus derselben Ecke: Da ist etwas jahre-, jahrzehntelang gewachsen oder gereift, und dann kommen wir und fällen es oder trinken es aus, weil wir es warm haben wollen oder weil es uns schmeckt.

Und weil ich vor Jahren noch gesagt hätte, ich würde mich nie in die Nähe einer Motorsäge bewegen, und inzwischen am Ofen sitze, in dem das Holz der Bäume brennt, die ich vor zwei Jahren gefällt habe, weiß ich: Zeiten ändern sich, und es ist möglich, das Alte zu Fall zu bringen.

Wir müssen uns hinterfragen
und geschlossene Türen öffnen.
Und *jetzt* ist ein guter Zeitpunkt.

WONDER WOMAN

KAPITEL SIEBEN
NUR MIT LIEBE

Hochzeiten sind eine eigenartige Mischung aus Himmel und Hölle. Ich gehe gern zu Hochzeiten, weil ich mir kaum etwas Schöneres vorstellen kann, als wenn Menschen ihre Liebe feiern und es dabei Musik, gutes Essen und viel Alkohol gibt. Aber Hochzeiten sind oft auch Veranstaltungen, auf denen die Merkwürdigkeiten alter Rollenbilder besonders deutlich werden und manchmal bizarr zutage treten.

Die Tradition, dass die Braut von ihrem Vater zum Altar geführt wird, finde ich persönlich ein bisschen beklemmend, aber wenn sie es sich so gewünscht hat, so what, bitte schön. Später auf der Feier wird sie noch von ihren Freund*innen «entführt» und vom Bräutigam wieder zurückgeholt, und so gut gelaunt das jedes Mal abläuft, ich wäre nicht gern an ihrer Stelle.

Neulich sitzen wir mit einigen Freund*innen, die sich lange nicht gesehen haben, bei einem Abendessen zusammen, darunter ist ein Paar, das kurz vor der Hochzeit steht. Clemens erzählt, sie hätten für die Feier im kleinen Kreis alles schon abgesprochen; der Standesbeamte würde einen Text vorlesen, den Clemens ausgesucht hat. «Es geht darum, dass

Mann und Frau bei der Hochzeit sozusagen zu einer Person verschmelzen», sagt er. «Das finde ich ein ganz schönes Bild. Der Mann wird dabei der Kopf, und die Frau ist der Hals. Denn der Mann spricht und guckt für beide, aber die Frau ist der Hals, weil sie die Richtung bestimmt, in die geguckt wird.» Er blickt in die Runde, als hätte er gerade etwas sehr Schlaues gesagt. Kurze Stille, dann müssen einige lachen. Clemens' Freundin Simona zuckt nur mit den Schultern. «Aber Clemens», sage ich, «was ist daran schön?» – «Na, die Verschmelzung, das Einswerden.» – «Hmm. Aber warum bist du der Kopf? Warum ist Simona der Hals? Wer ist der Bauch und wo sind die Beine, und habt ihr auch Arme?» – «Ist doch egal, es geht um das Bild.» – «Okay. Und wer ist der Arsch?» Wir klären die Sache nicht bis ins Letzte.

Stattdessen erzähle ich, dass ich vor kurzem auf einer Hochzeit gewesen bin, bei der alles sehr minimal gehalten war. Keine große Feier, keine Musik, nicht mal Ringe. Das Paar hatte die Standesbeamtin gebeten, nur die nötigsten Dinge zu sagen. Als alle in den Raum kamen, in dem die Trauung stattfand, erklärte die Beamtin, wer sich wo hinsetzen sollte. Die Familie auf die Stühle an der rechten Wand, die Freund*innen auf die Stühle an der linken Wand, und das Paar ihr gegenüber: «Der Mann bitte auf die Fahrerseite.» Weil beide gerade andersrum standen, tauschten sie kurz die Plätze und setzten sich dann. Keine große Sache, aber auch: komplett sinnlos.

Nach der Trauung wünschte die Standesbeamtin den beiden alles Gute für die Zukunft, sie sagte zur Braut: «Schenken Sie Ihrem Ehemann ab und zu ein Lächeln, um sein Herz zu erweichen.» Und zum Bräutigam: «Sie haben ja breite Schultern, ich denke, es wird Ihnen nicht schwerfallen, Ihre Familie zu beschützen.»

Ich schildere diese Szene bei unserem Abendessen, und dass ich das für 2016er-Verhältnisse etwas krass finde, dafür, dass es nur das Nötigste sein sollte und keine Fünfziger-Jahre-Revival-Hochzeit. «Ist doch okay», findet Simona, «Standesbeamte sagen halt das, was die Leute im Schnitt hören wollen. Immerhin hat sie nichts aus dem *Kleinen Prinzen* vorgelesen.» Ja, vielleicht immerhin.

Später stehen wir vor dem Restaurant, manche rauchen. Rina stellt sich zu mir und fragt: «Sag mal, wegen Heiraten. Du bist doch eine Verfechterin von offenen Beziehungen, oder?» Ich schüttele den Kopf. «Nein», sage ich, «Verfechterin nicht. Ich hab ein paar gute Erfahrungen damit gemacht, aber ich würde das niemandem empfehlen wollen.» – «Hmm. Warum?» – «Weil man so was nicht empfehlen kann. Leute erwarten verschiedene Dinge von Beziehungen, und es gibt auch gar nicht *das* Modell der offenen Beziehung.» – «Aber das, was du mit deinem Freund hast, ist eine offene Beziehung?» – «Ja, im Moment. Aber vielleicht nächstes Jahr nicht mehr. Weiß nicht, kann sein, dass wir das ändern. Ich fand auch mal Sex zu viert in einem Zweierzelt gut, und heute fände ich es unbequem.»

Rina sagt, dass ihr Freund ihr vor ein paar Tagen einen Antrag gemacht hat und sie ihn um Bedenkzeit gebeten hat. «Ich kenn mich zu gut», meint sie, «wir sind seit fünf Jahren zusammen, aber ich gehe ungefähr jedes halbe Jahr fremd, so kann man doch nicht heiraten.» – «Warum?» – «Weil heiraten heißt, dass man treu ist.» – «Beziehung heißt das nicht?» – «Weiß nicht.»

Ich erzähle ihr von einem Paar, das wegen der Steuern verheiratet ist und trotzdem in einer offenen Beziehung lebt, und von einem anderen, das geheiratet hat, um ein Kind zu adoptieren und auch eine offene Beziehung hat. Und ich sage, es wäre auch eine Möglichkeit, sich vorzunehmen, das Fremdgehen zu lassen, wenn man heiratet. «Das ist unrealistisch», sagt Rina, «ich weiß, dass ich fremdgehen werde, und ich glaube, er weiß das auch.» – «Habt ihr da mal drüber geredet?» – «Nicht so richtig.» – «In fünf Jahren nicht?» – «Nein.»

Es irritiert mich, dass es nicht üblich ist, diese Dinge irgendwann im Laufe einer Beziehung zu klären. Vielleicht nicht in der ersten Nacht, aber zumindest im ersten Jahr.

Wir machen Pläne für unsere Urlaube, unsere Ernährung, unser Training und unsere Finanzen, wir haben Putzpläne in WGs und Businesspläne im Job, aber im Bereich von Liebe, Sex und Beziehung tun viele so, als gäbe es eine natürliche Form, in der sich alles von allein findet. Vereint im Schicksal. Vielleicht ist es romantisch, so zu denken, aber vielleicht auch etwas zu romantisch, um lange zu funktionieren.

Wir suchen die Liebe, aber was wollen wir von ihr?

Jeder Mensch auf der Welt hat eine Vorstellung von Liebe. Selbst die, die sagen, dass sie die Liebe nicht verstehen, wissen, dass da etwas ist, das sich ihnen entzieht; und die, die sagen, es gibt keine Liebe, haben eine Idee davon, was fehlt. Sogar die, die noch so klein sind, dass Wörter für sie nur Geräusche sind, spüren: Einsamkeit ist keine Option, wenn man groß werden will.

Was immer Menschen über Liebe sagen, sie werden wohl zustimmen, dass Liebe zu erfahren uns stärkt und uns weitermachen lässt.

Wir brauchen Nähe, Austausch und Vertrauen, um zu überleben. Einigen reicht sehr wenig, andere brauchen mehr, um sich überhaupt nur zu spüren. Einigen reicht Nähe zu Gott, andere tindern sich durchs Leben oder haben einen Hund.

Aus dem, was uns in der Liebe so selbstverständlich vorkommt, können wir etwas für unsere politischen Ziele lernen. Denn letztlich geht es bei beidem um gegenseitige Anerkennung, Interaktion und Vereinigung, nur dass wir in dem einen Bereich öfter nackt sind als im anderen.

Liebe erweitert unser Selbst, sie lässt uns mit einem anderen Menschen so nah zusammenkommen wie nur möglich: Es entsteht ein Wir. «Die Liebe», schreibt die Soziologin Eva Illouz, «bezieht ihre Macht aus der Tatsache, dass sie qua Natur das Ego steigert.»[131] Gemeinsames politisches Handeln erreicht etwas Ähnliches: Wir werden Teil von etwas Größerem, wir schließen uns zusammen, wir vermehren uns.

Das muss nicht bedeuten, dass wir uns fortpflanzen, sondern wir werden *mehr*, weil wir stärker werden und Grenzen sich auflösen. Das ist ein Wagnis, immer. Wir werden mehr, aber weil wir auch offener werden, erhöht sich unsere Verletzlichkeit.

Politik und Liebe können in diesem Sinne berauschend sein wie gute Drogen. Plötzlich scheint sehr vieles möglich, und es entstehen Dinge, die man nicht ahnen konnte und die ein einzelner Mensch nicht erschaffen kann: Kinder oder Revolutionen.

Das kann gefährlich sein, denn wir können uns überfordern, verrennen oder abstürzen. Aber es kann auch eine Rettung sein, denn Politik und Liebe verleihen uns das Gefühl, mit der ganzen existenziellen Scheiße nicht allein zu sein. Wir stellen fest, dass wir keine Aliens sind, die von der Welt verlassen auf einem einsamen Planeten leben: Andere haben ähnliche Bedürfnisse wie wir, ähnliche Wünsche, ähnliche Ziele, und wenn wir die Ziele gemeinsam erreichen, haben wir jemanden, um darauf anzustoßen.

Es wird manchmal so dargestellt, als seien Feminismus und das Ringen um Gerechtigkeit eine *Bedrohung* für heterosexuelle Beziehungen: Als wenn es darum ginge, welches Geschlecht am Ende gewinnt, und als würden wir die Liebe, die Romantik und die Erotik gefährden und im Grunde komplett killen, wenn wir darüber diskutieren, wer das Geld nach Hause bringt, den Müll rausträgt oder ab wann etwas für uns eine Grenzüberschreitung ist. Ich glaube, es ist genau andersrum: Beziehungen leben davon, dass wir sie beständig erneuern, dass wir Fragen immer wieder neu stellen und Kompromisse aushandeln, dass wir uns im Blick behalten und aufeinander aufpassen. Das beinhaltet auch, darüber zu sprechen, wo wir hinwollen und wer dabei wofür zuständig ist. Wir verarschen uns selbst, wenn wir so tun, als wären all diese Dinge klar oder als würden sie sich von allein stets zu unserem Besten fügen.

Dass zu viel Gewöhnung Beziehungen kaputt macht, wissen wir. Wenn wir aufhören, uns zu verändern, schläft alles ein oder wir fangen an, uns mit den immer gleichen Problemen auf den Sack zu gehen.

Auch eine politische Haltung zu haben nimmt uns nicht ab, immer neue Urteile zu fällen. Sie hilft uns aber, nicht zu zerbrechen und nicht verlorenzugehen. Und genauso erledigt sich durch eine Beziehung nicht die Frage, wie wir mit unserem Leben klarkommen.

Wir können viele laute Forderungen für sexuelle Freiheit und Selbstbestimmung stellen, aber wenn es darum geht, diese Forderungen in unsere Beziehungen einzubringen, bedarf es Fragen, die viel leiser sind als alles, was sich in öffentlichen Diskussionen abspielt: Wie fühlt sich das an? Willst du das? Was wünschst du dir? Wer darf dich wann und wie anschauen oder berühren, und ab wann wird es dir zu viel? Nicht über unsere Wünsche und Grenzen zu sprechen bedeutet, Fragen auf Konfliktfälle zu verschieben oder ganz runterzuschlucken, und beides ist nicht gut.

Sexualität wird etwas Intimes bleiben, egal wie frei und aufgeklärt wir sind, und es wird dabei weiterhin Ängste und Unsicherheiten geben, genau wie es sie bei Freundschaften gibt, in der Liebe und bei allem, was uns in unserem Inneren berührt, weil das Beziehungen sind, in denen wir uns Anerkennung wünschen, ohne etwas leisten oder beweisen zu müssen.

Je grundlegender die Art der Anerkennung ist, desto mehr hoffen wir, dass sich alles von selbst ergibt, und vielleicht denken wir auch, dass es da nicht so unfassbar viel zu reden gibt: Entweder es läuft, oder es läuft nicht – *sie liebt mich, sie liebt mich nicht*. Man kann es aber auch genau andersrum sehen: Gerade weil wir in Liebesbeziehungen die Hoffnung auf eine tiefe Sicherheit haben, können sie der Ort sein, Dinge auszuprobieren.

«Die feministische Bewegung hat, auch wenn manche das Gegenteil glauben, eine neue Möglichkeit gegenseitiger Anerkennung zwischen Männern und Frauen eröffnet», schreibt die Psychoanalytikerin Jessica Benjamin.[132] In unseren Beziehungen können wir sehen, wie viel Freiheit uns tatsächlich möglich ist, aber sie sind auch der Ort, an dem wir besonders schmerzhaft scheitern können.

Wenn ich mich heute umschaue, bin ich umgeben von solchen Paaren, bei denen diese gegenseitige Anerkennung wunderbar funktionierte, bis das erste Kind kam.

Wie frei und gleich die Beziehung vorher war, als Eltern folgen viele einem Muster, das unausweichlich scheint: Sie bleibt zwei Jahre zu Hause, egal was sie vorher gearbeitet hat; er stellt fest, dass es in seinem Job wirklich schwierig ist, mehr als zwei Monate auszusetzen. Ein paar Wochen nachdem das Kind geboren ist, postet er auf Facebook wieder interessante Longreads über Datenverschlüsselung, während man von ihr erst mal nichts mehr hört und sie dann nach sechs Monaten schreibt: «War gerade, seit Mika geboren ist, zum ersten Mal allein einkaufen, was für eine Freiheit!»

Es ist nicht schön, das mit anzusehen. Auch, weil es unsere Freunde und Freundinnen sind. Es ist nicht so, dass sie zu faul oder zu blöd sind, um emanzipiert zu sein, oder dass ihre

Gleichheit vorher eine Lüge gewesen wäre. Alles lässt sich erklären. Gerade deswegen kann es so deprimierend sein.

«Das ist alles total widersprüchlich», sagt meine Freundin Selima, als ich sie zum Mittagessen treffe, zum ersten Mal mit Baby. Sie sieht müde aus. Ihre Haare sind lang geworden, früher hat sie bei dieser Haarlänge manchmal ihre Friseurin bestochen, ihr nach Feierabend noch die Haare zu schneiden. «Ich wachse so krass über mich hinaus, seit Ida da ist», erzählt sie, «ich bin so viel größer und stärker als vorher, es ist Wahnsinn. Gleichzeitig habe ich das Gefühl, ich gebe alles auf, wofür ich vorher gekämpft habe, ich schrumpfe zusammen, ich bin nur noch eine Katzenmutter, die ihr Katzenbaby leckt. Ich sitze zu Hause und wische Ida den Rotz aus dem Gesicht, und Hendrik fliegt um die Welt und hat Meetings, genau wie vorher. Er schickt mir Selfies aus Boston und Tokio, und ich schicke ihm Bilder von Ida, wie sie lacht oder schläft. Von mir selbst schicke ich keine, weil ich so abgefuckt fertig bin, und ich weigere mich, diese Augenringe zu fotografieren.» Ida gluckst im Kinderwagen, sie spielt mit einem Plüschdino. «Du bist schön», sage ich zu Selima, weil es stimmt und obwohl es nichts bringt. «Ich hab so viel neue Kraft», sagt sie, «aber eigentlich wär es mir lieber, ich müsste die nicht haben. Diese ganze Energie, die bei mir neu ist, ist genau die, die Hendrik nicht aufbringt.»

Ich weiß nicht viel darauf zu sagen, außer dass ich fürchte, es stimmt.

«Meinst du, er weiß das?», frage ich. Ida schmeißt den Dino aus dem Wagen, ich hebe ihn auf und lege ihn wieder neben sie, jetzt weint sie. Selima nimmt sie raus. «Hendrik weiß schon, dass es anstrengend ist, das ja. Er ist auch stolz auf mich», sagt sie, «und ich bin selber auch stolz auf mich.» Sie beruhigt Ida, ich gucke den Dino an. Ein lila-grüner Bio-Dino mit Zertifikat. «Ich bin auch stolz auf dich», sage ich.

«Alle sind stolz auf mich», lacht Selima, «weil es verrückt ist, mit einem Baby nicht verrückt zu werden. Jeder Tag, an dem ich nicht durchdrehe, ist ein Wunder.»

«Aber es ist auch schön?», frage ich, und ich komme mir blöd vor dabei. «Natürlich ist es schön», sagt sie, «es ist das Schönste auf der Welt.»

Frauen können unglaublich stark werden, ohne dass Männer sich mitverändern. Aber sie können nicht gut chillen dabei.

«Sobald Kinder ins Spiel kommen, setzt häufig eine Re-traditionalisierung der Geschlechterrollen ein», heißt es einer Studie von 2016, für die 1023 Menschen zwischen 18 und 40 befragt wurden.[133] Dass die Gleichstellung von Männern und Frauen «voll und ganz realisiert ist», fanden zehn Prozent der Frauen und fünfzehn Prozent der Männer.

Als müsste der Markt alles ausgleichen, was in diesem Bereich an Fortschritt da ist, haben sich in den letzten Jahren Spielzeug- und Klamottenläden in zwei Welten gespalten: rosa auf der einen und blau auf der anderen Seite. Niemand, der heute Kleidung oder ein Spielzeug für ein Kleinkind kaufen will, kann noch behaupten, dass Emanzipation immer geradeaus geht.

«Ich geh da nicht mehr rein», sagte meine Freundin Ola, nachdem sie in ihrer Schwangerschaft zum ersten Mal seit zwanzig Jahren wieder einen Spielzeugladen betreten hatte, «es gibt nur noch Glitzer oder Panzer, das ist doch krank.» Sie hatte sich darauf gefreut, niedliche Dinge für ihr ungeborenes Kind zu kaufen, stattdessen stand sie fassungslos zwischen den Regalen und fragte sich, was sie verpasst hatte. «Ich hätte nie gedacht, dass ich das mal sage, aber ich vermisse die Diddl-Maus. Sie war so hässlich, aber sie war wenigstens ... genderneutral hässlich.»

Während Ola sich weigerte, ihrem Fötus einen Raketenwerfer zu kaufen, habe ich andere Freundinnen, die begeistert den halben Laden leerräumen: All das pinke Glitzerzeug, das sie als Mädchen nicht haben durften, kriegen jetzt ihre Töchter. «Es macht die Sache einfacher», findet meine Freundin Elisabeth, «wenn zum Beispiel jemand fragt, was für ein Geschenk er Lotte mitbringen soll, sage ich: Lillifee. Fertig. Lotte liebt alles von Prinzessin Lillifee, und falls wir irgendwas doppelt kriegen, verschenken wir es weiter.»

Nachdem Elisabeth das erzählt hatte, brachte ich ihrer Tochter beim nächsten Treffen eine dicke braune Eule mit. Lotte verbrachte ungefähr zwei Minuten mit dem Plüschtier, dann rief sie, «Eule wohnt im Wald!» und schob die Eule im Bücherregal hinter ein paar Bücher, wo offenbar der Wald war. Elisabeth sagte «trotzdem danke» und konnte nicht anders, als mich ein bisschen auszulachen: «Krieg mal selber Kinder, dann reden wir noch mal.»

Es ist das Totschlagargument, der Graben, über den ich nicht komme, wenn ich mit Leuten rede, die Eltern sind. «Krieg mal selber Kinder», rufen sie mir von der anderen Seite einer Schlucht zu, «du wirst ein komplett anderer Mensch!», und ich denke: Ja... mal gucken.

Was kann ich sagen? Ich kann ihnen lange erzählen, dass es Studien gibt, die zeigen, dass das Spielen mit Barbies Mädchen dazu bringt, ihre Berufsvorstellungen einzuschränken,[134] oder dass ich es albern finde, wenn sie ihren Zweijährigen immer «kleiner Mann» nennen, aber die Fünfjährige nicht «kleine Frau», sondern «Maus». Ich kann daneben stehen und motzen, dass es nicht gut ist, wenn sie ihren Töchtern sagen, sie sollen sich nicht dreckig machen und gleichzeitig ihre Söhne ermutigen, es doch bis ganz nach oben auf dem Klettergerüst zu schaffen. Ich bleibe die Kinder- und Ahnungslose, die denkt, sie wüsste es besser, obwohl sie gar nichts weiß.

Also halte ich die Klappe und versuche zuzuhören und nicht

zu urteilen und meinen Freund∙innen nicht zu erzählen, was mir alles merkwürdig vorkommt an ihrem neuen Leben, von dem sie ja auch nie behauptet haben, dass es die Krone der Rationalität wäre, und mit dem sie auch gar nicht alle so glücklich sind wie Prinzessin Lillifee, wenn sie morgens die Blumen wachküsst.

Wir sind noch nicht sehr weit damit, über die negativen Seiten von Elternschaft öffentlich zu reden, und an der Diskussion um *Regretting Motherhood* konnte man sehen, welche Tabus damit berührt werden.[135] Im Ideal der glücklichen Mutter finden sich alle Forderungen versammelt, die an Frauen gestellt werden: Frauen, die Mütter werden, sollen lieben, sich kümmern, ertragen, sich verschenken. Es kann sein, dass sie darin voll aufgehen. Es kann aber auch sein, dass sie darin voll untergehen – oder etwas dazwischen.

Sogar die Geburt selbst scheint ein Mythos, der nicht angetastet werden soll. Die Autorin Emilia Smechowski schrieb nach der Geburt ihrer Tochter einen Text in der *taz* über die Schmerzen, mit denen sie so nicht gerechnet hatte, obwohl die Geburt «ganz normal» verlief. Sie sagt: «Es war die schlimmste Nacht meines Lebens.» Sie hätte das alles gern vorher gewusst: was für ein Schmerz das wird, wie er sich anfühlt. Aber alle Mütter, die sie fragte, sagten nur: «Wenn du dein Baby im Arm hältst, ist der Schmerz sofort wieder vergessen» – als hätten sie ein Schweigegelübde abgelegt.[136]

Einerseits scheint es eine Binsenweisheit: Geburten tun weh. Schon in der Bibel steht, dass Eva unter Schmerzen Kinder gebären soll, als Strafe. Wir sagen uns, es gehört zum Mutterwerden dazu, und Milliarden Frauen schaffen das. Aber was genau bei der Geburt und danach passiert, wissen die meisten nicht, bis es passiert.

Wir könnten auch sagen: Es gehört dazu, und genau deswegen müssen wir drüber reden. Dabei wird nicht rauskommen, dass jede Geburt der blanke Horror ist. Es gibt auch Frauen wie meine Freundin Hilde, die vom Sündenfall offenbar nichts mitbekommen hat und die mich ein paar Wochen nach der Geburt ihres ersten Kindes besuchte. «Bist du noch mit deinem Freund zusammen?», fragte sie, noch während sie im Flur stand. «Dann mach ein Baby mit ihm. Alter, ich sag dir, das Ploppen bei der Geburt macht süchtig, ich kann es nur empfehlen.» Ein paar Monate später sagte Hilde, «ich könnt schon wieder», und bald darauf kam das zweite Kind.

Feministische Politik konzentriert sich zumeist auf Frauen, aber wir werden mit der Sache nicht fertig, wenn Männer nicht mitmachen, und Grund genug haben sie: Männer sterben früher als Frauen, sie bringen sich leichter in Gefahr, sie sehen ihre Kinder seltener, sie sollen immer noch stark sein und nicht leiden. Wenn irgendwo ein Unglück geschieht, heißt es, «unter den Opfern waren auch Frauen und Kinder». Jungs haben im Schnitt schlechtere Schulnoten als Mädchen, und während es den Mädchen einigermaßen offensteht, ein Kleid zu tragen und gleichzeitig Piratin zu sein, werden Jungs im Kleid ausgelacht. Frauen können sich mit hohen Absätzen größer machen, Männer mit hohen Absätzen werden schnell albern gefunden.

Es gibt tausend Beispiele, die zeigen, dass Frauen heute schon wesentlich mehr können und dürfen als vor fünfzig oder hundert Jahren, sich aber die Spielräume von Männern keineswegs ähnlich stark geöffnet haben.

Stattdessen gibt es immer noch weitverbreitete merkwürdige Bilder von Männern, und ich glaube, wenn ich ein Mann wäre, würde ich mich darüber beschweren. Angeblich denken Männer alle sieben Sekunden an Sex, aber das lässt die Frage aufkommen, wie sie es je geschafft haben, die Relativitätstheorie aufzustellen, die *Buddenbrooks* zu schreiben oder Schachweltmeister zu werden.

NUR MIT LIEBE   225

Als sie gefragt wurde, ob die Frauenbewegung auf einem guten Weg ist, hat die Philosophin Agnes Heller mal geantwortet: «Die Frage stellt sich nicht. Die Frauenbewegung ist die bisher größte Revolution der Menschheit, und im Gegensatz zu allen anderen Revolutionen wird sie eines Tages vollendet sein.»[137]

Eines Tages.

Wahrscheinlich wird sie dann schon seit einer ganzen Weile nicht mehr «Frauenbewegung» heißen, weil klar sein wird, dass es nicht reicht, wenn Frauen sich bewegen und Männer stehen bleiben. Aber sie bleiben nicht stehen.

Wir können gar nicht mehr stehen bleiben. Wir lernen ständig neu, auch von denen, die es gar nicht beabsichtigen. Meine Katze hat mir beigebracht, wie man in dem Mailprogramm, das ich benutze, einzelne Nachrichten bunt markieren kann, indem sie über meinen Laptop gelaufen ist. Sie weiß das nicht, aber für mich ist es ziemlich praktisch. Jetzt frage ich mich, wie ich vorher meine Mails sortiert habe.

So ähnlich ist es mit Veränderungen, die politische und sexuelle Freiheit mit sich bringen: Wir ahnen vorher nicht, was möglich ist. Wir wissen nicht, wie wir sein werden, wenn wir mehr oder alle geschlechterspezifischen Beschränkungen abgelegt haben werden. Es ist ein Experiment, und wir werden manchmal erst im Nachhinein sagen können, worin unsere Unfreiheit bestand.

Unsere Denkmuster und Gewohnheiten, all die Kategorien, innerhalb derer wir unseren Alltag leben, sind durchzogen von den Hierarchien, in denen wir uns befinden. Macht wirkt in unserer Sprache, unseren Ängsten, unseren Fähigkeiten, und niemand kann das alles auf einmal ändern. «Ich versuche viele Gender-Lektionen zu entlernen, die ich internalisiert habe, während ich aufgewachsen bin», sagt Chimamanda Ngozi Adichie.[138] Das Entlernen bedeutet gleichzeitig immer ein neues Lernen. Ich kann bügeln, putzen, häkeln, sticken und alles davon besser als alle meine bisherigen Partner, aber es hat ein bisschen gedauert, bis ich gemerkt habe, dass ich nicht für meinen Freund die Wäsche aufhängen muss, nur weil ich finde, dass es bei mir besser aussieht und man danach weniger bügeln muss. Bügeln wird sowieso überschätzt.

Ich bedanke mich immer noch jedes Mal bei meinem Freund, wenn er den Müll rausbringt oder abwäscht, und ich schäme mich immer noch dafür, dass ich nicht niedlich niesen kann. (Ich kann nur «Klabotsch», und nicht «Hapfüh».) Ich traue mich immer noch nicht, im Sommer ohne BH unterm T-Shirt zum Bäcker zu gehen. Vielleicht bleibt das so, vielleicht geht es noch weg, beides wäre okay.

Manchmal sagen Leute, ich würde die Dinge anders sehen, wenn ich anders aufgewachsen wäre, und natürlich haben sie recht.

Wahrscheinlich würde ich die Welt anders sehen, wenn ich nicht das mittlere Kind zwischen einer jüngeren Schwester und einem älteren Bruder gewesen wäre, sondern ein Einzelkind oder der jüngste Bruder von lauter älteren Schwestern, oder wenn wir, als wir nach Deutschland kamen, nicht nach Berlin-Neukölln, sondern nach Rostock gezogen wären oder nach Freiburg. Tatsache ist, dass ich, egal mit welcher Biographie, nie einen neutralen Punkt hätte erwischen können, wie einen Jägersitz, von dem aus ich die Welt betrachte – und selbst der Jäger hat ja seine Perspektive. Jede Bazille, jeder Gott hat eine eigene Sichtweise, und sofern wir eine Sprache teilen, können wir versuchen, uns zu erzählen, was wir sehen.

Denn es gibt keine neutrale Sicht auf das Leben, und wir brauchen sie nicht. Wir brauchen Vielfalt – Vielfalt lehrt uns Freiheit.

Es wird auch weiterhin so sein, dass Leute in Deutschland

fragen, wer denn jetzt die eine wichtige Feministin ist, und es wird immer klarer werden, dass sich diese Frage nicht sinnvoll beantworten lässt, weil wir immer mehr werden.

Bei mir waren es drei Dinge, die mich zum Feminismus gebracht haben: erst die Erkenntnis, dass guter Sex nichts damit zu tun hat, dass man ein Skript nachspielt, bis der oder die andere kommt; dann die Feststellung, dass Vielfalt etwas Bereicherndes ist und nichts Bedrohliches; und zuletzt die Sicherheit, dass Ungerechtigkeit und Gewalt nicht davon weggehen, dass wir sie ignorieren oder als Einzelfälle kleinreden. Andere Menschen finden andere Wege, und alles, was wir tun können, ist, von unseren Wegen zu erzählen und zu hoffen, dass alle anderen auch gut ankommen.

Ich dachte lange, ich müsste erst einen bestimmten Kanon feministischer Literatur gelesen haben, bevor ich mich Feministin nennen kann. Als wäre es ein Titel, den man sich erarbeitet. Aber zum einen gibt es einen solchen universellen Kanon gar nicht. Für verschiedene Generationen und Strömungen des Feminismus sind verschiedene Denker∗innen wichtig gewesen. Heute müsste man, selbst wenn man sich auf eine bestimmte feministische Strömung konzentrieren würde, zu Büchern noch einen ganzen Haufen Blogs, Magazine, Podcasts, Musik, Filme und Serien dazunehmen, wenn man alle prägenden Stimmen zusammentragen wollte. Und immer noch würde irgendjemand sagen: Für mich waren aber die gesammelten Pippi-Langstrumpf-Bände wichtiger oder die Mumins oder der Film *A Girl Walks Home Alone at Night*.

Und zum anderen muss man nicht besonders gebildet sein, um feministisch zu sein. Eine der größten Feministinnen, die ich kenne, ist eine Mutter, die mit ihren sieben Kindern in einem Brandenburger Dorf lebt und nie einen Fuß in eine Universität gesetzt hat. Ihre Nichte war mal ihr Neffe («gloobt mir keener, is aber so!»), und ihre Töchter lernen genauso Kochen und Haushalten wie ihre Söhne: «Watt weeß ick denn, ob die Jungs mal schwul werden, dann macht denen ja ooch keene Frau die Wäsche!»

Sie hat das nicht aus Büchern gelernt, sondern aus dem Leben, und ich glaube nicht, dass sie je das Wort «Feminismus» in den Mund genommen hat. Wir werden auf dem Weg Richtung Freiheit auch von diesen Frauen lernen. Und wir werden, auch wenn wir uns selbst immer mehr befreien, weiterhin denen verpflichtet sein, die keine Stimme haben. Nicht, um sie zu bevormunden, sondern weil wir sie nicht vergessen dürfen.

Wir werden Forderungen stellen, die wir zuvor nie gewagt hätten zu stellen, und wir werden dabei nicht «bitte» sagen, denn man sagt gar nicht «bitte» bei Revolutionen. Man sagt nur «danke» zu denen, die mitgekämpft haben.

Wir werden viel Kraft dabei brauchen. «Was ich will, ist Kraft», schrieb Susan Sontag. «Nicht die Kraft, durchzuhalten, die habe ich und sie hat mich geschwächt – sondern die Kraft zu handeln.»[139] Es macht Arbeit, Dinge zu erhalten, und es macht Arbeit, Dinge zu verändern. Wir werden beides tun.

Wir werden weiterhin Fragen stellen, und wir werden nicht auf alle eine Antwort bekommen. Wir werden uns dabei von der Vorstellung befreien müssen, dass Fragen zu stellen ein Zeichen von Schwäche ist. Kindern bringen wir das bei: Wir sagen ihnen, es gibt keine dummen Fragen. *Wieso, weshalb, warum, wer nicht fragt, bleibt dumm.* Aber wir vergessen das, spätestens sobald wir mit der Schule fertig sind. Leute, die so grundlegende Fragen stellen wie die, was eigentlich Liebe ist, finden wir naiv, nervig oder halten sie für abgedrehte Möchtegernphilosoph∗innen. Aber genau darin besteht manchmal Philosophie: hinter Sätze, die in Stein gemeißelt sind, ein Fragezeichen zu malen.

Was die Antwort ist, erfahren wir dann vielleicht erst lange Zeit später, und vielleicht können wir sie uns noch nicht vorstellen.

Rebecca Solnit schreibt über die Erfolge des Feminismus, es sei ein sehr plastisches Bild, sich den Fortschritt der Gleichberechtigung wie eine Straße vorzustellen: eine tausend Kilometer lange Straße, auf der wir ein Stück mitlaufen. Sie schlägt aber eine andere Sichtweise vor: die Flaschengeister aus Tausendundeiner Nacht.[140] Wenn sie einmal entwichen sind, kriegt man sie nicht wieder in die Flasche:

> «[D]ie Idee, dass Frauen gewisse unveräußerliche Rechte haben, lässt sich nicht mehr so leicht aus den Köpfen vertreiben [...] Es sind die Ideen, die nicht mehr in den Krug [...] zurückzubringen sind. Und Revolutionen entstehen in erster Linie aus Ideen.»

Ich schreibe dieses Buch zu Ende in einer Zeit, in der wir fast jeden Tag von neuen Anschlägen hören, von Amokläufen und unerklärlicher, brutaler Gewalt. Über 65 Millionen Menschen sind auf der Flucht vor Krieg, Konflikten und Terror, rechte Parteien haben in vielen Ländern starken Zulauf, Menschen leben in Angst und wollen einfache Erklärungen. Es wird sie nicht geben. Es wird keine einfachen Antworten geben und keine alles umfassende Sicherheit.

Man könnte sagen, wir hören auf, über Herzensfragen, Sex und Gleichheit zu reden, bis wieder Ruhe ist. Aber die Ruhe wird nicht kommen.

Überall in der Welt verlieren Menschen ihre Liebsten, sie verlieren Arme oder Beine, ihren Beruf, ihr Haus oder die Fähigkeit, nachts zu schlafen, sie verlieren ihren Glauben oder ihre Hoffnung, oder sie verlieren ihr Leben. Wer das alles noch hat, kann froh sein.

Wir haben das Glück, uns über die Freiheit und Liebe Gedanken machen zu dürfen und die Kämpfe derer weiterzuführen, die damit angefangen haben, und wir sollten es tun. Wir tun es nicht nur für uns selbst.

Ich habe in den dreißig Jahren, in denen ich lebe, schon an vieles geglaubt, an die Liebe und die Hoffnung und an einzelne Menschen und mich selbst und jeden Glauben zwischendurch verloren und wiedergefunden. Ich habe an Gott geglaubt und daran, dass es Gott nicht gibt. Ich habe an Gedichte geglaubt und an Bilder, an Meditation und an Statistik, ans Fragen und ans Antworten. Ich habe an Einsamkeit und an Gemeinsamkeit geglaubt, an Schnaps und Musik und die Freiheit, und dann wieder auf die Fresse bekommen. Ich habe ans Aufstehen und ans Liegenbleiben geglaubt, an die Ruhe und den Sturm, und ich weiß nicht, was noch kommt und woran ich in meinem Leben noch glauben werde, aber ganz sicher niemals ans Schweigen.

ANMERKUNGEN

1   Ben Child: «Maggie Gyllenhaal: At 37 I was ‹too old› for role opposite 55-year-old man», theguardian.com, 21. Mai 2015.

2   Marcel Proust: *Auf der Suche nach der verlorenen Zeit, Band 3: Die Herzogin von Guermantes*. München 1930.

3   Simone de Beauvoir: *Das andere Geschlecht. Sitte und Sexus der Frau*. Reinbek bei Hamburg 2005, S. 338 ff.

4   G. W. F. Hegel: *Phänomenologie des Geistes*. Hamburg 1988, S. 233.

5   G. W. F. Hegel: *Grundlinien der Philosophie des Rechts*. Frankfurt/M. 1970, S. 319 (Zusatz zu § 166).

6   thingsmydickdoes.tumblr.com

7   Susan Sontag: «Gegen Interpretation», in: *Standpunkt beziehen. Fünf Essays*. Stuttgart 2016, S. 21.

8   Die Untersuchung stammt von der Soziologin Barbara Rothman. Zitiert nach Cordelia Fine: *Die Geschlechterlüge. Die Macht der Vorurteile über Frau und Mann*. Stuttgart 2012, S. 307 f.

9   Dimiter Inkiow: *Ilias. Der Kampf um Troja*. Dortmund 2004.

10 Nina Power: *Die eindimensionale Frau*. Berlin 2011, S. 59 f.

11 Auf der Seite *vongestern.com* macht sich jemand die Mühe, haufenweise alte Zeitschriften und Werbung einzuscannen und ziemlich lustig zu kommentieren. Die hier zitierten Beispiele mit Marcell, Lolli und Thommy stammen von *vongestern.com*. Ohne Kommentare gibt es *Bravo, Bravo Girl* und andere Hefte im Archiv der Jugendkulturen in Berlin.

12 Die Repräsentation von queeren Jugendlichen in der *Bravo* hat Erwin In het Panhuis untersucht: *Aufklärung und Aufregung. 50 Jahre Schwule und Lesben in der BRAVO*, Berlin 2010.

Hier und im Folgenden zitierte Zeitschriftenausgaben: *Bravo Girl* 12/1999, *Bravo Girl* 1/2000, *Bravo* 11/2016, *Bravo* 23/2015, *Bravo* 1/2016.

13 Stellungnahme zu «100 Tipps für eine Hammer-Ausstrahlung»!, bravo.de, 15. Juli 2015.

14 Jens Schröder: «70 Prozent Auflagenminus in nur fünf Jahren: Wann sterben die Jugendzeitschriften?», meedia.de, 22. Januar 2015.

15 Stephan Trinius: «Die sexuelle Revolution. Interview mit Martin Goldstein. Bundeszentrale für politische Bildung», 5. März 2008.

16 «Mädchen du nervst! Lionttv»-LionT, 30. Juni 2016, (0,5 Millionen Aufrufe) Und: «10 Dinge, die an Mädchen nerven!», Joyce, 30. Oktober 2014 (1,5 Millionen Aufrufe).

17 «Worauf stehen Männer bei Frauen? mit Melina», ApeCrimeTV, 7. Januar 2016 und «Darauf stehen Frauen – Lesbian Version | Melina Sophie & Ape-Crime» 7. Januar 2016. Die Beispiele habe ich von Marie Meimberg: «Die deutsche YouTube-Szene ist sexistischer als jede Mario-Barth-Show», Broadly, 12. Juli 2016.

18 Gewalt schneidet in der Analyse noch ein wenig schlechter ab als Sex: Marken, die in einem Kontext von Gewalt beworben wurden, blieben den Testpersonen schlechter im Gedächtnis, wurden schlechter bewertet und mit geringerer Wahrscheinlichkeit gekauft. Marken, die mit Sex beworben werden, wurden vor allem schlechter bewertet. Studie: Robert B. Lull & Brad J. Bushman: «Do Sex and Violence Sell? A Meta-Analytic Review of the Effects of Sexual and Violent Media and Ad Content on Memory, Attitudes, and Buying Intentions», in: *Psychological Bulletin*, Vol. 141 (2015), No. 5, S. 1022–1048.

19 Kerstin Holm: «Verwandte Seele: Eine Zarin für die Kanzlerin», faz.net, 25. Oktober 2005.

20 Hilal Sezgin: «Die emanzipierte Redaktion», in: *taz*, 29. Oktober 2014.

21 Naomi Wolf: *Der Mythos Schönheit*. Reinbek 1993, S. 13.

22 Philip Meinhold: *O Jugend, O Westberlin*. Berlin 2013.

23 Mascha Kaléko: «Autobiographisches», in: *Die paar leuchtenden Jahre*. München 2003.

24 Hermann Hesse: *Narziß und Goldmund*. Frankfurt/M. 1975.

25 Dass Frauenzeitschriften dazu neigen, Frauen zu verarschen, ist nichts Neues – man könnte sie fast als einen von vielen traditionellen Antrieben von Feminist*innen bezeichnen: Auch die Frauenbewegung der siebziger Jahre kritisierte «das hohle, beschränkte Leitbild der Frauenzeitschriften». Betty Friedan: *Der Weiblichkeitswahn oder die Selbstbefreiung der Frau*. Reinbek 1970, S. 46.
Johanna Sinisalo hat in ihrem Roman *Finnisches Feuer* von 2014 diese Mechanismen sehr geschickt parodiert. Sie schreibt über eine Dystopie, Finnland im Jahr 2016. Die paarungsfähigen Frauen werden vom Staat gezwungen, Magazine und Lehrbücher für Sexualgelenkigkeit zu lesen, in denen

steht, wie sie sich Männern gegenüber verhalten sollen: so, dass es den Männern gut und geil geht – die haben nämlich ein Recht auf Sex. Die Frauen müssen eine «Fügsamkeitsprüfung» ablegen, wo getestet wird, ob sie sich all die schönen Tipps brav gemerkt haben.

26 Jessica R. Wood, Alexander McKay, Tina Komarnicky, Robin R. Milhausen: «Was it good for you too? An analysis of gender differences in oral sex practices and pleasure ratings among heterosexual Canadian university students», in: Canadian Journal of Human Sexuality, Volume 25 (2016), No. 1.

27 Ruth Lewis & Cicely Marston: «Oral Sex, Young People, and Gendered Narratives of Reciprocity», in: The Journal of Sex Research. 2016.

28 In der Studie wurden Zeitschriften verwendet, die «ein schlankes Schönheitsideal vermitteln (z. B. Vogue)», die Kontrollgruppe hatte «neutrale» Zeitschriften wie Geo. Andrea Wyssen et al.: Einfluss von Medienexposition auf das Körperbild bei jungen Frauen und Männern – Die Rolle von kognitiven Faktoren (Thought-Shape-Fusion, TSF). Wissenschaftlicher Kongress der Deutschen Gesellschaft für Essstörungen 2012.

29 Horvath, M. A. H., Hegarty, P., Tyler, S. and Mansfield, S. «Lights on at the end of the party: Are lads' mags mainstreaming dangerous sexism?», in: British Journal of Psychology, 103 (2012), S. 454 – 471.

30 Rebecca Solnit: «80 Books No Woman Should Read», Lithub.com, 18. November 2015.

31 Die Aussage des Autors findet sich im Video in den Pressemitteilungen der University of Surrey: «Are sex offenders and lads' mags using the same language?», University of Surrey, Pressemitteilung, 6. Dezember 2011.

32 Sibylle Berg: Der Tag, als meine Frau einen Mann fand. München 2015, S. 18. In einem Interview auf Spiegel Online hat eine Tantra-Masseurin mal erzählt, wie viele Leute denken, sie müssten einem bestimmten Bild von Erregung entsprechen: «Sobald man sich dem Intimbereich nähert, kommen die automatisierten Abläufe: Beckenbewegung, unechtes Stöhnen und so weiter. Es gibt wenige Menschen, die man intim berühren kann, ohne dass bei ihnen diese Reizreaktionskette anspringt.» In: «Orgas-kann, nicht Orgas-muss», Interview von Benjamin Maack mit Katrin Aschermann, Spiegel.de, 2. April 2016.

33 Caroline Heldman spricht in ihrem Vortrag «The Sexy Lie» über diese Art der Unsicherheit. Viele Frauen betreiben unbewusst etwas, das «habitual body monitoring» heißt und von dem Männer weitaus seltener betroffen sind als Frauen: Das ständige Überprüfen des eigenen Aussehens, der Haltung, der Wirkung auf andere. Das verbraucht mentale Energie – und Zeit. Caroline Heldman: «The Sexy Lie», Everyday Feminism, 9. Februar 2014.

34 Shulamith Firestone: Frauenbefreiung und sexuelle Revolution, Frankfurt/M. 1975, S. 146.

35 Susie Orbach: *Bodies. Schlachtfelder der Schönheit.* Zürich/Hamburg 2010, S. 116 f.

36 Bravo-Studie 2016, Bauer Media, 25. Januar 2016.

37 Das Geschlecht ist nicht der einzige Faktor, der die Anfälligkeit für Essstörungen bestimmt: Kinder und Jugendliche aus Familien mit niedrigem sozioökonomischem Status oder solche mit Migrationshintergrund sind deutlich häufiger betroffen als solche aus Familien mit hohem sozioökonomischem Status oder ohne Migrationshintergrund. Auch sind unter denen, die Auffälligkeiten zeigen, öfter solche, die über sexuelle Belästigung berichten. H. Hölling, R. Schlack: *Essstörungen im Kindes- und Jugendalter.* Erste Ergebnisse aus dem Kinder- und Jugendgesundheitssurvey (KiGGS). Robert-Koch-Institut, Berlin 2007.

38 Peggy Phelan: *Unmarked. The Politics of Performance.* London / New York 1993, S. 10.

39 Birte Vogel: «Nachgezählt: Frauen zu Gast in Talkshows 2015», thea-blog. de, 22. Januar 2016.

40 «When women do show up in the news, it is often as ‹eye candy›, thus reinforcing women's value as sources of visual pleasure rather than residing in the content of their views.» S. Jia, et al: «Women Are Seen More than Heard in Online Newspapers», PLos ONE 11(2).

41 Sibylle Berg: *Und jetzt: die Welt!*, Reinbek 2014.

42 Pauline R. Clance und Suzanne A. Imes: «The Imposter Phenomenon in High Achieving Women. Dynamics and Therapeutic Intervention», in: Psychotherapy Theory, Research and Practice, Vol. 15 (1978), 3.

43 Leslie Jamison: Die *Empathie-Tests*, Berlin 2015, S. 285 f.

44 Peggy Orenstein: *Girls & Sex.* New York 2016.

45 Wie groß das Bedürfnis nach guter Aufklärung ist, zeigt sich im Erfolg der anspruchsvollen Aufklärungsbücher und -sendungen von Ann-Marlene Henning. Ann-Marlene Henning & Tina Bremer-Olszewski: *Make Love. Ein Aufklärungsbuch.* Berlin 2012, Ann-Marlene Henning & Anika von Keiser: *Make more Love. Ein Aufklärungsbuch für Erwachsene.* Berlin 2014.

46 Befeuert wurde die Diskussion zuletzt durch Gerüchte darüber, Kinder sollten Analsex mit Dildos vorspielen. Wie die Gerüchte entstanden, ist hier aufgearbeitet: Kai Krake: «Das Gerücht von der Verschwulung der Kinder in der Schule», Übermedien, 24. Juni 2016.

47 Studie: Jugendsexualität 2015, Bundeszentrale für gesundheitliche Aufklärung (BZgA).

48 Emily Nagoski: *Komm, wie du willst. Das neue Frauen-Sex-Buch.* München 2015.

49 «The Dirty Girl – Die Unanständige», Interview mit Charlotte Roche von Nina Power, in: *Die eindimensionale Frau.* Berlin 2001, S. 105 f.

50 Michel Foucault: *Sexualität und Wahrheit*, in: *Die Hauptwerke.* Frankfurt/M. 2008, S. 1028.

51 David Taylor: «Most popular songs containing most decade-specific words in Billboard's popular music charts», prooffreaderplus.blogspot. de, 15.12.2014, Interview von Eva Thöne mit David Taylor: «‹Fuck› klingt gut», spiegel.de, 19.12.2014.

52 Kate Millett: *Sexus und Herrschaft: Die Tyrannei des Mannes in unserer Gesellschaft*. München 1971.

53 «Ich bin in Rage angesichts unserer Sexualkultur», Interview von Tobias Haberl mit Volkmar Sigusch, Süddeutsche Zeitung Magazin 21/2015.

54 Michel Foucault: «Sexualität und Wahrheit 1: Der Wille zum Wissen», in: *Die Hauptwerke*. Frankfurt/M. 2008, S. 1070 ff.

55 Alain de Botton: *Wie man richtig an Sex denkt. Kleine Philosophie der Lebenskunst*. München 2012.

56 Dagmar Herzog: *Die Politisierung der Lust. Sexualität in der deutschen Geschichte des 20. Jahrhunderts*. München 2005.

57 Herzog 2005, S. 170 & 15.

58 Nansen & Piccard: *Zehntausend Jahre Sex*. Salzburg 2016, S. 150.

59 «Die gefallene Natur», *Der Spiegel* 19/1966.

60 Theodor W. Adorno: «Sexualtabus und Recht heute», in: *Gesammelte Schriften*, Band 10, Frankfurt/M. 2003, S. 533 ff.

61 Shulamith Firestone: *Frauenbefreiung und sexuelle Revolution*, Frankfurt/M. 1975, S. 134.

62 Ute Kätzel: *Die 68erinnen. Porträt einer rebellischen Frauengeneration*. Berlin 2002.

63 Vgl. Susanne Hertrampf: «Ein Tomatenwurf und seine Folgen. Eine neue Welle des Frauenprotestes in der BRD». Bundeszenrale für politische Bildung, 8. September 2008.

64 Carol Hanisch: «The personal is political»; in: Notes from the Second Year: Women's Liberation, New York 1970.

65 Alice Schwarzer: *Der kleine Unterschied und seine großen Folgen*. Frankfurt/M. 2002.

66 Zu den Nazivorwürfen siehe Herzog 2005, S. 291 f., zur DDR ebd. S. 233 ff. 1977 veröffentlichte Maxie Wander Gesprächsprotokolle mit Frauen aus der DDR, ein ähnliches Konzept wie in Alice Schwarzers *Kleinem Unterschied* – nur viel sanfter im Ton. Maxie Wander: *Guten Morgen, du Schöne. Protokolle nach Tonband*. Berlin 1977.

67 Katrin Gottschalk und Margarita Tsomou: «Gegen das laute Schweigen», Freitag.de, 19. Dezember 2014.

68 In der *taz*, die 1978 gegründet wurde, schrieb «Gernot Gailer» 1980: «Diese Frauenbewegung. Als ob wir nicht schon genug zu tun hätten. Mit unserer Triebökonomie. Dann kommen die da an. Schwanz ab heißt das gleich, wenn wir mal 'ne Sekunde zu lange gelinst haben. Schwanz ab, nein danke, sage ich da. Ganz selbstbewusst. Und: die eigentlich Unterdrückten sind doch wir. Wir Männer. Nieder mit der Frauenbewegung.

Für mehr Peepshows. Das ist kein Witz. Ehrlich. Ich bin für die Peepshow. Die Frauenbewegung nützt mir überhaupt nichts. Die Frauen in der Peepshow verstehen mich viel besser.» (Gernot Gailer: «Eine Traumfrau zieht sich aus». *taz*, 12. September 1980.) Als bald darauf ein pornographischer Comic erschien, traten die *taz*-Frauen in einen einwöchigen Streik. Ergebnis war unter anderem eine Frauenquote von 52 Prozent in der Redaktion. Siehe Ute Scheub: «Frauenquote. Wie ich einmal alle Männer entließ», taz. hausblog, 16. November 2012.

69 Natasha Walter: *Living Dolls. Warum junge Frauen heute lieber schön als schlau sein wollen.* Frankfurt/M. 2011, S.12 f.

70 Walter 2011, S. 16.

71 «Alain de Botton on Sex», YouTube: The School of Life, 27. November 2012.

72 bell hooks: *Feminism is for everybody. Passionate Politics.* Cambridge 2000, S. 25.

73 Theodor W. Adorno: «Reflexionen zur Klassenthese», in: *Soziologische Schriften I.*, Frankfurt/M. 2003, S. 390.

74 Charlotte Diehl, Jonas Rees, Gerd Bohner: «Die Sexismus-Debatte im Spiegel wissenschaftlicher Erkenntnisse», Bundeszentrale für politische Bildung, 7. Februar 2014.

75 Robert Connell. *Der gemachte Mann. Konstruktion und Krise von Männlichkeiten*, Wiesbaden 1999.

76 Georg Simmel: «Das Relative und das Absolute im Geschlechter-Problem», in: *Schriften zur Philosophie und Soziologie der Geschlechter.* Frankfurt/M. 1985, S. 213.

77 Katrin Hausen: «Die Polarisierung der ‹Geschlechtercharaktere›», in: Sabine Hark (Hg.): *Diskontinuitäten. Feministische Theorie.* Opladen 2001, S. 166.

78 Susanne Gaschke: «Ihr Verlierer!», *Die Zeit* 25/2006.

79 «Pornos, SM und Fetische als Schulstoff?», Interview mit Karla Etschenberg von Liane Billerbeck, Deutschlandradio Kultur, 24. Oktober 2014.

80 «Sexualität hat einen Zweck», Interview mit Karla Etschenberg von Jan Feddersen, *taz*, 3. Dezember 2014.

81 Tatsächlich wird die Akzeptanz für queere Menschen geringer: 40,1 Prozent der Deutschen würden laut der «Mitte-Studie 2016» der Aussage zustimmen: «Es ist ekelhaft, wenn Homosexuelle sich in der Öffentlichkeit küssen.» (Oliver Decker / Johannes Kiess / Elmar Brähler: *Die enthemmte Mitte. Autoritäre und rechtsextreme Einstellung in Deutschland.* Gießen 2016.)

82 Sarah-Jane Leslie, Andrei Cimpian, Meredith Meyer u. a.: «Expectations of brilliance underlie gender distributions across academic disciplines», in: *Science*, Vol. 347 (2015), Issue 6219.

83 Catherine G. Krupnick: «Women and Men in the Classroom: Inequality and Its Remedies», in: *On Teaching and Learning*, Volume 1 (1985).

84 K. Jung, S. Shavitt, M. Viswanathan u. a.; Female hurricanes are deadlier than male hurricanes, PNAS 2014 111 (24).

85 Mason Currey: *Musenküsse. Die täglichen Rituale berühmter Künstler*. Zürich/Berlin 2014.

86 Heute gibt es einige Projekte, die Frauen in der Geschichte sichtbarer machen wollen. Eine deutschsprachige Datenbank mit Biographien von bedeutenden Frauen ist zum Beispiel *fembio.org* von der Sprachwissenschaftlerin Luise F. Pusch, die diese Daten seit 1982 sammelt.

87 Currey 2014.

88 Rebecca Solnit: *Wenn Männer mir die Welt erklären*. Hamburg 2015.

89 Sebastian Gierke, Antonie Rietzschel und Katharina Brunner: «Geld, Oscars, Rock 'n' Roll – so ungleich sind Männer und Frauen», süddeutsche.de, 25. April 2016.

90 «Noch mehr als 100 Jahre bis zur Gleichstellung», fr-online.de, 19. November 2015.

91 Laurie Penny: *Unsagbare Dinge. Sex, Lügen und Revolution*. Hamburg 2015, S. 14.

92 «Frauen in DAX-Aufsichtsräten: Quote erfüllt», spiegel.de, 10. Juni 2016.

93 Anke Domscheit-Berg: *Ein bisschen gleich ist nicht gleich genug. Warum wir von Geschlechtergerechtigkeit noch weit entfernt sind*. München 2015, S. 17.

94 Sheryl Sandberg: «Habe Probleme alleinstehender Mütter unterschätzt», faz.net, 10. Mai 2015.

95 «Gehaltsvergleich: Mindestlohn verringert Lücke zwischen Männern und Frauen», spiegel.de, 16. März 2016.

96 Bernd Kramer: «Gehälter von Frauen: Das Ausbildungssystem ist das Problem», spiegel.de, 18. März 2016.

97 Claire Cain Miller: «As Women Take Over a Male-Dominated Field, the Pay Drops», nytimes.com, 18. März 2016.

98 Constanze von Bullion: «Etliche Unternehmen planen die Frauenquote mit ‹Zielgröße Null›», süddeutsche.de, 21. Dezember 2015.

99 Hedwig Dohm: *Die Antifeministen. Ein Buch der Verteidigung*. Berlin 1902.

100 Stevie Meriel Schmiedel: *Pink für alle!* Hamburg 2014, S. 103.

101 Die Tierbeispiele sind aus: Ann-Marlene Henning & Anika von Keiser: *Make more Love. Ein Aufklärungsbuch für Erwachsene*. Berlin 2014.

102 «Ein Team von Hermaphroditen», Interview von Dirk Kurbjuweit und Lothar Gorris mit Peter Sloterdijk, *Der Spiegel* 23/2006.

103 Schmiedel 2014, S. 35

104 Anette Selg: «Geschlechterrollen: Forscher entzaubern die Steinzeit-Klischees», deutschlandradiokultur.de, 20. Januar 2016.

105 Helma Lutz und Norbert Wenning nennen insgesamt 13 Kategorien, die sie «bipolare hierarchische Differenzlinien» nennen: Geschlecht, Sexualität, «Rasse»/Hautfarbe, Ethnizität, Nation/Staat, Klasse, Kultur, Gesundheit, Alter, Sesshaftigkeit/Herkunft, Besitz, Nord-Süd/Ost-West, gesellschaftlicher Entwicklungsstand. In: Lutz, Helma & Wenning, Norbert (Hg.): *Unterschiedlich verschieden. Differenz in der Erziehungswissenschaft*. Opladen 2001, S. 20.

106 Erich Mühsam: «Die Befreiung der Gesellschaft vom Staat. Was ist kommunistischer Anarchismus?» (1933), in: *Trotz allem Mensch sein. Gedichte und Aufsätze*. Stuttgart 2009.

107 Erich Mühsam: «Kultur und Frauenbewegung» (1913), in: *Trotz allem Mensch sein. Gedichte und Aufsätze*. Stuttgart 2009.

108 Emma Goldman, «Anarchismus – wofür er wirklich steht», in: *Anarchismus und andere Essays*. Münster 2013, S. 50.

109 Horst Stowasser: *Anarchie! Idee, Geschichte, Perspektiven*. Hamburg 2006, S. 15.

110 Kurt Tucholsky: «eigentlich», in: *Sprache ist eine Waffe. Sprachglossen*. Reinbek 1989, S. 56 f.

111 Ein Mantra ist ein «heiliger Spruch», der bei Meditation, Gebet oder Yoga verwendet wird, indem er wiederholt wird – im Geiste, flüsternd, sprechend oder singend. Das Wort «mantra» kommt aus dem Sanskrit und besteht aus den Teilen «manas» (Geist, Denken) und «tram» (Schutz, schützen bzw. Instrument), es geht also um ein Mittel zum Schutz des Geistes.

112 Mascha Kaléko: «Qualverwandtschaft», in: Kaléko 2003.

113 Lucy Duggan, «My father's favourite question at tea: Would you like a forklifttruck for that?», *The Catweazle* 1 (Februar 2013).

114 Nadja Tolokonnikowa: *Anleitung für eine Revolution*. Berlin 2016.

115 Nicole von Horst: «The stories we tell», in: Banaszczuk/ von Horst/ Sanyal/ Strick: *«Ich bin kein Sexist, aber …»* – *Sexismus erlebt, erklärt und wie wir ihn beenden*. Berlin 2013.

116 Mühsam 2009, S. 136 f.

117 Daniele Giglioli: *Die Opferfalle. Wie die Vergangenheit die Zukunft fesselt*. Berlin 2015, S. 11.

118 World Health Organization: Violence against women: a «global health problem of epidemic proportions». 20 Juni 2013.

119 European Union Agency for Fundamental Rights 2014, Violence against women: an EU-wide survey, 2014.

120 Bundesministerium für Familie, Senioren, Frauen und Jugend: Lebenssituation, Sicherheit und Gesundheit von Frauen in Deutschland. Eine repräsentative Untersuchung zu Gewalt gegen Frauen in Deutschland. 6. Januar 2005.

121 Hannah Arendt: *Vita activa oder Vom tätigen Leben*. München 2008, S. 226.

122 Chimamanda Ngozi Adichie: *We should all be feminists*. New York 2014, S. 9 f.

123 Jessica Valenti: *Full Frontal Feminism*. Berkeley 2007, S. 34.

124 Valenti 2007, S. 239.

125 Zu den verschiedenen Definitionen und Erscheinungsformen von Sexismus und auch zur Frage, inwiefern man Analogien zwischen Sexismus und Rassismus ziehen kann, liefert dieser Essay eine gute Übersicht: Julia C. Becker: «Subtile Erscheinungsformen von Sexismus», Bundeszentrale für politische Bildung, 7. Februar 2014.

126 In einer repräsentativen Umfrage über Homosexualität in Deutschland aus dem Jahr 2000 bezeichneten sich 4,1 Prozent der Männer und 3,1 Prozent der Frauen als homo- oder bisexuell, aber 9,4 der Männer und 19,5 Prozent der Frauen fühlen sich vom gleichen Geschlecht angezogen. «Die Gesellschaft ist Homosexuellen gegenüber aufgeschlossener», faz.net, 28. März 2001.

127 Interview von Estelle Marandon und Sascha Chaimowicz mit Zlatan Ibrahimović: «Ohne meine Frau wäre ich eine Zumutung», *Zeit Magazin* Nr. 25/2016, 13. Juni 2016.

128 «So soll es Menschen geben, die vierzig Minuten lang genitalen Sex haben, Beckenmuskulatur anspannen, Hüfte vorstoßen und dabei oben liegen – und dennoch der Meinung sind, sie seien diejenigen, die gefickt wurden.» Bini Adamczak: «Come on. Über ein neues Wort, das sich aufdrängt – und unser Sprechen über Sex revolutionieren wird», ak – analyse & kritik – zeitung für linke Debatte und Praxis, Nr. 614, 15. März 2016.

129 Susan Sontag, *Reborn*. New York 2008, S. 213.

130 «Merkel bei ‹Brigitte›-Talk: Die Kanzlerin spricht übers Holzhacken», spiegel.de, 2. Mai 2013.

131 Eva Illouz: «Das Verlangen nach Anerkennung. Liebe und die Verletzlichkeit des Selbst», in: Rainer Forst u. a. (Hg.): *Sozialphilosophie und Kritik*. Frankfurt/M. 2009, S. 64.

132 Jessica Benjamin: *Die Fesseln der Liebe. Psychoanalyse, Feminismus und das Problem der Macht*. Frankfurt/M. 1993, S. 217.

133 Carsten Wippermann: «Was junge Frauen wollen. Lebensrealitäten und familien- und gleichstellungspolitische Erwartungen von Frauen zwischen 18 und 40 Jahren», Studie des Delta-Instituts für Sozialforschung im Auftrag der Friedrich-Ebert-Stiftung, Berlin 2016.

134 Die Studie wurde von Forscherinnen der Oregon State University und der University of California, Santa Cruz, durchgeführt. Mädchen, die mit Barbies spielten, fanden, dass Jungs mehr berufliche Möglichkeiten offenstehen (unabhängig davon, ob die Barbie als Model oder als Ärztin gekleidet war). Mädchen, die mit «Mrs. Potato Head» – eine kartoffelförmige Figur – spielten, wiesen einen geringeren Unterschied zu Jungs auf und fanden, sie könnten fast gleich viel werden wie Jungs. Aurora M.

Sherman, Eileen L. Zurbriggen: «Boys Can Be Anything»: Effect of Barbie Play on Girls' Career Cognitions, in: Sex Roles, March 2014, Volume 70, Issue 5; siehe auch: Guy Lasnier: «Play with Barbie dolls affects career aspirations for girls», 5. März 2014, University of Califaornia, Santa Cruz.

135 *Regretting Motherhood* heißt ein Buch der israelischen Soziologin Orna Donath. Donath hat Interviews mit 23 Frauen geführt, die es bereuen, Mutter geworden zu sein. Das ist in Israel, wo die Studie durchgeführt wurde und wo eine Frau im Schnitt drei Kinder bekommt, etwas anderes als in Deutschland, wo es 1,5 Kinder sind. Trotzdem – oder gerade deswegen – wurde in Deutschland die Debatte besonders heftig geführt. Kein Kind zu haben sei in Israel für die meisten schlicht keine denkbare Option, so erklärte Donath den Unterschied. Orna Donath: *Regretting Motherhood. Wenn Mütter bereuen*. München 2016.

136 Emilia Smechowski: «Es ist ein Ziegelstein», taz.de, 19. Januar 2016.

137 «Der Sinn des Lebens ist zu leben», Interview mit Agnes Heller von Tobias Haberl, *SZ Magazin* 04/2014.

138 Adichie, 2014, S. 38.

139 Susan Sontag: *Wiedergeboren. Tagebücher 1947–1963*. München 2010, S. 212.

140 Rebecca Solnit: «Die Büchse der Pandora und die Freiwilligenpolizei», in: Solnit, Hamburg 2015.

LITERATUR

Diese Liste enthält nicht alle Bücher, die ich in diesem Buch zitiere, und nicht alle Bücher auf dieser Liste werden im Buch erwähnt. Es ist eine persönliche Auswahl von Texten, die ich lesenswert finde und die auf irgendeine Art zu diesem Buch beigetragen haben.

Sachbücher, Essays:

Chimamanda Ngozi Adichie: *We Should All Be Feminists*. New York 2014.

Katherine Angel: *Ungebändigt. Über das Begehren, für das es keine Worte gibt*. Stuttgart 2013.

Yasmina Banaszczuk, Nicole von Horst, Mithu M. Sanyal, Jasna Strick: *«Ich bin kein Sexist, aber ...» – Sexismus erlebt, erklärt und wie wir ihn beenden*. Berlin 2013.

Simone de Beauvoir: *Das andere Geschlecht. Sitte und Sexus der Frau*. Reinbek 2000.

Simone de Beauvoir: *Memoiren einer Tochter aus gutem Hause*. Reinbek 1968.

Jessica Benjamin: *Die Fesseln der Liebe. Psychoanalyse, Feminismus und das Problem der Macht.* Frankfurt/M. 1993.

Alain de Botton: *Wie man richtig an Sex denkt. Kleine Philosophie der Lebenskunst.* München 2012.

Leah Bretz & Nadine Lantzsch: *Queer-Feminismus. Label und Lebensrealität.* Münster 2013.

Judith Butler: *Das Unbehagen der Geschlechter.* Frankfurt/M. 2003.

Carl Cederström & André Spicer: *Das Wellness-Syndrom. Die Glücksdoktrin und der perfekte Mensch.* Berlin 2016.

Hedwig Dohm: *Die Antifeministen. Ein Buch der Verteidigung.* Berlin 1902.

Anke Domscheit-Berg: *Ein bisschen gleich ist nicht gleich genug. Warum wir von Geschlechtergerechtigkeit noch weit entfernt sind.* München 2015.

Orna Donath: *Regretting Motherhood. Wenn Mütter bereuen.* München 2016.

Shereen El Feki: *Sex und die Zitadelle. Liebesleben in der sich wandelnden arabischen Welt.* Berlin 2013.

Carolin Emcke: *Wie wir begehren.* Frankfurt/M. 2012.

Silvia Federici: *Caliban und die Hexe. Frauen, der Körper und die ursprüngliche Akkumulation.* Wien 2012.

Shulamith Firestone: *Frauenbefreiung und sexuelle Revolution.* Frankfurt/M. 1975.

Daniele Giglioli: *Die Opferfalle. Wie die Vergangenheit die Zukunft fesselt.* Berlin 2015.

Emma Goldman: *Anarchismus und andere Essays.* Münster 2013.

Gabriela Häfner & Bärbel Kerber: *Das innere Korsett. Wie Frauen dazu erzogen werden, sich ausbremsen zu lassen.* München 2015.

Sabine Hark & Paula-Irene Villa (Hg.): *Anti-Genderismus. Sexualität und Geschlecht als Schauplätze aktueller politischer Auseinandersetzungen.* Bielefeld 2015.

Ann-Marlene Henning & Tina Bremer-Olszewski: *Make Love. Ein Aufklärungsbuch.* Berlin 2012.

Ann-Marlene Henning & Anika von Keiser: *Make more Love. Ein Aufklärungsbuch für Erwachsene.* Berlin 2014.

Dagmar Herzog: *Die Politisierung der Lust. Sexualität in der deutschen Geschichte des 20. Jahrhunderts.* München 2005.

bell hooks: *Feminism is for everybody. Passionate Politics.* Cambridge 2000.

Lann Hornscheidt: *feministische w_orte. ein lern-, denk- und handlungsbuch zu sprache und diskriminierung, gender studies und feministischer linguistik.* Frankfurt/M. 2012.

Leslie Jamison: *Die Empathie-Tests. Über Einfühlung und das Leiden anderer.* Berlin 2015.

Ute Kätzel: *Die 68erinnen. Porträt einer rebellischen Frauengeneration.* Berlin 2002.

Julia Korbik: *Stand up. Feminismus für Anfänger und Fortgeschrittene.* Berlin 2014.

Ilse Lenz: *Die Neue Frauenbewegung in Deutschland. Abschied vom kleinen Unterschied.* Wiesbaden 2010.

Ariel Levy: *Female Chauvinist Pigs. Women and the Rise of Raunch Culture.* London 2006.

Herbert Marcuse: *Der eindimensionale Mensch. Studien zur Ideologie der fortgeschrittenen Industriegesellschaft.* Neuwied und Berlin 1967.

Caitlin Moran: *How to be a woman. Wie ich lernte eine Frau zu sein.* Berlin 2012.

Robert Misik: *Was Linke denken.* Wien 2015.

Erich Mühsam: *Trotz allem Mensch sein. Gedichte und Aufsätze.* Stuttgart 2009.

Toril Moi: *What is a Woman? And Other Essays.* Oxford 1999.

Emily Nagoski: *Komm, wie du willst. Das neue Frauen-Sex-Buch.* München 2015.

Nansen & Piccard: *Zehntausend Jahre Sex.* Salzburg 2016.

Susie Orbach: *Bodies. Schlachtfelder der Schönheit.* Zürich / Hamburg 2010.

Laurie Penny: *Fleischmarkt. Weibliche Körper im Kapitalismus.* Hamburg 2012.

Laurie Penny: *Unsagbare Dinge. Sex, Lügen und Revolution.* Hamburg 2015.

Nina Power: *Die eindimensionale Frau.* Berlin 2011.

Katrin Rönicke: *Bitte freimachen. Eine Anleitung zur Emanzipation.* Berlin 2015.

Mithu M. Sanyal: *Vulva. Die Enthüllung des unsichtbaren Geschlechts.* Berlin 2009.

Stevie Meriel Schmiedel: *Pink für alle! Der neue feministische Protest gegen Sexismus in Werbung und Spielzeug.* Hamburg 2014.

Almut Schnerring & Sascha Verlan: *Die Rosa-Hellblau-Falle. Für eine Kindheit ohne Rollenklischees.* München 2014.

Julia Schramm: *Fifty Shades of Merkel.* München 2016.

Rebecca Solnit: *Wenn Männer mir die Welt erklären.* Hamburg 2015.

Susan Sontag: *Wiedergeboren. Tagebücher 1947–1963*. München 2010.

Susan Sontag: *Ich schreibe, um herauszufinden, was ich denke. Tagebücher 1964–1980*. München 2013.

Susan Sontag: «Gegen Interpretation» und «Über Schönheit», in: *Standpunkt beziehen. Fünf Essays*. Stuttgart 2016.

Horst Stowasser: *Anarchie! Idee, Geschichte, Perspektiven*. Hamburg 2006.

Nadja Tolokonnikowa: *Anleitung für eine Revolution*. Berlin 2016.

Natasha Walter: *Living Dolls. Warum junge Frauen heute lieber schön als schlau sein wollen*. Frankfurt/M. 2011.

Charlotte Witt: *The Metaphysics of Gender*. Oxford 2011.

Anne Wizorek: *Weil ein #Aufschrei nicht reicht. Für einen Feminismus von heute*. Frankfurt/M. 2014.

Naomi Wolf: *Der Mythos Schönheit*. Reinbek 1993.

Romane, Erzählungen:

Saphia Azzedine: *Zorngebete*. Berlin 2013.

Marie Calloway: *Es hat echt überhaupt nichts mit dir zu tun*. Berlin 2015.

Kali Drische: *Neulich im Schrank. Geschichten über Körper, Sex und andere Widrigkeiten*. Tübingen 2015.

Lucy Fricke: *Durst ist schlimmer als Heimweh*. München 2007.

Lucy Fricke: *Takeshis Haut*. Reinbek 2014.

Verena Friederike Hasel: *Lasse*. Berlin 2015.

Aldous Huxley: *Schöne neue Welt*. Frankfurt/M. 1953.

Gertraud Klemm: *Aberland*. Graz 2015.

Gertraud Klemm: *Herzmilch*. Graz 2014.

Beate Kruse: *Was machen die anderen nachts? Melancholische Sex-geschichten*. Leipzig 2015.

Helen Moster (Hg.): *Alles absolut bestens bei mir. 15 Alleingänge aus Finnland*. Hamburg 2014.

Jacinta Nandi: *Nichts gegen blasen*. Berlin 2015.

Charlotte Roche: *Feuchtgebiete*. Köln 2008.

Charlotte Roche: *Mädchen für alles*. München 2015.

Johanna Sinisalo: *Finnisches Feuer*. Stuttgart 2014.

Marlene Streeruwitz: *Nachkommen*. Frankfurt/M. 2014.

Maria Sveland: *Bitterfotze*. Köln 2009.

Maria Sveland: *Häschen in der Grube*. Köln 2013.

Comics:

José-Louis Bocquet & Catel Muller: *Die Frau ist frei geboren. Olympe de Gouges*. Bielefeld 2013.

Antje Schrupp & Patu: *Kleine Geschichte des Feminismus im euro-amerikanischen Kontext*. Münster 2015.

DANK

«Das Schreiben ist eine kleine Tür», schrieb Susan Sontag. «Manche Phantasien passen, gleich großen Möbelstücken, nicht hindurch.» Ich danke in diesem Sinne allen, die mit mir versucht haben, das Zeug durch die Tür zu kriegen, von Herzen.

Ich danke meiner Agentin Barbara Wenner, ohne die ich dieses Buch nicht angefangen hätte, und meiner Lektorin Johanna Langmaack, ohne die ich es nicht beendet hätte.

Dem Rowohlt Verlag danke ich für die herzliche Aufnahme und das Vertrauen.

Für Gespräche, Inspiration, Zusammenarbeit und Hoffnung danke ich Sookee, Emilia Smechowski, Miriam Seyffarth, Eva von Redecker, Theresia Enzensberger, Karsten Kredel, Lucy Duggan, Franziska Seyboldt, Doris Akrap, Deniz Yücel, Fatma Aydemir, Olga Grjasnowa, Julia Schramm, David Hugendick, Lucy Fricke, Ronja von Rönne, Laurie Penny, Mechthild Alpermann, Christina Clemm, Anne Wizorek, Katrin Rönicke, Sibylle Berg, Mareice Kaiser, Esra Rotthoff, Anatol Stefanowitsch, Christiane Frohmann, David Wagner, Kirsten Fuchs, Lea Streisand und Uli Hannemann. Michael Brake danke ich zusätzlich dafür, dass er denselben Schlafrhythmus hat wie ich.

Ich danke Ursula Kurth, die mich dazu gebracht hat, Philosophie zu studieren. Ich wünschte, sie würde noch leben.

Ich danke Katrin Bettina Müller, Ulrich Gutmair, Daniel Schulz und Dirk Knipphals dafür, dass sie angefangen haben, meine Texte in der *taz* zu drucken. Anne Vogel-Ropers danke ich für die Mitentwicklung der Buchidee. Stefan Kuzmany danke ich dafür, dass er mich auch bei schlechtester Laune erst zum Lachen und dann zum Kolumneschreiben bringt.

Unserer Katze Flamme danke ich dafür, dass sie nie etwas vom Text gelöscht hat, wenn sie über meinen Laptop gelaufen ist.

Und ich danke Stefan, Jessica, Janina, Arne, Aurélie, Ann, Sophie, Matthias, Marie, Katrin, Britta, Michl, Barbara, Viola, Bianca, Anna, Maritt, meiner Mutter, meiner Schwester, meiner Oma und meinem Opa für die Liebe, die mich am Leben hält.

Margarete Stokowski
Die letzten Tage des Patriarchats

Seit 2011 veröffentlicht Margarete Stokowski, eine der wichtigsten Stimmen des gegenwärtigen Feminismus, Essays, Kolumnen und Debattenbeiträge. Die besten und wichtigsten Texte versammelt dieses Buch, leicht überarbeitet und kommentiert. Die Autorin analysiert Machtverhältnisse, Sexismen und die mediale Kommentierung von Frauenkörpern, sie schreibt über Feminismus, die #metoo-Debatte und Rechtspopulismus. Ihre Texte machen Mut, helfen, wütend zu bleiben, Haltung zu zeigen und doch den Humor nicht zu verlieren, und sie zeigen, dass es noch einiges zu tun gibt auf dem Weg zu einer gleichberechtigen Gesellschaft.

320 Seiten

Weitere Informationen finden Sie unter **rowohlt.de**